HANNA CYGLER

Kolor bursztynu

DOM WYDAWNICZY REBIS

Copyright © for the Polish edition by
REBIS Publishing House Ltd.,
Poznań 2013

Redaktor tego wydania
Małgorzata Chwałek

Projekt i opracowanie graficzne okładki
Piotr Majewski

Fotografia na okładce
© Paul Piebinga/Getty Images/Flash Press Media

prawolubni

Wydanie II poprawione
Poznań 2013

Wydanie I ukazało się w 2004 roku
nakładem wydawnictwa KURPISZ S.A.

ISBN 978-83-7818-445-4

Dom Wydawniczy REBIS Sp. z o.o.
ul. Żmigrodzka 41/49, 60-171 Poznań
tel. 61-867-47-08, 61-867-81-40; fax 61-867-37-74
e-mail: rebis@rebis.com.plwww.rebis.com.pl

Mojej Mamie za inspirację
oraz Krysi i Andrzejowi Drozdowskim
z podziękowaniem za wprowadzenie mnie
w tajniki świata bursztynu

Rozdział I

Nie wiem, co mnie obudziło, lecz zanim umysł zdołał rozproszyć porozrywane chaotycznie fragmenty snów, odczułam potworny strach. Przełknęłam ślinę, ale krtań była tak obolała, jakbym urwała się z szubienicy. Wydałam jakiś dziwny, chrapliwy odgłos, a serce próbowało się przedostać przez koszulę nocną i upaść mi na kolana. Wstałam z łóżka na rozdygotanych nogach, usiłując ręką osadzić ten najważniejszy organ na swoim miejscu.

Przez niedosunięte zasłony dochodziło mizerne i skacowane po zbyt długiej nocy światło dnia. Wolno, badając teren, przesunęłam stopami po ohydnie burej wykładzinie. Miała ten sam kolor co moje oczy.

Po prawej stronie łóżka dostrzegłam dwa karabiny: uzi i kałasznikow. Do tego porzucone beztrosko trzy granaty i materiał detonujący.

Nadal przepełniona strachem zbliżyłam się do okna i ukradkiem wyjrzałam na znajdujące się cztery piętra niżej podwórko. Przez noc kałuże nabrały gigantycznych rozmiarów. Wyglądało to jak początek powodzi. Wówczas przypomniałam sobie o oddanych do szewca mokasynach i natychmiast zachciało mi się wracać do łóżka. Bez szans jednak.

W łazience wysiadła jedyna żarówka. Pospiesznie myłam się w półmroku, w zasadzie zadowolona, że nie muszę siębie oglądać. Zimna woda na twarzy przegnała strachy, a ciało pokornie podporządkowało się mojej woli. Teraz pozostało przywdzianie włosienicy, to znaczy służbowej granatowej garsonki i świeżo upranej białej bluzki.

Weszłam do pokoju, aby ostatecznie załatwić sprawę nagromadzonego przy łóżku sprzętu bojowego, gdy nagle usłyszałam dzwonek budzika. Dopiero wówczas zorientowałam się, że koszmar senny okradł mnie z nocnego wypoczynku prawie o piętnaście minut.

– Nie wstaję, nie wstaję! – protestował Mateusz i ponownie zakopał się w pościeli.

Mirka była bardziej podobna do mnie. Z wciąż zamkniętymi oczami ruszyła bohatersko w stronę łazienki. Wiedziałam, że nie muszę sprawdzać zeszytów i książek. Już wieczorem, jak zwykle, starannie spakowała tornister. Ale Mateusz...

– Wstawaj natychmiast. Nie będę przez ciebie spóźniać się do pracy – powiedziałam, może jednak zbyt obojętnym tonem, bo Mateusz nawet nie zareagował. Postanowiłam do przekonywania dołączyć groźbę. – Wyrzucam dzisiaj wszystkie twoje karabiny. Przez nie o mało się przed chwilą nie przewróciłam.

Wszystko, tylko nie sprzęt komandosa Mateusza. Natychmiast rzucił się w stronę drugiego pokoju.

– Już nie mogę wytrzymać z tymi babami! – dobiegły mnie jego utyskiwania.

Ponieważ nie zareagowałam, wkrótce się uspokoił i po chwili, jak zwykle, we trójkę w milczeniu przeżuwaliśmy płatki owsiane, popijając je kawą Inką. Pełne rezygnacji milczenie. Od dłuższego już czasu nie słyszałam od nich, co ostatnio widzieli smacznego w reklamach telewizyjnych. Może dlatego, że dwa miesiące wcześniej telewizor babci wysiadł na dobre.

Od stołu zerwałam się pierwsza i pospiesznie przygotowałam kanapki z metką na popołudnie. Po chwili wahania dodałam jeszcze po jednym dość pomarszczonym jabłku. W szkole jedli obiad, a kanapki powinny im wystarczyć do mojego przyjścia. Najgorsze, że ostatnio Mateuszowi stanowczo za bardzo dopisywał apetyt. Miałam nadzieję, że wkrótce mu to przejdzie, bo inaczej będę zmuszona wziąć kolejną pożyczkę. Jak to uzasadnić? „To na drugie śniadania dla mojego syna". Już widzę ich miny... Mózg mi puchł od nieustannego przeliczania tych nowych złotówek i groszy. W drodze do szkoły moja głowa nadal pracowała jak kalkulator. Nagle poczułam na sobie bryzgi błota.

– Gdzie leziesz, babo?! – wrzasnął kierowca. – I jeszcze dzieci za sobą ciągnie...

Mirka próbowała mnie pocieszyć i wsunęła mi rękę pod ramię. Spojrzałam na nią, ale nie uścisnęłam jej, nawet na do widzenia.

– Uważajcie na siebie i od razu po szkole zróbcie lekcje.

Mirka skinęła głową, ale Mateusza już to w ogóle nie obchodziło. Obrócony w stronę kolegów, robił do nich głupie miny. Jak typowy chłopak. Typowy? Złapałam się na tym, że instynktownie zacisnęłam kciuki w figi. Daj Boże, typowy. Upewniwszy się, że kolorowe czapki moich dzieci zniknęły w czeluściach szkoły, odwróciłam się w stronę przystanku tramwajowego.

Wciśnięta przez tłum w okno dalej ćwiczyłam dodawanie lub raczej odejmowanie i wciąż wynik działań był nieubłagany. Gdybym tylko mogła choć na chwilę oderwać się od rzeczywistości... Kiedyś jako mała, a nawet jako nieco większa dziewczynka nie miałam z tym żadnych kłopotów. Wystarczała tylko chwila, nawet krótki przejazd tramwajem, a natychmiast pogrążałam się w urojonej rzeczywistości. Moje nieprzytomne spojrzenie nie było spowodowane zezem, ale nieustannie prowadzoną w myślach konwersacją, przeważnie z postaciami historycznymi. I tylko ja wiedziałam, że jestem „nieudokumentowaną źródłami" kochanką Ludwika XIV i przyjaciółką z dzieciństwa Krystyny Szwedzkiej. Od wielu lat powrót do mego podwójnego życia był niemożliwy. Jedynym marzeniem, które pozostało, była ucieczka w nieznane. Ale miałam przecież zobowiązania, dwoje dzieci. Moich i Pawła. Pawła...

Poziom adrenaliny na samo imię mego eks nieznacznie wzrósł. A zatem pozostały mi jeszcze jakieś uczucia. Wprawdzie niechęci i nienawiści, ale od czegoś trzeba zacząć, zadecydowałam, wchodząc już zupełnie raźnym krokiem do muzeum.

– Pani Aniela dzisiaj w dobrym humorze – zauważył portier.

Aniela? Nadal nie mogłam się przyzwyczaić do mojego prawdziwego imienia. Jeszcze trzy lata temu byłam Anitą, tak jak tego chciała Ewa. Nigdy nie mogła wybaczyć babci, że wykorzystała jej zły stan zdrowia po porodzie i zarejestrowała mnie jako Anielę. Ze złości matka rozchorowała się jeszcze bardziej i nic nie zmusiło jej do nazywania mnie Anielką. Nawet francuskie filmy o pięknej Angelice. Chociaż nie jestem na tyle głupia, żeby nie zdawać sobie sprawy, iż porównanie mnie z tą bohaterką mogło się wydać groteskowe.

– Żyję, oddycham, mam pracę, a deszcz wkrótce ustanie – zauważyłam, próbując złożyć usta do uśmiechu.

– Tak jak my dostaniemy podwyżkę – odciął się pan Roman.

Wzruszyłam ramionami. Podwyżka w muzeum regionalnym była tak prawdopodobna jak częstszy niż raz na 76 lat przelot komety Haleya.

– Dzisiaj przydarzy się pani coś nowego. – Pan Roman

miał bardzo tajemniczą minę. – Pani Joasia zachorowała i dyrektorka zdecydowała, że pani ma ją zastąpić.

Jak zwykle, słysząc zaskakujące wieści, nie zareagowałam i zepsułam panu Romanowi całą przyjemność z niespodzianki. Obojętnie sięgnęłam do szafki po pastę do podłogi i zestaw szmat, ale wewnątrz dygotałam z podniecenia. Idę na salę bursztynową! Widząc jawny zawód na twarzy portiera, powiedziałam:

– A widzi pan, panie Romanie. Należy wierzyć w przyszłość.

Ha! I kto to mówi? Jakaś nienormalna masochistka! Trzy lata temu, kiedy pojawiłam się w muzeum z moim świeżym dyplomem i bogatą historią wszelkich nieszczęść, dyrektorka obiecała mi, że praca „salowej", czyli personelu pomocniczego, potrwa jedynie parę miesięcy. Następnie obejmę etat merytoryczny po panu Bolku, który właśnie wybiera się na emeryturę. Nie wybrał się nigdzie do tej pory. Właściwie to mu się nie dziwię. Sama zrobiłabym to samo.

Ale, sala bursztynowa! Na numizmatyce tkwiłam już od pół roku. W ogóle mnie ten temat nie interesował, a poza tym, jak się wkrótce zorientowałam, nasze zbiory nie przedstawiały większej wartości.

Zaciekawiona zajrzałam do nowej „podopiecznej". Nie było w niej nikogo. Trudno się temu dziwić, skoro to ja trzymałam w rękach klucz. Starałam się nie przyglądać eksponatom, wymiatając widzialny jedynie pod mikroskopem kurz. Przecież będę jeszcze miała na to mnóstwo czasu. Na początku marca naszego muzeum nie oblegały rzesze wycieczek.

O godzinie dziesiątej, zadowolona z siebie, zasiadłam na krześle Joasi i rozłożyłam na kolanach moje wyszywanki. Kiedy jednak przez godzinę nikt żywy nie zawitał do mojej ulubionej sali, odczułam drętwienie stóp i wstałam. Sala była tylko moja. Wykonałam na środku zupełnie zgrabny piruet i pochyliłam się do przodu, czekając na oklaski zebranego przede mną dworu.

– Za wyjątkowe zasługi dla królestwa dostanie waćpani tę zapinkę do włosów, którą nasze sługi z zamorskich krain nam przywiozły. Kamień ten szlachetny bursztynem zowią – powiedział Wiktor i zbliżył się do mnie.

Zapinka leżała pośród innych przedmiotów służących do ozdoby. Była koloru prawdziwego bursztynu, nadzwyczajną mieszanką wszystkich gatunków miodu. Słysząc zbliżające się korytarzem kroki, pospiesznie powróciłam na swoje miejsce. Pierwsi goście. Jeśli to będzie mężczyzna, to dzień udany, jeśli kobieta...

Po chwili na salę wbiegła nastolatka z lekko naburmuszoną miną, jakby właśnie usłyszała coś nieprzyjemnego pod swoim adresem. Na widok zbiorów jej twarz pojaśniała. Obróciła się i w obcym języku wykrzyknęła coś w kierunku osoby, która właśnie nadchodziła.

Ledwie zdążyłam wygładzić na kolanach bębenek z haftem, gdy do sali wszedł mężczyzna. Zawsze udaję, że nie widzę zwiedzających, dopóki oni sami nie odnotują mojej obecności. Wielu na ogół zaszczyca mnie niedbałym „dzień dobry". Zawsze uprzejmie im odpowiadam i powracam do wyszywania. Nie chcę, żeby się czuli obserwowani. Niemniej cały czas jestem czujna i zerkam na nich zza szkieł. Mimo iż w większości sal jest któraś z nas, notorycznie giną pojedyncze eksponaty. Do tej pory miałam szczęście z moją numizmatyką, ale w nowym miejscu pracy nie mogłam sobie pozwolić na kompromitację.

Dziewczynkę i mężczyznę zbyt zaaferowała ekspozycja, żeby zwracać na mnie uwagę. Obróceni do mnie bokiem przyglądali się bursztynowym monstrancjom. Dziewczyna mogła mieć najwyżej czternaście lat, jasnowłosa i długonoga. W jaskrawych ciuchach wyglądała jak młodociana modelka. Mężczyzna ubrany był sportowo – dżinsy, beżowy sweter w serek i buty, jak dostrzegłam, na skórzanej podeszwie. Na pewno nie korzystał z komunikacji miejskiej. Miał prawie białe włosy, ale jego szczupła, wysportowana sylwetka wskazywała jednak na niezbyt zaawansowany wiek. Rozmawiał z dziewczyną w jakimś dziwnym, śpiewnym języku. Nigdy nie miałam ucha do języków obcych, więc się nawet nie domyślałam, co to za narzecze.

Zwróciłam uwagę na dłoń mężczyzny opartą o krawędź gabloty. Miał pięknie ukształtowane palce i zadbane paznokcie. Tak się zapatrzyłam na te ręce, że nie zauważyłam nawet, iż odwrócił się w moją stronę.

Boże! To niemożliwe, żeby to był on – to była moja pierwsza reakcja. Czułam, jak coraz bardziej wbijam się w krzesło. Nie chciałam, żeby mnie dostrzegł, ale on zupełnie obojętnie przejechał po mnie wzrokiem. Nie poznał mnie! Miałam szczęście. Choć to mało prawdopodobne, istniała jednak nikła możliwość, że mógł mnie jakoś skojarzyć. Widział mnie wprawdzie przelotnie, jedynie dwa razy i to trzy lata temu, lecz jednak w dość specyficznych okolicznościach. Nie, nie mógł mnie poznać. Miałam wówczas jasne włosy, inaczej się ubierałam, byłam umalowana. A teraz... Przez spadające mi na oczy źle podcięte włosy spojrzałam na czubki moich „zastępczych" butów. Takich kobiet jak ja się nie zauważa. Wiedziałam o tym aż nazbyt dobrze.

Byłam taka zdenerwowana, że bałam się oddychać. Nie miałam już żadnych wątpliwości. Ten prosty, zgrabny nos, wydatne kości policzkowe i oczy koloru... bursztynu. To ten sam mężczyzna! Jakby z oddali usłyszałam czyjś głos:

– W którą stronę do wyjścia?

Jak niedorozwinięta niemowa wyciągnęłam rękę. Poszedł w tym kierunku, nie spojrzawszy już na mnie. Dziewczynka podążyła za nim. W drzwiach następnej sali złapała go za ramię.

– Pappa!

Po chwili w sali bursztynowej poruszał się jedynie wątły promień marcowego słońca, ale we mnie dokonywała się prawdziwa rewolucja. Dygoczące ręce, walące młotem serce – wszystko świadczyło o tym, że po trzech latach wreszcie się obudziłam. Nagle zerwałam się na równe nogi, zrzucając na podłogę bębenek, i zrobiłam coś dla siebie niesłychanego. Pobiegłam do sąsiedniej sali, w której strażowała Halinka, zaocznie studiująca anglistykę.

– Przed chwilą była u ciebie para. W jakim języku ze sobą rozmawiali? – spytałam.

Halinka spojrzała mocno zdziwiona. Jeszcze nigdy nie widziała mnie w stanie takiego zaaferowania.

– To był jakiś skandynawski język. Wydaje mi się, że szwedzki. Mam kuzyna w Sztokholmie.

– Halinko! Proszę cię, zwróć uwagę na moją salę. Muszę na moment wyjść.

W ciągu trzech lat nic takiego mi się nie przydarzyło, ale nie musiała robić takiej przerażonej miny.

– Muszę ich dogonić. Zdaje się, że ten pan jest dawnym znajomym mojej matki. Nie widziałam go od lat – wymyśliłam na poczekaniu i to usatysfakcjonowało Halinkę. Zanim zdążyła cokolwiek powiedzieć, byłam już na schodach.

Bynajmniej nie zamierzałam ich dogonić. Chciałam tylko zobaczyć, dokąd pójdą. Nie myśląc w ogóle o tym, że nie powinnam opuszczać muzeum, przeskakiwałam po kilka stopni naraz.

Kiedy wpadłam do holu, nie było tam już nikogo. Wybiegłam na dwór, żeby zobaczyć, jak od strony podwórka wyjeżdża granatowe volvo. Zdążyłam jedynie zapamiętać numer rejestracyjny.

Stałam jeszcze chwilę i nagle pojęłam bezsens moich działań. Co ja w zasadzie chciałam zrobić? I drugie pytanie: co mogłam zrobić? Facet znów zniknął jak igła w stogu siana. Szwed? To było prawdopodobne. Pamiętałam, że kiedyś dzwonił do nas do biura i się przedstawiał. Coś jakby „...son". Nie powiedziałam o tym wówczas policji, bo wydawało mi się to bezsensowne.

– Pani Anielo? Co się pani stało? Czy ktoś coś ukradł? – zaniepokoił się pan Roman.

Potrząsnęłam głową.

– Zdaje się, że to był znajomy mojej matki.

Dlaczego mieszałam w to Ewę? Czy dlatego, że można ją obwiniać o tyle innych rzeczy?

– Nie wiem, gdzie mieszka – mamrotałam automatycznie.

Pan Roman rozpromienił się od ucha do ucha.

– Ale ja wiem.

– Jak... to? – wydukałam.

– Zamówił nasz nowy katalog i zostawił swój adres do wysyłki. W zasadzie to głównie po to przyszedł. Ta mała chciała jeszcze zobaczyć bursztyny i dlatego weszli tylko do tej sali.

Spojrzałam na lekko podniszczony zeszyt i od razu to dostrzegłam: Kaj Hanson. I adres. Adres w Polsce. Górny Sopot.

– Panie Romanie! – wykrzyknęłam z radości i ucałowałam przestraszonego staruszka w oba policzki. Teraz na dobre pomyśli, że straciłam rozum. Pani Aniela, odzywająca się półsłówkami, zawsze trzymająca się na uboczu, nieprzejawiająca jakiegokolwiek zainteresowania, wykonuje nagle takie niespodziewane gesty. Wniosek nasuwał się sam. Musiałam zwariować.

I tak się właśnie czułam. Siedziałam do końca dyżuru jak

na szpilkach i ledwie zauważałam, co się wokół mnie dzieje. Miałam więcej szczęścia niż rozumu, że niczego mi tego dnia nie ukradli z sali, gdyż nie byłam w stanie koncentrować się na moich codziennych obowiązkach. Chciałam wybiec z muzeum i natychmiast jechać do Sopotu. Tak, po pracy muszę natychmiast tam jechać.

Przy wyjściu z muzeum owionęło mnie chłodne marcowe powietrze i zaczęłam odzyskiwać rozsądek. To przecież było bez sensu. Co ja chciałam uzyskać? Zmusić go do przyznania się, że to on zniszczył nadzieję mego życia? Boże, jaka ja byłam durna.

Ruszyłam nad Motławę. Muszę, muszę się koniecznie zastanowić, co mam z tym zrobić. Po blisko dwóch godzinach sine wody rzeki dały mi odpowiedź. Nic nie mogę zrobić! Sama rozmowa z Hansonem nic by nie dała. Musiałam zdobyć konkretne dowody na to, co zrobił, a w co nie uwierzyła policja. A ja mogłam zapomnieć o jakimkolwiek aktywnym zaangażowaniu z mojej strony.

Samotnie wychowywałam dwójkę dzieci, byłam o krok od ruiny finansowej i nie mogłam wziąć ani dnia wolnego. To koniec. Los złośliwie podsunął mi przed oczy tego Hansona, żeby mi zarazem uświadomić moją kompletną bezsilność.

Postarzała o lata, dojechałam wreszcie do domu. W skrzynce leżał jakiś list. Machinalnie sięgnęłam po kluczyk. Korespondencja z banku. Zastanawiałam się przez chwilę, czy nie otworzyć koperty, ale zrezygnowałam. Zapewne będę musiała zapłacić odsetki karne za to, że nieregularnie spłacałam kredyt. „Kredyt konsumpcyjny". I to była prawda. Został cały skonsumowany przez dzieci.

– Mama! Mateusz pobił się w szkole z chłopakami. Śmiali się z niego, że ma pocerowane dżinsy – doniosła mi przy samych drzwiach Mirka.

Spojrzałam na syna. Widziałam, że drżą mu usta. Jednocześnie miotał pełne nienawiści spojrzenia w kierunku siostry.

– Ile razy ci mówiłam, że tylko słabi ludzie stosują przemoc – powiedziałam, zdejmując płaszcz i wkładając kapcie.

Mateusz spojrzał na mnie z politowaniem.

– Jak im dołożyłem, to od razu mnie przeprosili – zakomunikował.

Nie miałam ani ochoty, ani siły mu odpowiadać. Ta resztka energii, która wystarczała mi na utrzymanie się na powierzchni życia przez ostatnie trzy lata, po ujrzeniu Hansona natychmiast wyparowała. Poszłam do kuchni i automatycznymi ruchami zaczęłam przygotowywać obiad. Obiad, zmywanie, sprawdzenie lekcji dzieci, zaległe prasowanie, ugotowanie zupy na jutro, posegregowanie według dat niezapłaconych rachunków, zacerowanie rozerwanych w kroku spodni Mateusza... I tak prawie co dzień. Na granicy wytrzymałości. Już tak dalej nie dam rady. Jestem bardzo gospodarna, ale żeby gospodarzyć, należy coś mieć, a nie tylko rosnące długi. Muszę znaleźć lepszą pracę. Tylko kiedy mam to zrobić? Te wszystkie podania, CV... i przede wszystkim kupowanie gazet. Szkoda, że Sebastian musiał wyjechać na tak długo do Niemiec. Przed wyjazdem proponował mi pomoc, ale pracowałam wówczas już od ponad pół roku w muzeum i byłam pewna, że wkrótce przeniosą mnie na lepsze stanowisko. Odmówiłam. Potem, gdy ponownie się tu pojawił, nie chciałam zawracać mu głowy. Był taki przejęty swoją pierwszą wystawą obrazów. Nie mogłam wymagać, żeby poświęcał mi swój czas. I tak zrobił więcej dla mnie i dla dzieci niż ich rodzony ojciec.

– Mamo! – Mirka szarpała mnie za rękaw. Nie wiem, jak to się stało, że podczas przygotowań do obiadu usiadłam przy stole i zamyśliłam się. Może rzeczywiście traciłam rozum.

– Tak? – Zerwałam się natychmiast z miejsca.

– Przyszła pani Balińska i mówi, że ktoś do ciebie dzwoni.

To mogła być tylko Ewa. Nikt inny nie miał tego numeru telefonu. Z rezygnacją podniosłam przygotowaną dla mnie słuchawkę.

– Słucham.

– Nie rozumiem, jak można żyć bez telefonu. Mogłabyś wreszcie go załatwić.

Może mogłabym załatwić, gdybym miała z czego za niego zapłacić. Nie skomentowałam tego. Moja matka jedenaście lat wcześniej dała mi wyraźnie do zrozumienia, że nie obchodzi jej moja sytuacja życiowa. Była w tym bardzo konsekwentna.

– Co u ciebie słychać? – spytałam uprzejmie, jakbyśmy utrzymywały ze sobą stały telefoniczny kontakt.

– Martin nie żyje – ogłosiła.

– Jak to nie żyje? – wyjąkałam głupio w słuchawkę.

Martin, mąż Ewy, miał prawie siedemdziesiątkę, ale do tej pory był w doskonałej formie. Zaraz, zaraz... Do tej pory, to znaczy do ostatnich wieści od Ewy, a to było już... No tak, prawie półtora roku temu.

– Dwa tygodnie temu umarł na zawał na polu golfowym. Prawie to samo co w ramionach kochanki, bo nigdy go nie było w domu – oświadczyła krótko i węzłowato Ewa.

Jak zwykle, zero sentymentów.

– Tak bardzo mi przykro. – Widziałam go wprawdzie tylko raz, na ślubie Ewy, ale bardzo mi się spodobał. Spokojny, zrównoważony angielski dżentelmen. – Był taki miły.

Ewa prychnęła coś niezrozumiałego w słuchawkę, a potem...

– On, jak się zdaje, również cię polubił.

To chyba za sprawą mojej korespondencji. Co dwa miesiące regularnie wysyłałam do Ewy listy, czasem załączając zdjęcia dzieci, ale prawie nigdy nie otrzymywałam odpowiedzi.

– Polubił cię na tyle, że zapisał ci piętnaście tysięcy funtów. Dzwonię, żeby się upewnić, czy dostałaś już przekaz.

Milczałam chyba zbyt długo jak na jej wytrzymałość.

– Czy zrozumiałaś, co do ciebie mówię? Za parę dni dostaniesz również papiery, które masz podpisać i mi odesłać. Pieniądze przesyłam z mojego konta, żeby oszczędzić ci przyjazdu do Anglii.

– Ewa, ja nie bardzo pojmuję... – wykrztusiłam w końcu.

– Ja też nie, ale tak było w testamencie.

– A ty? Co z tobą?

– Nie musisz się martwić. – Wyczułam w jej głosie sarkastyczny ton. – Mnie również zabezpieczył. Nie potrzebuję tej twojej śmiesznej kwoty. Wydaje mi się, że na starość Martin zaczął traktować cię jak córkę. Zawsze tak bardzo wzruszały go fotografie dzieci. To co, dostałaś już przekaz?

Przypomniałam sobie o piśmie z banku, które cały czas nosiłam w kieszeni. Pospiesznie rozerwałam kopertę.

– Masz rację. Dostałam pieniądze – powiedziałam zduszonym z emocji głosem.

– No to w porządku. Teraz zrób to, co powiedziałam, i postaraj się kupić większe mieszkanie. Jesienią wybieram się do Wiednia, więc może was odwiedzę. Teraz nie mam na nic czasu. Jest tyle zobowiązań towarzyskich po pogrzebie.

Zapewne zaczęła się już rozglądać za kolejnym, piątym mężem. Z Martinem trwało to najdłużej, ale był on przecież najbogatszy z kolekcji.

Ewa mówiła coś jeszcze przez kilka minut, ale jej nie słuchałam. Biedny, kochany Martin. Krótko po stanie wojennym matka poznała go w jakimś warszawskim hotelu i wycelowała w samą żyłę złota. Martin był nie tylko bogaty, był również hojny. Wesele, które wyprawił w hotelu „Hevelius", trwało do godzin rannych. Pan młody był bezdzietnym wdowcem i nie miał nic przeciwko dwudziestoletniej córce. Żałowałam, że z powodu nieznajomości angielskiego nie mogę porozmawiać z nim bez udziału Ewy. Tylko on jeden przejmował się na weselu moim samopoczuciem. Podchodził do stolika, przy którym siedziałam wraz z wieloma koleżankami Ewy, i stale zapytywał: „Anita, are you OK?".

Musiał poświęcić mi sporo myśli, zapisując aż tyle pieniędzy. Gdybym o tym wiedziała wcześniej, mogłabym mu za wszystko podziękować. Teraz było już za późno. Gdyby nie testament, Ewa z pewnością nieprędko powiadomiłaby mnie o jego śmierci.

Po odłożeniu słuchawki tępo wpatrywałam się w nią jeszcze przez pewien czas, dopóki w drzwiach kuchni nie pojawiła się twarz sąsiadki.

– I co, Aniu? Dobre wieści?

Wzruszyłam ramionami.

– I złe, i dobre – odpowiedziałam. – Umarł mąż mojej matki.

– Ten bogaty Anglik? – zainteresowała się Balińska. Stała teraz przede mną i wycierała w fartuch mokre ręce. – Zapisał ci coś?

Powoli potrząsnęłam głową. Taka wieść zelektryzowałaby całą dzielnicę i moich dłużników, a poza tym nie miałam ochoty stać się nagle tematem plotek.

– Zabezpieczył matkę i ona teraz chce mi trochę pomóc.

– Ewa chce ci pomóc? – Balińska uniosła oczy do góry, jakby uczestniczyła w cudzie fatimskim.

– Nawet zamierza nas odwiedzić w tym roku.

Balińska zaniepokoiła się tą uwagą.

– Ty uważaj na nią, Aniu, ty uważaj! Może ten stary nic jej

nie zostawił i będzie chciała zwalić ci się na głowę. To do niej podobne.

– Chyba że się z wiekiem zmieniła – próbowałam bronić mojej wymyślonej wersji.

Balińska tylko prychnęła.

– Nie pisnę już słowa. Wiem, że mimo wszystko to twoja matka. Wprawdzie wyjątkowy przypadek, ale...

Przed wejściem do mieszkania zatrzymałam się jeszcze na klatce schodowej. Zapaliłam światło i sięgnęłam do kieszeni po pismo z banku. Czarno na białym. Przekaz dewizowy. Proszą mnie o zgłoszenie się do nich w sprawie decyzji, co chcę dalej zrobić z pieniędzmi.

Dziwne, ale natychmiast wiedziałam, co zamierzam z nimi zrobić. Lista priorytetów ułożyła się w głowie automatycznie. Nie wahałam się ani chwili. Wiedziałam, jaka pozycja powinna się znaleźć na jej szczycie. Najważniejsze dla mnie było znalezienie dowodów przeciwko Hansonowi i dostarczenie ich wymiarowi sprawiedliwości. Ten morderca musi za wszystko zapłacić! Po raz pierwszy dzięki mojej matce mogłam otrzymać coś, na czym tak bardzo mi zależało.

Ewa

Ewa zapewniła mi życie, a tym samym problemy. Zresztą niewiele znalazłoby się osób, które nie ucierpiały w kontaktach z moją matką. Mój ojciec do nich nie należał.

Poznał Ewę, kiedy jako uczennica czwartej klasy licealnej przyjechała na zimowisko do Zakopanego. Pochodziła ze wsi na Podlasiu i bardzo niechętnie się do tego przyznawała. W zasadzie tylko tyle wiem o jej pochodzeniu, gdyż bardzo szybko zerwała ze swoją rodziną jakiekolwiek kontakty. Nie miałam nawet pojęcia, gdzie mieszkają i jakie są nasze więzy pokrewieństwa.

W każdym bądź razie po raz pierwszy w życiu udało się Ewie wyrwać tak daleko od domu i postanowiła z tego zrobić jak najlepszy pożytek. Z jakim skutkiem – okazało się po trzech miesiącach.

– Kto to się do nas dobija o tak późnej porze? – dziwiła się babcia Stelmanowa, szykując się do snu. – Zobacz, Janek, kto to – zwróciła się do syna.

Nie chciała się przed nim przyznać, że bała się sama sprawdzić. Mimo iż tyle już lat minęło od wojny, stale pamiętała wizytę nieproszonych gości. Oprócz srebrnych sztućców zabrali męża Heleny. Ktoś tam opowiadał, że Jana rozstrzelali kilkanaście kilometrów dalej, inni mówili, że widziano go maszerującego w grupie więźniów. Fakt, że zaginął i nigdy się nie odnalazł. O sztućcach nie wspomnę.

Janek, jedyny syn Stelmanów, podszedł zaciekawiony do drzwi. Kiedy nie wrócił do pokoju, po kilku minutach Helena mocno się zaniepokoiła. Pozostawiła porozkładane wokół poduszki i ruszyła na korytarz. Nie, nie stali tam czerwonoarmiści, tylko drobna jasnowłosa dziewczyna o przepięknych delikatnych rysach. Janek rozmawiał z nią szeptem.

– Kim pani jest? – spytała Helena.

Dopiero teraz dostrzegła, że Janek na przemian to bladnie, to czerwienieje i nawet nie próbuje spojrzeć na matkę.

Wówczas piękne drobne dziewczę przemówiło, i to wcale nie słabym głosem:

– Jestem pani przyszłą synową. Ewa Krawczuk – i bez żadnego zawstydzenia wyciągnęła rękę do starszej kobiety. – Jasiu, weź moją walizkę – zwróciła się teraz do syna Stelmanowej. – Wiesz już, że nie mogę dźwigać. – A w celu oświecenia Heleny dodała: – Jestem w ciąży.

Na ślubnej, jedynej wspólnej fotografii oboje wyglądali przepięknie. Dwudziestojednoletni Jan górował nad swoją osiemnastoletnią małżonką prawie dwudziestoma centymetrami. Przyszłe małżeńskie życie witał poważnie i bez uśmiechu. Ewa ukazywała następnym pokoleniom niemalże cały zestaw swych śnieżnobiałych i lekko spiczastych zębów. Oczywiście zdjęcie to przesłała swojej nieobecnej na ślubie rodzinie. Powinni się teraz przekonać, że jej się udało. Sama jednak miała co do tego pewne wątpliwości.

Znowu wylądowała na wsi. Wprawdzie niedaleko Gdańska, ale była to jednak zwyczajna wiocha. Stelmanom wcale ona nie przeszkadzała. Helena pracowała jako nauczycielka w pobliskiej wiejskiej szkółce, Janek motocyklem dojeżdżał na swoje studia chemiczne. Dom był dość obszerny, nieźle umeblowany, a co najważniejsze – otoczony ogrodem z małym sadem. Idealne miejsce dla wychowania dziecka, uważała Helena, która natychmiast po usłyszeniu piorunującej wieści o ciąży Ewy zadeklarowała pomoc.

Ewa była jednak innego zdania. Młodzi powinni jak najszybciej przeprowadzić się do dużego miasta. Trzeba przyznać, że kiedy sobie coś postanowiła, na ogół udawało jej się to zrealizować. Zdecydowała, że jednak chce zrobić maturę. W piątym miesiącu ciąży zdała ją w najbliższej szkole wieczorowej.

– To w przyszłym roku będziesz mogła pójść na studia – zaproponowała Helena.

– Nic z tego – usłyszała odpowiedź. – Nie potrzebuję żadnych studiów, żeby robić to, co chcę.

A była to estrada. Ewa wystąpiła kiedyś parę razy jako solistka w szkolnym zespole i uważała, że odniosła oszałamiający sukces. Próbowała nauczyć się czytać nuty, a po okolicy stale rozchodził się jej nieposkromiony mezzosopran. Wydaje mi się, że musiało to być zabójcze dla płodowego rozwoju moich bębenków, gdyż słuch mam żaden. W zasadzie Ewa również.

Bardzo prędko po ślubie Janek odkrył, że najbardziej interesują go studia, i spędzał teraz całe dnie w Gdańsku. Był zupełnie oszołomiony tak nagłą zmianą swojej sytuacji życiowej. Przerażony zbliżającymi się wakacjami i perspektywą poświęcania dłuższych chwil własnej rodzinie, najął się do pracy w pobliskim pegeerze.

Dotkliwe upały, brak sensownego zajęcia oraz towarzystwo wyłącznie Heleny sprawiły, że Ewa coraz gorzej znosiła ciążę. Kiedy odkryła, że jedynie dzięki manifestowaniu objawów złego samopoczucia jest w stanie skoncentrować na sobie uwagę otoczenia, postanowiła to wykorzystać dla swoich potrzeb. Po krótkim czasie Helena była już wymęczona ciągłymi kaprysami synowej. Tłumaczyła sobie jednak, że poświęca się przede wszystkim dla swojego przyszłego wnuka.

Pewnego wrześniowego piątkowego popołudnia Ewa wałęsała się po domu jak potępieniec, nie mogąc znaleźć sobie miejsca. Kilkakrotnie zaglądała do czytanej przez Janka książki, ale nie znalazła tam nic, co mogłoby ją zaciekawić. Robótki ręczne Heleny były jeszcze mniej interesujące. Dlaczego nie mieli jeszcze telewizora, jęczała pod nosem. Janek obiecał wprawdzie, że jesienią postara się coś kupić. Sądziła również, że udało jej się namówić go na przeprowadzkę do miasta. Musi jednak najpierw skończyć studia. W tym czasie dziecko zdąży się trochę na wsi odchować. Może jeszcze nie wszystko stracone... Przemierzając pokój tam i z powrotem, Ewa nagle zrozumiała, że się nie uspokoi, jeśli nie zje czekolady.

– Sklepy już są zamknięte – mruknął Janek zza książki.

– Wiem, ale mają czekoladę w bufecie w „Jeziorance". Proszę cię, przywieź mi chociaż kawałek, to od razu się uspokoję – błagała Ewa.

W końcu zrezygnowany wstał z fotela i wyszedł z domu.

Obie z Heleną słyszały warkot wyjeżdżającego spod domu motocykla. Pięć minut po jego wyjeździe spadł nagle ulewny deszcz, a Ewa sama nie wiedziała, gdzie się skryć przed pełnymi wyrzutów spojrzeniami Heleny. Janek nie wracał już od godziny.

– Pewnie gdzieś się schował przed deszczem – tłumaczyła teściowej.

Helena wyszła na ganek i słuchała tłukących o blaszany dach kropli. Nagle przez ten monotonny metaliczny szum przedarł się warkot silnika. Przed dom Heleny nie podjechał jednak motocykl Janka, tylko szara warszawa.

– Pani Stelmanowa? – zapytał wysiadający z niej mężczyzna.

Helena skinęła głową.

– Bardzo mi przykro, ale pani syn nie żyje. Uderzył motocyklem w drzewo.

Helena nie zdążyła zareagować, gdy w tym samym momencie za plecami usłyszała rozdzierający krzyk. Ledwie zdołała złapać spadającą ze schodów Ewę.

Warszawa zabrała obie kobiety prosto do najbliższego szpitala. Ewa, kiedy tylko odzyskała przytomność, wrzeszczała jak obłąkana. To przeze mnie się zabił. Helena, która miała takie same odczucia, nie chciała jednak zdradzić ich synowej, gdyż teraz było już jasne, że zaczął się przedwczesny poród. Nie mogła dopuścić do tego, żeby tego samego dnia stracić również wnuka.

– Uspokój się, dziecko. To był wypadek. Nieszczęśliwy wypadek, rozumiesz?

Urodziłam się jako pogrobowiec i w dodatku wcześniak,

prawie dwa miesiące przed terminem. Udało mi się przeżyć, ale wyglądu normalnego niemowlęcia nie osiągnęłam jeszcze długo.

– Patrz, Ewuniu. Jaka śliczna, silna dziewczynka – zachwycała się babcia.

Ewa ostentacyjnie odwróciła się w stronę poduszki. Babcia zabrała mnie do domu i czym prędzej ochrzciła jako Anielę; jak już wspomniałam, nie zyskała przez to sympatii Ewy. Ponieważ imię Anita z kolei babci nie przechodziło przez usta, na długie lata zostałam Anią.

Po trzech tygodniach Ewa wróciła ze szpitala do domu.

Janek spoczywał na wiejskim cmentarzu, a wszystkie jego rzeczy Helena starannie spakowała i wyniosła na strych, aby nie budzić u synowej bolesnych wspomnień. Chwilę po wejściu Ewy do domu, otulona w różowy haftowany becik, zostałam przedstawiona jej do inspekcji. Nie przypadłyśmy sobie do gustu. Ewa na mój widok skrzywiła usta.

– Jakie brzydkie, pomarszczone dziecko. To niemożliwe, że mogłam coś takiego urodzić. – Tylko tyle zdołała wycedzić.

W tym momencie obudziłam się i na widok mojej rodzicielki włączyłam własny wokal.

Wobec niemożności doprowadzenia do jakiegokolwiek rozejmu między nami, Helena stanęła przed koniecznością wzięcia rocznego urlopu bezpłatnego. Ale dopiero wtedy sytuacja stała się naprawdę napięta. Dwie samotne kobiety przebywające w domu, kłopotliwe w obsłudze niemowlę i dotkliwy brak pieniędzy – wszystkie te problemy doprowadziły do nieuniknionego kryzysu.

Pewnego dnia, gdy Helena wróciła ze mną ze spaceru, ze zdumieniem dostrzegła stojącą na środku pokoju spakowaną walizkę.

– Czy ktoś przyjechał? – spytała Ewę, która przyszła z wy-
gódki na podwórku.

– Nie, ale ja wyjeżdżam. To jedyne sensowne rozwiązanie.
Któraś z nas musi zarabiać pieniądze, a druga zająć się dzieckiem. – Podział ról zdawał się przesądzony. – Moja koleżanka
mieszka teraz w Gdańsku. Ma wynajęty pokój i potrzebuje
sublokatorki. Pisze, że powinnam bez kłopotu znaleźć jakąś
pracę. Odezwę się do was, jak się urządzę. Pieniądze też przy-
ślę dla małej – dodała po chwili wahania.

Po kilku dniach spokoju Helena musiała przyznać, że rzeczywiście było to najrozsądniejsze rozwiązanie. Gdyby tylko
Ewa przysyłała pieniądze, tak jak obiecała. Nie robiła tego,
natomiast nadal obiecywała w przysyłanych co miesiąc i na-
gryzmolonych na kolanie kartkach. Musi płacić zaliczkę na
czynsz, musi kupić sobie jakieś ubranie, bo inaczej nie znaj-
dzie pracy, opłaca bilet miesięczny itd. Helena westchnęła
i podwoiła produkcję swoich serwetek kaszubskich zama-
wianych przez „Cepelię". Niestety płacili niewiele i było dość
ciężko. Całe szczęście, że miała ogród, sad i niewielki kurnik.

Ewa przyjechała w swoje pierwsze odwiedziny pod koniec
sierpnia. Według babci wyglądała wówczas jak cherubinek,
dość pulchna, z loczkami blond zwijającymi się wokół rumia-
nej buzi.

– Anitka, moja kochana. Chodź do mamusi – pisnęła moja
nagle zachwycona matka.

Pojawienie się tej nieznanej, pachnącej kobiety z wysokim
kokiem i na równie wysokich szpilkach sprawiło, że przylgnęłam do niej natychmiast.

– To się, mamo, musi skończyć. Wracaj do pracy w szkole,
a ja zabieram Anitkę. Mam teraz własny pokój i stałą pracę. Nie powinnam mieć kłopotów z załatwieniem żłobka dla
Anity.

Helena, patrząc na nowe, nieco zmodyfikowane wcielenie Ewy, musiała się w końcu z tym pogodzić. Kiedy będą obie pracować, poradzą sobie z wychowaniem jednego dziecka.

Nie wypuszczając mnie z ramion, towarzyszyła Ewie podczas powrotu do Gdańska.

– Niech mama tak nie płacze. Przecież niedługo się zobaczymy. Spróbuję załatwić sobie większe mieszkanie, więc mama będzie mogła do nas przyjeżdżać na niedzielę. Gdyby sprzedała mama dom i kupiła coś w mieście, mogłaby częściej widywać Anitkę.

Ze złamanym sercem wróciła do pracy jako wiejska nauczycielka, mając nadzieję, że wkrótce do niej przyjedziemy. Kiedy jednak minęły święta Bożego Narodzenia, a od Ewy przyszła jedynie kartka oznajmiająca, że właśnie się przeprowadziła, ale bez nowego adresu, babcia mocno się zaniepokoiła.

Podczas ferii zimowych przyjechała do Gdańska i skierowała kroki prosto do starej kwatery Ewy.

– Ewa tu nie mieszka. – Koleżanka mojej matki raczyła w końcu odpowiedzieć na kilkakrotne dzwonki do drzwi. – Nie słyszała pani? Robi teraz karierę śpiewaczki – prychnęła.

Całe szczęście, że miała jej nowy adres. Gdzieś na dalekich Stogach. Ale tu z kolei nikt nie otwierał drzwi, mimo iż było już po ósmej wieczór. Babcia usiadła pod drzwiami, zdecydowana nie ruszyć się stamtąd przed rozmówieniem się z synową. Po pewnym czasie wydało jej się, że słyszy wewnątrz płacz dziecka. Zaczęła się dobijać do sąsiadów.

– Ona czasem zostawia dziecko samo. Ale nie dłużej niż na godzinę – wyjaśnił jej rosły oprych w podkoszulku.

– Muszę natychmiast wejść do mieszkania. Inaczej wezwę milicję – zagroziła Helena.

Oprych rzucił okiem na delektujące się alkoholem w jego pokoju towarzystwo i pokornie poszedł po łom.

Dziecko, które zobaczyła Helena, wpadając do mieszkania, nie było już takie śliczne jak dawniej. Stało w łóżeczku, którego poręcz była ogryziona z farby, wychudłe, zsikane, z czyrakami na obu nóżkach. Kiedy Helena odkryła jeszcze we włosach wszy, miała ochotę chwycić zostawiony przez oprycha łom i tak uzbrojona oczekiwać pojawienia się Ewy. Mieszkanie przypominało norę. Kilka rozwalających się mebli, mała ślepa kuchnia, ze zlewem zawalonym brudnymi od wielu dni naczyniami. I całkowity brak czegoś do jedzenia.

Za to Ewa, która się pojawiła po godzinie, wyglądała czysto i zadbanie.

– Coś ty zrobiła z moimi drzwiami? – zaatakowała Helenę. – Skąd ja teraz wezmę nowy zamek?

Helena spokojnie, ale zdecydowanie powiedziała Ewie, że zabiera dziecko na wieś. Cały czas nie wypuszczała małej z ramion.

Ewa wpadła w panikę.

– Mama myśli, że tak jest zawsze. Po prostu teraz przechodzę pewien kryzys. Anitka była trochę przeziębiona i nie przyjęli jej dzisiaj do żłobka. A ja musiałam wyjść. Straciłam pracę w restauracji we Wrzeszczu i poszłam w sprawie znalezienia nowej. I udało się. Kierownik mnie przyjął od jutra. Będę śpiewać z zespołem jako druga solistka. Czy ty rozumiesz, co to dla mnie znaczy? Wkrótce wszystko się zmieni.

Helena pokiwała potakująco głową. Nie miała żadnych wątpliwości, że dla dziecka może się zmienić jedynie na gorsze.

– Sama więc widzisz, że byłoby lepiej, gdyby Ania ci teraz nie przeszkadzała. Będziesz miała mnóstwo nowych obowiązków – mówiła nadal spokojnie, nie okazując, jak jest zdenerwowana. Nie chciała doprowadzić między nimi do sytuacji ostatecznych.

Ewa spojrzała na dziecko pogrążone w głębokim śnie.

– Może tak będzie lepiej – przez chwilę się zawahała – ale pamiętaj, kiedy tylko moja sytuacja się poprawi, wrócę po Anitę. Mam nadzieję, że nie będziesz mi tego utrudniała.

– Zawsze będziesz miała do niej wolny dostęp, dziecko. Przecież jesteś jej matką – uspokoiła ją Helena.

Kiedy Ewa pojawiła się znów we wsi, miała za towarzysza długowłosego mężczyznę o imieniu Zbyszek. Podobał się wszystkim dzieciom, tym bardziej że był właścicielem wspaniałej żółtej syreny.

– To mój przyszły mąż – przedstawiła go Ewa.

W tym momencie pędząca jak strzała dziewczynka rzuciła się w ramiona Heleny.

– Ojej! Czy to moja Anita? – zakwiliła nieznajoma i próbowała ją objąć. – Nie bój się, głuptasku, przecież jestem twoją mamą. Popatrz, Zbyszku, jaka jest śliczna. Podoba ci się twoja nowa córeczka?

Mężczyzna mruknął coś pod nosem, po czym skierował wzrok na kominy pobliskich chałup.

– Zbyszek jest gitarzystą w zespole, w którym śpiewam – opowiadała Ewa, kiedy Helena postawiła na stole kawę. – Po ślubie jedziemy na występy na południe Polski, a po powrocie chciałabym zabrać Anitę. To aż niemożliwe, że nie widziałam jej przez półtora roku.

– A macie gdzie mieszkać? – spytała Helena.

Ewa spojrzała szybko na towarzysza.

– Rodzice Zbyszka obiecali mu coś załatwić. Najważniejsze, że mamy samochód. To bardzo się przydaje w naszej pracy.

Samochód był niewątpliwą oznaką zamożności. Helena

co chwila spoglądała na długowłosego Zbyszka i nadal miała wątpliwości.

– Nie mogę uwierzyć, że czas tak szybko leci. Moje dziecko tak szybko rośnie. – Ewa przygarnęła małą do siebie. – Nadal ma jasne loczki, ale oczy....

Genetyczne połączenie oczu niebieskich z czarnymi zaowocowało burą barwą.

– A poza tym, mamo, czy ona nie ma zeza?

– Trochę kosi oczy, ale wiele dzieci tak ma – tłumaczyła się ze swego zaniedbania Helena.

– Musisz koniecznie zaprowadzić ją do okulisty, zanim ją zabierzemy – zarządziła Ewa. – Cieszysz się, że zamieszkasz z mamusią, skarbie? – zwróciła się do mnie.

Podobno byłam zbyt zajęta lalką, którą od niej dostałam, żeby zwracać na nich uwagę.

– Patrz, Zbyszku. Jest taka spokojna. Niepotrzebnie się obawiałeś. Zbyszek nie przepada za dziećmi – wyjaśniła Helenie. – Sądzi, że Anita może przeszkodzić w naszej karierze.

Wówczas babcia wstała z krzesła i bez słowa wyszła do sypialni, zostawiając nas samych. Ewa rzuciła Zbyszkowi porozumiewawcze spojrzenie, ale nie odezwała się. Siedzieli tak w milczeniu do czasu powrotu babci.

Helena pojawiła się po kilku minutach, trzymając w ręku zwinięty plik banknotów. Miała zaczerwienione policzki.

– Chciałabym wam to dać zamiast prezentu ślubnego – powiedziała. – Moglibyście kupić coś, czego wam najbardziej potrzeba. – Wręczyła Ewie pieniądze.

Moja matka wstała z kanapy i niezdarnie objęła Helenę.

– Dziękuję, mamo. Na pewno się przyda. To takie miłe, że pomyślałaś o nas. Nie martw się o Anitę. Za parę miesięcy zabierzemy ją do siebie.

Po chwili Ewa i Zbyszek zerwali się pospiesznie z miejsc

i odjechali, nie czekając na obiad. Lalka została w domu. Była prawie tak ładna jak moja matka.

Od wyjazdu Ewy Helena stała się niespokojna. Zauważyłam, że często mi się przygląda, a kiedy myślała, że tego nie widzę, płakała. Któregoś dnia oświadczyła mi, że pojedziemy do lekarza w pobliskim mieście.

– Ale ja nie jestem chora – zdziwiłam się.

– Pan doktor zobaczy twoje oczy – odpowiedziała babcia.

Okulista, który również prowadził w mieście zakład optyczny, długo oglądał moje oczy, ale jeszcze dłużej szeptał o czymś z babcią na boku. Potem szperał jakiś czas w dużej szafie i w końcu wydobył z niej parę okularów. Miały bardzo grubą czarną oprawkę.

– Zobaczymy, czy ta będzie pasować – powiedział i przyłożył mi oprawkę do twarzy.

Babcia była zadowolona, ja trochę mniej, ale zostałam przekupiona obietnicą lodów w pobliskiej cukierni. Po paru dniach wróciłyśmy do lekarza po gotowe szkła i dopiero wtedy zrobił się z tego dramat.

Kiedy założono mi przygotowane okulary i zmienił się świat przed moimi oczami, wpadłam w prawdziwą histerię.

– Nie chcę, nie chcę – płakałam.

– Mój syn również nosi okulary – wyjaśnił doktor i pokazał mi jego zdjęcie, ale co to mnie obchodziło. Chłopak był starszy ode mnie i okropnie gruby.

Po powrocie do domu zaczęłam szlochać. Kiedy byłam już zupełnie wyczerpana płaczem, babcia wzięła mnie na kolana.

– Powiem ci, Aniu, w sekrecie, że są to zaczarowane okulary. Nie każdy może takie mieć. Jeśli je będziesz stale nosiła, będą cię chronić, a kiedyś spełnią twoje życzenia.

Spojrzałam na babcię zainteresowana.

– Wkrótce się do nich przyzwyczaisz – obiecała mi – i nie będziesz pamiętała o tym, że masz je na nosie.

Ostrożnie sięgnęłam po leżące na stole okulary.

– Dzięki tym okularom nigdy nie przestanę być twoją babcią – powiedziała Helena i westchnęła.

– Miałaś rację, Ewuniu – mówiła Helena, kiedy Ewa i Zbyszek pojawili się u niej ponownie. Tym razem nie było już jednak syreny. – Ania ma bardzo nietypową wadę wzroku, a poza tym zeza. To są specjalne oprawki do okularów tego typu.

– Chory dzieciak! – jęknął Zbyszek i odwrócił się z niechęcią ode mnie.

– W każdym razie trzeba z nią regularnie chodzić do okulisty – oświadczyła babcia. – Mam nadzieję, że sobie z tym poradzicie. – Zobaczyła nagle, że synowa zerka niespokojnie na Zbyszka.

– My jeszcze nie wiemy, kiedy będziemy mogli ją zabrać – powiedziała wolno Ewa, cały czas nie spuszczając wzroku z męża.

Po chwili Helena dostarczyła z sypialni kolejny zwitek banknotów, a Ewa ze Zbyszkiem poderwali się z miejsc, tłumacząc, że muszą wracać na wieczorny występ.

Stałam na progu domu, patrząc za znikającą za zakrętem domu matką i ojczymem, licząc, że któreś z nich odwróci się jeszcze do mnie. W końcu zrezygnowana wróciłam w ciepłe objęcia babci.

Podobne wizyty Ewy i Zbyszka powtórzyły się jeszcze kilkakrotnie. Matka była rozczarowana, że mój wzrok się nie poprawia i że moje jasne loczki prostują się i nabierają mysiej barwy. Zbyszkiem chyba też była rozczarowana, bo w ogóle się do niego nie odzywała.

Kolejny raz przyjechała już sama, ale za to z dużą brązową torbą i w ciemnych okularach.

– Czy mogę u ciebie zostać przez kilka dni? – spytała babcię. – Rozwodzę się z tym potworem. Zobacz sama – powiedziała, ściągając okulary.

Potem obie zamknęły się w sypialni babci, a kiedy wyszły po godzinie, miały czerwone oczy.

– Moje biedne, chore dziecko – załkała Ewa, przyciskając mnie do piersi. – Już nigdy się z tobą nie rozstanę. Tak bardzo chciałabym, żebyśmy mogły mieszkać wszystkie razem w trójkę w mieście. Obie mogłybyśmy pracować. Anitka chodziłaby do szkoły.

Ostatecznie babcia dała się przekonać. Pieniądze za sprzedany dom wystarczyły jedynie na zakup dwupokojowego mieszkania w Gdańsku, ale Ewa obiecywała, że będzie ono idealne jak na początek. Była taka podniecona, planując nasze wspólne życie.

Tym młodzieńczym entuzjazmem udało jej się nawet zarazić Helenę. Może rzeczywiście nie powinna się tak upierać przy starym. Wprawdzie nie będzie pracować w mieście jako nauczycielka przedmiotu, jej wykształcenie nie było wystarczające, ale praca w świetlicy szkolnej mogła być przecież równie interesująca.

Brzeźno, dzielnica, w której się osiedliłyśmy na wiosnę, miało podstawowy walor. Leżało nad samym morzem i wśród zielonych terenów. Nie żal mi było wyjeżdżać ze wsi, tym bardziej że nie miałam tam towarzystwa w swoim wieku. Ewa obiecywała, że kiedy zacznę szkołę, będę miała mnóstwo przyjaciółek, a w mieście jest wiele atrakcji: kina, teatry, ogród zoologiczny i dużo lodziarni.

„Okularnica" – usłyszałam, kiedy pierwszego września pojawiłam się w mojej nowej szkole, a kilka dni później Ewa oświadczyła nam, że ponownie wychodzi za mąż.

Nowy mąż Ewy skończył już czterdziestkę jakiś czas temu,

ale jego główny atut polegał na pokaźnych szklarniach z uprawą róż i goździków. Niestety, on również nie przepadał za małymi dziećmi – jego własna trójka zdążyła się już usamodzielnić – i dlatego postanowiono, że pozostanę w nowym mieszkaniu Heleny.

Babcia ze stoickim spokojem sprzątnęła z mniejszego pokoju wszystkie świadectwa nowych, różnorodnych zainteresowań Ewy – od malarstwa po intensywną naukę języka angielskiego – i przeniosła tam moje łóżko.

– Teraz masz własny pokój, Aniu. Możesz go urządzić, jak chcesz – powiedziała i był to najwspanialszy prezent, jaki mogłam dostać.

Ten pokój i kolorowe hafty, których nauczyła mnie babcia, stanowiły moje główne zainteresowanie. Tu było moje królestwo i moja kryjówka. Bardzo szybko odkryłam, że na atrakcje miasta nie mam co liczyć, podobnie jak na towarzystwo kolegów z klasy. Siedziałam wprawdzie w ławce z dziewczynką o równie mało popularnym imieniu co ja, Łucją, ale ją bardziej interesowali chłopcy, a zwłaszcza szczupły blondynek z sąsiedniej klasy, Franek. Łucja, Lusia, przekonywała mnie, że jest łudząco podobny do Janka Kosa z *Czterech pancernych*.

Niestety ja nie byłam do nikogo podobna, a najmniej do własnych rodziców, którzy przecież byli tacy przystojni. Byłam cicha, przeciętna i jedynym moim wyróżnikiem stały się „zaczarowane okulary". Jestem przekonana, że po latach, kiedy moi dawni koledzy przeglądają stare zdjęcia szkolne, nikt z nich nie pamięta ani mojego imienia, ani nazwiska. Jedyna reakcja to pewnie: Ach, to przecież Okularnica... Nawet Lusia w piątej klasie przeprowadziła się do Nowego Portu i już do końca podstawówki siedziałam w ławce sama.

Mimo iż byłam spokojną i pilną uczennicą, nauka przychodziła mi z ogromnym trudem. Kiedy nauczycielka zadała mi w klasie pytanie, bladłam i czerwieniałam, nie będąc w stanie zrozumieć jego treści. Helena, i czasami Ewa, zastanawiały się, co ze mną począć, gdyż wyglądało to na ociężałość umysłową.

– Może to przez te oczy. Może to się ze sobą łączy? – pytała Ewa Helenę, a babcia uciekała wzrokiem.

Kiedy nauczyliśmy się pisać, okazało się, że prace pisemne nie sprawiają mi tak wielkich kłopotów. Wówczas wychowawczyni zarzuciła prawie praktykę zadawania mi ustnych pytań i sprawdzała stan mojej wiedzy za pomocą kartkówek.

Oprawki moich „zaczarowanych okularów" zdążyły się trzy razy powiększyć, a ja w tym czasie skończyłam swoją edukację w szkole podstawowej. Babcia niemal wyżebrała dla mnie u nauczycieli oceny, które umożliwiły mi naukę w liceum. Helena była już w wieku emerytalnym, ale pracowała dalej. Na pomoc mojej matki nie bardzo mogłyśmy liczyć.

– Trafiłam tym razem na skończonego skąpca – skarżyła się często, nadal chętnie przyjmując ofiarowywane jej przez Helenę drobne sumy.

W tym czasie Ewa zarzuciła już ostatecznie swoją karierę wokalną. Mąż o imieniu Janusz nie pozwolił na jej kontynuowanie i przez pewien czas bawiła się rolą pani domu. Wkrótce jej się to znudziło i dzięki swojej nowo nabytej znajomości języka angielskiego znalazła sobie pracę recepcjonistki w hotelu. Praca Ewy na nocne zmiany była dla Janusza bardzo trudna do zaakceptowania, ale jeszcze bardziej jej romans z kierownikiem recepcji. W każdym razie po karczemnej awanturze, jaką jej mąż wywołał w hotelu, Ewa, po raz kolejny bezrobotna i bezdomna, wylądowała w mieszkaniu Heleny. Roniąc ukradkiem obfite łzy, przeniosłam się z powrotem do pokoju babci.

– Kochanie, to jest tymczasowe rozwiązanie. Wkrótce obie przeprowadzimy się do własnego mieszkania.

Tymczasowość trwała bite cztery lata, cały okres licealny. Zapewne trwałaby dłużej, ale wówczas babcia zachorowała. Zaczęło się powracającymi atakami kaszlu. Z początku nie było nawet mowy o pójściu do lekarza, dopiero po licznych moich namowach zdecydowała się na wizytę. Jej rezultat był przerażający: Babcia miała zaawansowanego raka płuc.

– Helena musi mieć osobny pokój – powiedziała moja matka, gdy zrozumiała, na co się zanosi. – Jutro przeprowadzam się do mojej znajomej do Wrzeszcza.

Zanim zdążyłyśmy zareagować, spakowała już swój dobytek do dwóch walizek. Było to na miesiąc przed moimi egzaminami maturalnymi.

– Musisz się uczyć, Aniu. Obiecaj mi to. Niezależnie, co się będzie ze mną działo, ty musisz iść na studia – zaklinała mnie babcia.

Ale na jakie? Mimo iż sporo czytałam, byłam mierną uczennicą. Skoro jednak babci tak bardzo na tym zależało... Z ogromną determinacją zabrałam się do moich podręczników. Maturę zdałam na trójki i postanowiłam spróbować swoich sił, zdając na uniwersytet. Po pisemnych egzaminach przyszedł ustny; i wówczas okazało się, że nie zawsze mam pecha. Wylosowałam dość proste pytania, a kiedy zacięłam się przy mówieniu, egzaminatorka pozwoliła, bym przeczytała odpowiedź z kartki. Po wielu dniach niepewności okazało się, że dostałam się na historię.

Wróciłam do domu rozpromieniona, w nadziei że ta dobra wiadomość uzdrowi babcię. Drzwi otworzyła mi matka.

– Ewa – nigdy nie chciała, abym nazywała ją mamą – wyobraź sobie, że zdałam na studia. Jestem studentką historii.

Zobaczyłam grymas na jej twarzy.

– Ja też skończyłabym studia – powiedziała – gdyby nie ty.
Ze zwieszoną głową weszłam do mieszkania.

– Gdzie jest babcia? – spytałam niespokojnie, nie słysząc
z jej pokoju żadnych odgłosów.

– Pogotowie zabrało ją do Szpitala Wojewódzkiego. Miała
atak duszności.

– Nie pojechałaś z nią?

Nie usłyszałam odpowiedzi, gdyż biegiem zeskakiwałam
ze schodów.

Babcia zmarła tej samej nocy, a mnie nie wolno było przy
niej zostać. Załamana wróciłam do mieszkania, gdzie podczas mojej nieobecności Ewa zdążyła się już zadomowić.

– Wobec tego muszę teraz mieszkać z tobą. – W taki sposób skomentowała moja matka śmierć swojej teściowej.

– Może jednak powinnaś pójść do pracy? – zaproponowała Ewa, widząc, jak nieustannie zakuwam do swojej pierwszej
sesji. – Nie każdy nadaje się do studiowania. Poza tym skąd
będziesz miała pieniądze, żeby się utrzymać?

Ze swojej sekretarskiej pensji z dużą niechęcią opłacała
rachunki za czynsz i gaz. Reszta należała do mnie. Pieniądze
przekazane mi przez babcię w szpitalu nie starczyły na długo. Dostawałam wprawdzie jakieś mizerne stypendium, ale
gdyby nie sprzątanie stoczniowych hal, nie byłabym w stanie
przeżyć.

– Babcia chciała, żebym studiowała – mruknęłam zza
książki.

– Nawbijała ci w głowę wiele niepotrzebnych rzeczy. Zostaniesz przez nią starą panną i do końca oślepniesz. Byłaś
w końcu u tego okulisty?

Nie chciałam iść do żadnego okulisty: Miałam na nosie
moje okulary, załatwione jeszcze z babcią, i nie zamierzałam

tego zmieniać. Za mąż również nie zamierzałam wychodzić. Chłopcy nigdy mnie nie interesowali. Zawsze z dużą pobłażliwością obserwowałam moje szalejące z miłości koleżanki. Poza tym wiedziałam, że takie straszydło jak ja nie jest w stanie nikogo zainteresować. Chciałam mieć tylko chwilę spokoju, co przy mojej niespokojnej matce było zupełnie niemożliwe.

– Jesteś okropna. Zachowujesz się zupełnie jak twój ojciec! – wykrzyknęła nagle Ewa. – Gdybym tylko mogła wynieść się z tego idiotycznego kraju!

Obiektywną trudnością w realizacji tego planu mógł się wydawać stan wojenny, ale to również nie było dla niej większą przeszkodą. Dwa miesiące później spotkała Martina i zdecydowała się na stałe wyjechać do Anglii, a wkrótce po ślubie oświadczyła mi, że ja również powinnam składać wniosek o paszport.

– Przecież ja się nigdzie nie wybieram – zaprotestowałam pochłonięta czytaniem jakiegoś skryptu.

– Właśnie, że tak. Pojedziesz do Anglii po semestrze letnim. Martin ma duży dom i chce, żebyś z nami zamieszkała. Najpierw nauczysz się angielskiego, a potem znajdziemy ci odpowiednią pracę.

Nie byłam w stanie wyperswadować matce tego pomysłu, ale na dobre przestraszyłam się, słysząc:

– Jest już kupiec na nasze mieszkanie. Teraz nie mam już czasu tego załatwić, ale wrócę w maju i zajmę się sprzedażą.

Odchrząknęłam i cicho zauważyłam:

– Babcia mówiła zawsze, że ono jest moje i ja sama mogę zadecydować, co z nim zrobić.

– To tylko tobie się tak wydaje. Jako wdowie po twoim ojcu należy mi się prawnie część majątku. Postępowanie spadkowe nigdy nie zostało przeprowadzone, ale jeśli chcesz się włóczyć po sądach... – zapowiedziała złowieszczo.

Nie pomyślałam wówczas, że były to zapewne czcze groźby, gdyż Ewa ze względu na to, w jakim świetle przedstawiła się Martinowi, nigdy by tego nie zrobiła, i wpadłam w panikę.

Była wtedy przerwa międzysemestralna, a ja tak bardzo chciałam po wyjeździe Ewy choć przez kilka dni wypocząć, jednak wizja przymusowego opuszczenia kraju skutecznie spędzała mi sen z oczu. Wiedziałam już, że w konfrontacji z matką nie mam żadnych szans. Nie dam rady się jej sprzeciwić. Mimo iż prawnie byłam dorosła, bardzo rzadko udawało mi się podjąć samodzielnie jakąkolwiek decyzję. Widać miałam przerośnięty gen odpowiedzialny za posłuszeństwo i w związku z tym byłam wspaniałym mięsem armatnim dla dominujących osobowości.

Snułam się po mieszkaniu, dotykając starych mebli babci, i co chwila leciały mi z oczu łzy. Nie chcę, nie chcę nigdzie stąd wyjeżdżać. Nie chcę się uczyć nowego języka, nie chcę spotykać nowych ludzi. I tak ci już znani byli dla mnie wystarczającym wyzwaniem. Całe szczęście, że na studiach nikt się mnie nie czepiał. Różnych dziwaków było tam pod dostatkiem.

Otworzyłam szafę ubraniową i weszłam do niej, żeby się uspokoić. Czuć w niej było nadal zapach wody toaletowej babci. Oparłam się o boczną ściankę i podkuliłam nogi. Nagle mojej twarzy dotknął jakiś miękki przedmiot. Sięgnęłam ręką. Była to moja sukienka kupiona na wesele przez Martina. Moja jedyna szałowa sukienka w kolorze rdzy. Dzięki niej udało mi się parę razy nieudolnie zatańczyć. A gdyby jeszcze zdjąć okulary... Po chwili wyskoczyłam z szafy z gotowym pomysłem. Z jego realizacją należało jednak poczekać do soboty.

Kiedy nadszedł ów dzień, byłam jednak przekonana, że postawiłam sobie zupełnie nierealistyczny cel. Zresztą, czy ja się do tego nadawałam? Na samą myśl o tym, co zamierzałam zrobić, waliło mi serce i dygotały kolana. Leżałam w wannie prawie pół godziny, próbując się uspokoić i zebrać myśli. Kiedy doszłam już do wniosku, że nie mam wyboru, wygramoliłam się z wanny i ubrałam w rdzawą sukienkę. Włosy starannie wyszczotkowałam i upięłam spinką. Z prawie opróżnionego flakonika zapomnianego przez Ewę wycisnęłam na siebie kilka kropel perfum. Raz kozie śmierć, powiedziałam do siebie na głos, wychodząc w ten mroźny wieczór z domu. Okulary pozostały na półce w łazience.

Wchodząc do budynku dyskoteki, natychmiast zorientowałam się, że popełniłam kilka podstawowych błędów. Po pierwsze, przyszłam prawie równo z otwarciem i lokal świecił jeszcze pustkami. Zanim zdążyłam się wycofać, zostałam osaczona przez bramkarza, który zażądał ode mnie pieniędzy za wejście. Pokornie sięgnęłam do torebki i weszłam do ciemnego pomieszczenia. Jedynie podłoga do tańca skąpana była w czerwonawym świetle. Dochodziła mnie niezbyt głośna muzyka, gdyż DJ nie przystąpił jeszcze do pracy. W tym momencie skończyła mi się inwencja. Zauważywszy na ścianie symbole toalet, rzuciłam się natychmiast w tamtym kierunku. Z ulgą zamknęłam się w kabinie i siedziałam tam do czasu, kiedy, jak mi się wydawało, usłyszałam bardziej dynamiczne rytmy. Następnie wydobyłam z czeluści torebki czerwoną szminkę Ewy i delikatnie dotknęłam ust. Nie, to niemożliwe. Jeden ruch ręki, a moja twarz w lustrze zmieniła się w oblicze klauna. Sięgnęłam po chusteczkę i starłam pomadkę. W tym momencie do ubikacji weszło kilka roześmianych dziewczyn i doszłam do wniosku, że nie mogę tu sterczeć bez końca. Ponownie zaatakowałam ciemne pomieszczenie i wypatrzyłam w nim stoliki i krzesła. Rzuciłam się na jedno z nich, w najciemniejszym kącie, a u kelnera zamówiłam drinka, mając szczerą nadzieję, że doda mi potrzebnej odwagi. DJ rozpoczął już na dobre urzędowanie, a na parkiecie pojawiły się ze dwie pary i dwie samotne dziewczyny, które wdzięcznie wyginały się w rytm muzyki. Siedzący przy barze chłopcy obserwowali to widowisko z uśmiechem na ustach. Za nic nie dołączę do tego targu niewolnic.

Trudno, nie udało mi się, ale przecież próbowałam, a poza tym zyskałam cenne doświadczenie. Nigdy przedtem nie byłam na żadnej dyskotece czy zabawie, z wyjątkiem studniówki i wesela matki.

– Czy te krzesła są wolne? – spytał mnie nagle kędzierzawy szatyn z wąsami.

– Czekam na koleżankę – odpowiedziałam – ale reszta wolna.

Po chwili wokół mnie siedziało już spore rozgadane towarzystwo. Było tak sobą zajęte, że nawet mnie nie zauważyło. Z trudem udawało im się przekrzyczeć muzykę. Postanowiłam wysączyć mojego drinka i natychmiast się ulotnić, gdyż obserwując tańczących, zrozumiałam mój drugi błąd. Żadna z dziewczyn nie była ubrana w „weselną" sukienkę. Większość miała na sobie bardzo obcisłe dżinsy. W żadnym wypadku nie powinnam ryzykować wyjścia na parkiet.

– Zatańczymy? – niespodziewane pytanie obudziło mnie ze stanu otępienia.

Widząc moje wahanie, Kędzierzawy pociągnął mnie za rękę.

– No, chodź!

Nie bardzo wiedziałam, co mam zrobić z torebką, więc zabrałam ją ze sobą. W momencie, kiedy stanęliśmy na parkiecie, DJ zmienił rytmy na wolne, a migające światła przyciemniały.

Nawet nie zdążyłam wyciągnąć ręki w stronę mojego partnera, kiedy objął moje ramiona i ścisnął je z całych sił, po czym przywarł do mnie całym ciałem, niemalże pozbawiając mnie równowagi. W takiej pozycji byłam jedynie w stanie przystawiać nogę do nogi, ale o to Kędzierzawemu, zdaje się, chodziło. Na policzku czułam jego wąsy: Nigdy nie podobali mi się obrośnięci faceci, ale teraz to nie miało żadnego znaczenia.

– Jesteś tu pierwszy raz? – wydyszał mi do ucha.

– Tak – pisnęłam jak mysz trzymana za ogon przez kota.

– Mam na imię...

Nie dosłyszałam i pochyliłam się bardziej w jego stronę.

W tym momencie poczułam nieprzyjemną woń wydobywającą się Kędzierzawemu z ust. Nie był to alkohol, ale raczej zepsute zęby, a to według mnie miało duże znaczenie.

Natychmiast po skończonym tańcu wyrwałam mu się, mówiąc, że muszę poszukać koleżanki, i ruszyłam do wyjścia.

W tym momencie do lokalu wkroczyła nowa porcja klientów poszukujących wrażeń.

– Anita? Ty tutaj? – Przed sobą zobaczyłam koleżankę z grupy, Magdę. Często siadała koło mnie, żeby przepisywać moje notatki z wykładów, na które sama nie miała czasu chodzić.

– Wpadłam przypadkiem na chwilę, ale już wychodzę.

– Chyba żartujesz. Musisz zostać. Impreza dopiero się rozkręca. O, Paweł, będziesz miał partnerkę! – zwróciła się do ciemnowłosego chłopaka, który trzymał się z boku grupy. – To jest Anita, moja koleżanka ze studiów.

Ostrożnie wyciągnęłam rękę w kierunku Pawła, który niewyraźnie się do mnie uśmiechnął. Był niewiele wyższy ode mnie i wyglądał na zadbanego chłopaka. Czyste dżinsy, „zachodnia" koszulka i miły zapach dochodzący mych nozdrzy.

– Studiuję na budownictwie lądowym – powiedział Paweł, kiedy usiedliśmy koło grupy Kędzierzawego.

Mógł się teraz sam przekonać, że mówiłam prawdę. Moja koleżanka jednak przyszła!

Bąknęłam coś konwersacyjnie, ale Paweł nie podjął wątku. Widać, podobnie jak ja, miał kłopoty z nawiązywaniem nowych znajomości.

Nie wiedziałam, co dalej robić, gdyż reszta towarzystwa Magdy zaczęła szaleć na parkiecie. Sięgnęłabym po mojego drinka, ale okazało się, że został już sprzątnięty ze stołu przez kelnera. Bądź też wypity przez Kędzierzawego, który w ciągu bardzo krótkiego czasu zdążył już wejść na orbitę.

– Napijesz się czegoś? – zaproponował w końcu Paweł.

Okazało się, że mam mocną głowę, bo po trzech colach z wódką wypitych w ciągu półtorej godziny miałam taką samą jasność widzenia jak przedtem. Jednak Paweł, który w końcu zaprowadził mnie na parkiet, cierpiał na zaburzenia równowagi.

– Masz bardzo ładną sukienkę – powiedział. – Pasuje do twoich oczu. Lubię, jak się kolory zgadzają. – W tym momencie się zachwiał.

– Chyba już pójdę. – Spojrzałam na zegarek, stwierdzając, że niepotrzebnie straciłam cenny czas.

– Odprowadzę cię – oświadczył stanowczo Paweł i wyszliśmy razem z dyskoteki.

Na przystanku tramwajowym mój towarzysz stał się bardziej rozmowny i zaczął mi opowiadać o rysunku i malarstwie, które były jego pasją. Chciał nawet iść na studia na WSSP, ale matka wybiła mu to z głowy, mówiąc, że z góry skazuje się na nędzę. Nie zrezygnował jednak z zainteresowań i być może w przyszłości... Nie skończył, gdyż w tym momencie zobaczył taksówkę.

– Tramwaj niedługo by przyjechał – zauważyłam nieśmiało.

Paweł machnął tylko ręką.

W taksówce milczeliśmy oboje. Kiedy się zatrzymała pod moim domem, myślałam, że Paweł pojedzie w niej do siebie, ale on szybko zapłacił rachunek i wysiadł ze mną.

– Przejdę się trochę. Zdaje się, że za dużo wypiłem – powiedział. – Mieszkasz z rodzicami? – Rozejrzał się dokoła.

– Mieszkam sama – odparłam i na chwilę zamilkłam. – A może chciałbyś się napić czegoś ciepłego? – wykrztusiłam resztką sił.

Skinął głową i powędrował ze mną po schodach na czwarte piętro.

– Ale śmieszny pokój! – wykrzyknął, kiedy go wprowadziłam do mieszkania.

Śmieszny? Może. Wszędzie, gdzie sięgnąć wzrokiem, leżały haftowane serwetki o przeróżnych wzorach, a na babcinym mosiężnym łóżku kapa z bardzo kolorowego patchworku.

– Naprawdę mieszkasz tu sama? – Wyczułam w jego głosie zainteresowanie.

– Tak. Babcia umarła, a mama wyjechała na stałe do Anglii. – Daj Boże na stałe! – Czego się napijesz?

– Może jednak czegoś mocniejszego. – Paweł ciekawie rozglądał się dokoła, a ja gorzko żałowałam, że go tutaj przyprowadziłam.

– Mam tylko żołądkówkę po babci – odpowiedziałam.

Zupełnie nie wiedziałam, co mam dalej robić.

Nie usłyszał mojej odpowiedzi, gdyż pochłonięty był własnymi myślami. Nagle przypomniał sobie o mojej obecności i spojrzał na mnie, jakby zobaczył mnie po raz pierwszy. Nieoczekiwanie zaczerwieniłam się po same uszy.

– A może zajmiemy się czymś innym niż picie – usłyszałam.

Zanim zdążyłam się zorientować, co miał na myśli, Paweł błyskawicznie zbliżył się do mnie i przywarł ustami do moich. A więc to był pocałunek. Niezdarnie zarzuciłam mu ręce na szyję. Zdążyłam tylko zauważyć, że mimo wypitego alkoholu miał przyjemny oddech, kiedy poczułam opadającą na dywan sukienkę. Pod ustami Pawła mężnie zagryzłam zęby i uniosłam w górę jego koszulkę. Rozbieranie szło nam całkiem sprawnie aż do dżinsów, u których zaklinował się zamek błyskawiczny. Nie przejmowałam się wyczuwalnym w spodniach nagłym wybrzuszeniem i moje zwinne ręce hafciarki wkrótce odblokowały zamek. I wówczas stało się jasne, co to w tych dżinsach urosło. Zacisnęłam usta, żeby się nie roześmiać. Mój pierwszy w życiu mężczyzna z erekcją wydał mi się szalenie komiczny. Po chwili jednak nie było mi już tak do śmiechu... Położyliśmy się na łóżku, a Paweł rozchylił mi nogi i rozpłaszczył się na mnie, uniemożliwiając jakikolwiek ruch. Następnie zaatakował nasadę ud, jak górnik wbijający się kilofem w ścianę węgla. Kiedy w tę „ścianę" precyzyjnie trafił, przeszył mnie dotkliwy ból i syknęłam. Paweł jednak zainteresowany był nadal „wyrębem". Całe szczęście, że niezbyt długo. Nagle zadrżał jak przebijany szpilką motyl i opadł na moje mikroskopijne piersi. Czy to już po? Czy mogę już się podnieść i pójść sobie? Co powinnam teraz zrobić?

Moje rozterki nie obchodziły Pawła, bo po chwili zasnął kamiennym snem. Mogłam więc chyba wstać. Ostrożnie, starając się go nie obudzić, prześlizgnęłam się do łazienki. W ostrym świetle wyglądałam jak zbieg z obozu koncentracyjnego. Skóra i kości. Aż dziw, że Paweł się o mnie nie pokaleczył. Ale, jak wkrótce dostrzegłam, to jednak ja zostałam poszkodowana. Po udach ściekała mi krew. Momentalnie zrobiło mi się słabo i usiadłam na desce sedesu.

I co ja chciałam osiągnąć? Zapomniałam już, o co chodziło w moim planie. Spojrzałam na swoje uda. Nie, nie o tym myślałam! I z całą pewnością nie chciałabym kiedykolwiek tego powtórzyć. Poczułam nagle dojmującą tęsknotę za ciepłymi ramionami babci i rozpłakałam się bezgłośnie. Raptem do ubikacji wszedł Paweł ubrany jedynie w spodnie. Nawet nie zapukał! Usiłowałam wstać i przesłonić się ręcznikiem, ale jego spojrzenie zupełnie mnie sparaliżowało. Podszedł do mnie i dotknął łez na moim policzku.

– Boli cię? – spytał.

Potrząsnęłam głową, a to uruchomiło kolejną kaskadę łez.

– Dlaczego mi nie powiedziałaś?

Ciekawe, kiedy to miałam zrobić? W dyskotece? W taksówce? W mieszkaniu nie dał mi żadnej szansy.

Cała zaczęłam dygotać, a Paweł zdjął z wieszaka ręcznik i delikatnie mnie okrył. Potem pogładził po włosach.

– Chodź, położymy się do łóżka.

Widząc moje wahanie, dodał:

– Nie martw się, Anita. Ożenię się z tobą.

Zerknęłam na półkę.

– Ale, ale ja noszę okulary... – wymamrotałam. Wprawdzie nie wiedziałam po co, ale babcia zawsze mi mówiła, że jest to dość specyficzna wada.

– Ja też – zaśmiał się Paweł – i prawdę mówiąc, ledwie cię bez nich mogę zobaczyć.

Kiedy w maju przyjechała Ewa, aby się zająć sprzedażą mieszkania, spotkała ją niespodzianka. Wychodziłam za mąż, będąc w trzecim miesiącu ciąży...

Rozdział II

Rozrośnięty krzak rododendronu zasłaniał mi prawie całkowicie pole widzenia. Jeśli jednak pochyliłabym się bardziej w prawo, z pewnością można by mnie dostrzec z okna budynku. Wprawdzie widziałam, że sąsiedzi wyszli z domu jakąś godzinę temu, ale przecież nie miałam pewności, że mieszkanie jest puste. Całe szczęście, że nie mieszkał tutaj żaden złośliwy czworonóg, gdyż wówczas moje główne punkty obserwacyjne: na drzewie i pod rododendronem, byłyby poważnie zagrożone.

Coraz częściej przestępowałam z nogi na nogę. Ciekawa jestem, czy również James Bond musi korzystać z toalety? A może ma wyćwiczony pęcherz? Postanowiłam poddać mój własny ćwiczeniom jeszcze przez pewien czas.

Nagle panującą na ulicy ciszę przerwał odgłos silnika samochodowego. Drobny sukces. To było „moje" volvo. Mocniej zacisnęłam palce wokół lornetki.

Samochód zatrzymał się przed bramą, która po chwili otworzyła się automatycznie, i wjechał na podwórko. Garaż był po lewej stronie budynku i nadawałby się idealnie do moich obserwacji, gdyby tylko jego właściciel z niego korzystał. On jednak uparł się, żeby parkować od frontu budynku.

Silnik zgasł, drzwi się otworzyły i usłyszałam chrzęst kamyków pod nogami wysiadającego. Podregulowałam ostrość w lornetce i w pierwszym momencie przestraszyłam się, gdyż twarz Hansona znalazła się wprost przede mną. Miał zaciśnięte usta i zmarszczone czoło. Oddaliłam nieco obraz.

Hanson ubrany był w ciemny garnitur, białą koszulę i czerwono-granatowy krawat. Musiał więc uczestniczyć w jakiejś uroczystości czy przyjęciu, gdyż na ogół nosił sportowe ubrania lub szare garnitury. I zawsze wyglądał w nich jak gotowy do akcji playboy. Teraz również wlókł do domu jakiś nowy łup, co spostrzegłam, gdy przeszedł na drugą stronę samochodu i otworzył przednie drzwi.

Nie, to nie nowy łup. To ta sama kobieta, z którą widziałam go już wiele razy. A zatem musiał ich łączyć jakiś stały układ. Długonoga, niebieskooka blondynka. Dwadzieścia siedem lat lub coś koło tego. Piękna i elegancko ubrana. Idealnie pasująca do tego otoczenia. Kilka razy została u niego na noc. Kiedy byłam już przekonana, że jest jego stałą kochanką, pewnego dnia pojawiła się inna. Niska brunetka o gdaczącym, zaraźliwym śmiechu. Zaczęli się całować natychmiast po zajechaniu na podwórko, a zanim zniknęli za drzwiami, Hanson porozpinał jej wszystkie guziki u sukienki. Potem przez dwie godziny nie zapalili w mieszkaniu światła. Trzy dni później znowu ujrzałam blondynkę.

Wysiadła z samochodu i uśmiechnęła się do Hansona, ale ten łajdak nawet na nią nie spojrzał. To dziwne, ale po ponadmiesięcznej obserwacji Hansona zaczęłam się solidaryzować z tymi kobietami. Biedaczki, z pewnością nie miały pojęcia, z kim się zadają. I co z tego, że facet był obrzydliwie bogaty, jeździł luksusowym wozem i wyglądał... zupełnie przystojnie. Z pewnością gdyby wiedziały, do czego jest zdolny... Nic dziwnego, że nie miał już żony. Musiała go rzucić. Byłam przekonana, że jest perwersyjnym sadystą. Mocniej ścisnęłam lornetkę.

Para zniknęła w budynku, a ja wreszcie mogłam się rozprostować. Nogi zupełnie mi zdrętwiały, w rękach straciłam czucie i okrutnie zmarzłam w majowym powietrzu. Porzuciłam mój posterunek i skierowałam się w stronę lasu. Po raz kolejny zadawałam sobie pytanie, czy to wszystko ma sens. Prawie po miesiącu śledzenia Hansona byłam równie daleka od spenetrowania jego mieszkania jak przedtem. Jedyną rzeczą, którą udało mi się odkryć, było pobliskie legowisko dzików.

Trzy razy pytałam urzędniczkę w banku, czy naprawdę te pieniądze należą do mnie. Rozbroiłam ją widać swoją głupotą, bo powiedziała:

– Oczywiście, że są pani. Może pani robić z nimi, co chce. Pojechać na wycieczkę dookoła świata, zostawić je na koncie, kupić akcje. To cudownie otrzymać taki niespodziewany podarunek.

Z uśmiechem skinęłam głową. Nawet po zapłaceniu podatku było tego więcej od moich pięcioletnich zarobków.

Przez trzy dni po przelaniu pieniędzy na konto nie zrobiłam z nimi nic. Siedziałam tylko wieczorami i się zastanawiałam. Czwartego dnia, mając w głowie gotowy plan, pojechałam jak zwykle rano do muzeum i... złożyłam wymówienie z pracy.

– Pani Anielo, pani się zwalnia? – Dyrektorka nie posiadała się ze zdumienia, że znika jej z horyzontu ostatni dowód na skuteczne funkcjonowanie systemu niewolniczego. – Ma pani inną pracę?

Gdyby tak było, świadczyłoby to niechybnie o rosnącej koniunkturze gospodarki polskiej. Nagłe przypomnienie mojej szarpaniny na rynku pracy sprzed kilku lat wywołało nerwowe mrowienie w okolicy kręgosłupa. Odchrząknęłam.

– Tak. I to już od kwietnia.

Wciąż zdumiona dyrektorka pokręciła z niedowierzaniem głową. Wiedziałam, że za chwilę zarzuci mnie pytaniami, ale byłam na nie przygotowana.

– Moja znajoma zakłada hurtownię odzieży i chce, żebym zajęła się sprawami biurowymi.

Dyrektorka obrzuciła mnie taksującym spojrzeniem. Zdaje się, że przypomniała sobie, iż kiedyś pracowałam już jako sekretarka.

– Pani Anielo. Życzę pani powodzenia, ale chyba pani sama pamięta, jak to jest pracować w prywatnym sektorze – uderzyła w ton dydaktyczny. – Człowiek nie zna dnia ani godziny. Podczas gdy u nas, choć zarobki niewysokie, praca jest pewna i spokojna. Myślałam poza tym, że kiedy pan Bolesław przejdzie wkrótce na emeryturę, będzie mogła pani...

Pan Bolesław był wujkiem jej męża, jak się już zorientowałam, i nic, oprócz nagłego zejścia, nie mogło sprawić, żeby facet się stąd kiedykolwiek zabrał.

– Wiem, pani dyrektor, ale dostałam bardzo dobrą propozycję finansową.

– Tak, a ile, jeśli można oczywiście wiedzieć? – Dyrektorka najwyraźniej przejawiała niezdrowe pragnienie dowiedzenia się, jak to w tej prywatnej, wrogiej konkurencji naprawdę wygląda.

– Dwa tysiące złotych – odpowiedziałam.

Zawsze będę wspominać wyraz jej twarzy po moich słowach. Koleżankom z muzeum okroiłam nieco tę sumę, ale z grubsza trzymałam się tej samej wersji. Kiedy ostatniego dnia pracy, po poczęstunku, na który składało się kupne ciasto, wychodziłam z muzeum, nie miałam nawet cienia wątpliwości. Nie chciałam tam już nigdy wrócić.

W domu uważnie przestudiowałam ogłoszenia szkół języków obcych i zapisałam się na trzymiesięczny intensywny kurs języka angielskiego, który zaczynał się od kwietnia.

Następną sprawą, którą postanowiłam rozpracować, była umiejętność obsługi komputera. Nazwy programów, których znajomości wymagali pracodawcy w ogłoszeniach o pracę, były mi całkowicie obce i dlatego na lipiec zaplanowałam tygodniowe szkolenie. Wyszukałam również informacje o kursach na prawo jazdy.

Dzieci były nieco zdziwione moimi nietypowymi czynnościami. Na temat otrzymanych pieniędzy nie wspomniałam im jeszcze ani słowa. Prawdę mówiąc, odzywałam się do nich mniej niż zazwyczaj. Zauważyłam, że Mirka jest tym bardzo zaniepokojona. Siedziała na podłodze obok stołu, na którym rozłożyłam swoje gazety, i bawiła się starą lalką, jednak co jakiś czas zerkała na mnie błękitnymi oczami swojej babci Ewy.

– Gdzie jest Mateusz? – spytałam córkę.

– Odrabia lekcje.

Trudno było w to uwierzyć.

– Zawołaj go do mnie. Chciałabym z wami porozmawiać.

Po chwili pojawił się mocno zdenerwowany Mateusz. Zdaje się, że nie miał najczystszego sumienia.

– Muszę wam powiedzieć, że czekają nas pewne zmiany – oświadczyłam poważnie na wstępie.

Początkowo oboje byli przerażeni, powoli jednak informacja zaczynała do nich dochodzić.

– A co będziesz robić, jeśli już nie pracujesz w muzeum?

Wyjaśniłam im, że będę się dokształcać i dzięki temu – taką miałam nadzieję – może uda mi się otrzymać nową, dobrą pracę. Od września. Tak określiłam ostateczny termin zmiany naszej sytuacji życiowej. Z pewnością nie zamierzałam, zgodnie z sugestią Ewy, zmieniać mieszkania na większe i brać na siebie nowych zobowiązań, którym, być może, nie byłabym w stanie sprostać. Przede wszystkim mogłam jednak spłacić długi, odmalować mieszkanie, zainstalować telefon, kupić nową pralkę, telewizor, nowe meble do kuchni, zasłony... Wszystko dokładnie wyliczyłam. Nawet jeśli nie dostanę we wrześniu pracy, pozostanie mi suma odpowiadająca moim ponadrocznym zarobkom. To musi nam wystarczyć.

– A my? – spytał cicho Mateusz.

– Jak to wy?

– Co będzie z nami? – Dwie pary oczu, ciemnych i błękitnych, patrzyły na mnie wyczekująco.

– Pójdziemy dzisiaj do McDonalda – ogłosiłam, wiedząc, że to ich wymarzony lokal. – W lipcu pojedziecie na kolonie nad jezioro, a w sierpniu, razem ze mną, na tydzień w góry.

– Pojedziemy na kolonie i w góry? – pytała Mirka z coraz bardziej błyszczącymi oczami. Przecież w życiu nie była jeszcze na żadnych wakacjach. – A mogę pojechać z Zuzią?

Zuzia była jej ukochaną przyjaciółką z klasy, córką naszego sąsiada z parteru.

– Zobaczymy jeszcze, jak będą wyglądać szczegóły – odpowiedziałam.

Kiedy po powrocie z McDonalda udało mi się poupychać rozentuzjazmowane dzieci do łóżek, przystąpiłam do realizacji drugiego wariantu moich planów, zatytułowanego „Kaj Hanson".

Po wyjściu z gęstych krzaków poprawiłam plecak i skierowałam się w stronę kolejki miejskiej. Była już szósta, a obiecałam dzieciom, że wrócę przed „dobranocką". W domu czekało mnie gruntowne sprzątanie po kafelkarzach w łazience i praca domowa z angielskiego, jednak już po kilkunastu krokach zawróciłam w stronę rezydencji Hansona. To nowe zajęcie przeradzało się niemal w obsesję. Zaczęło się od codziennych kilkugodzinnych obserwacji, a teraz trwało to prawie cały dzień.

Wiedziałam już, gdzie Hanson pracuje lub też, mówiąc inaczej, gdzie ma biuro, kto do niego wysyła korespondencję i czym się głównie odżywia. Te informacje to wynik starannej eksploracji jego śmietnika. Przy pierwszym przetrząsaniu odpadków ogromnie się brzydziłam, ale potem usiłowałam siebie przekonać, że to zajęcie niewiele różni się od pracy archeologa, tyle że on zajmuje się rzeczami, które już nie śmierdzą. W śmieciach jednak nie znalazłam niczego istotnego.

Ponownie stanęłam przed jednym z okien domu Hansona i wyciągnęłam z plecaka lornetkę. Mój szpiegowski sprzęt był mocno niedoskonały. Składał się z aparatu fotograficznego, lornetki, notesu i latarki. Po zakończonej pracy zamierzałam wszystko przekazać w prezencie Mateuszowi. Na razie cieszył się nowym walkmanem.

Przez chwilę wydawało mi się, że w jednym z okien widzę czyjąś sylwetkę. Z pewnością zaczynałam mieć już zwidy. Muszę jak najszybciej skończyć z tą obserwacją i zająć się domem. Nie mam więcej czasu na te głupstwa. Gdybym była mądrzejsza, wiedziałabym od początku, że cała ta akcja jest skazana na porażkę. Zrobiłam, co mogłam. Wiktor i tak powinien być ze mnie zadowolony.

Nagle z domu wybiegła blondynka i zatrzymała się przy bramie. Po chwili dołączył do niej Hanson. Dziewczyna była wyraźnie wzburzona. Zagryzała usta, żeby nie wybuchnąć płaczem.

– Zostaw mnie! – krzyknęła ostro do Hansona, kiedy ten próbował wziąć ją za rękę.

Hanson odpowiedział jej, ale zbyt cicho, żebym mogła usłyszeć. Musiało to być jednak coś okropnego, bo kobieta z całej siły uderzyła Hansona w twarz. W tym momencie pod dom nadjechała taksówka i dziewczyna rzuciła się w jej stronę.

Hanson stał przez chwilę, patrząc na znikający za zakrętem samochód. Następnie powolnym ruchem potarł dłonią policzek i obrócił się w kierunku krzaków, za którymi stałam. Spojrzał wprost na mnie. To znaczy... Oczywiście nie mógł mnie widzieć, ale miałam wrażenie, jakby wiedział, że mu się przyglądam. Z wrażenia niemal upuściłam lornetkę.

Kiedy tylko zniknął w domu, czym prędzej się oddaliłam.

Powinnam wziąć się solidnie do nauki angielskiego, uszyć nowe zasłony do obu pokoi z tego pięknego materiału, który udało mi się kupić po bardzo niskiej cenie, powinnam dopilnować prac domowych dzieci, bo zbliżał się koniec roku szkolnego... Powinnam... Tylko że obserwacja Hansona okazała się najbardziej ekscytującym zajęciem, które mi się ostatnio przytrafiło. Moje życie, z wyjątkiem krótkiego szczęśliwego epizodu, było dość ponure i monotonne.

Spoglądałam na wystawy mijanych sklepów i nagle w jednej z nich ujrzałam moje własne odbicie.

Wyglądałam okropnie. Włosy w nieładzie sterczały mi na wszystkie strony, stara koszula Pawła już dawno powinna trafić na śmietnik, legginsy pruły się przy łydkach, rozdeptane adidasy... Dotknęłam ręką policzka. Skóra była sucha i napięta. Dlaczego nie kupię kremu do twarzy? Przecież teraz stać mnie na kupienie sobie kilku podstawowych rzeczy, żeby wyglądać jak człowiek, a nie jak strach na wróble.

To musiał być prawdziwy znak, bo witryna sklepowa, w której się przeglądałam, należała do drogerii. Bez wahania otworzyłam drzwi.

Był to niewielki, ale bardzo elegancko urządzony sklep kosmetyczny, w którym aż emanowało wyśrubowanymi cenami.

Pośrodku stał stojak z okularami słonecznymi, letnimi kapeluszami i torebkami. Natomiast wszystkie kosmetyki znajdowały się za oszkloną ladą i trzeba było o nie prosić sprzedawczynię. Sama jednak nie bardzo wiedziałam, o co mam prosić. Poza mną nie było w sklepie żadnych klientów i zauważyłam, że ekspedientka usiłuje mnie ściągnąć wzrokiem przed ladę. Udałam, że tego nie widzę i że zainteresowały mnie okulary, które przymierzyłam przed lustrem. Dostrzegłam w nim, że sprzedawczyni się nie poddaje, nadal się na mnie gapi. Wsadziłam z powrotem okulary w przegródkę i postanowiłam czym prędzej się wycofać. Trudno, kupię krem w jakimś sklepie samoobsługowym.

– Anita! – usłyszałam nagle czyjś głos.

Rozejrzałam się dokoła i zauważyłam, że sprzedawczyni zwróciła się do mnie po imieniu.

– Słucham?

– Ty jesteś Anita, prawda? – upewniała się sprzedawczyni.

Dopiero teraz dokładnie jej się przyjrzałam. Była w moim wieku, miała jasne nastroszone na czubku głowy włosy i wyjątkowo obfity biust. Czy ją znałam? To z pewnością była jakaś pomyłka.

– Aniela Stelman? – Sprzedawczyni nie dawała za wygraną i dopiero wówczas mnie oświeciło. Ten głos!

– Lusia!

Moja koleżanka ze szkolnej ławy, Łucja.

– Nie do wiary, że cię spotkałam po tylu latach – mówiła, przyciskając mnie do piersi. – Od początku wydawało mi się, że to ty, ale dopiero kiedy zaczęłaś przymierzać te okulary, rozpoznałam cię na dobre. Skojarzyłaś mi się z nimi, wiesz.

– „Okularnica" – szepnęłam, wciągając w nozdrza upojny zapach perfum mojej koleżanki.

– Nie nosisz już okularów? – spytała Lusia.

– Nie, już nie potrzebuję. – Uśmiechnęłam się do niej.

– Całe szczęście. Nawet nie masz pojęcia, jak ohydnie w nich wyglądałaś. Po latach mogę ci o tym szczerze powiedzieć. Nigdy nie rozumiałam, jak twoja matka pozwala ci nosić takie szkaradztwo. Są przecież różne oprawki. Ale co ja tutaj plotę. Opowiadaj natychmiast, co u ciebie słychać.

Ledwie otworzyłam usta, kiedy Lusia stwierdziła, że najlepiej będzie pogadać, kiedy sklep zostanie już zamknięty. Myślałam, że pójdzie ze mną w stronę kolejki, ale ona tylko roześmiała się i zasunęła zasuwę od wewnątrz.

– Mieszkam na piętrze. Od paru lat jestem właścicielką tego sklepu. „Łucja Bartkowiak – artykuły kosmetyczne". Co ty na to?

Ja oczywiście byłam zachwycona, że spotkałam na swojej drodze prawdziwą kobietę biznesu. Po chwili siedziałam już na skórzanej sofie w saloniku Lusi, piłam aromatyczną kawę i półgębkiem streszczałam historię swego życia. Lusia była bardziej wylewna. Dowiedziałam się, że podczas długoletniego pobytu w Niemczech zarobiła wystarczająco dużo pieniędzy, aby otworzyć sklep. Była jednak zbyt zajęta pracą, aby założyć rodzinę, a poza tym, jak to ujęła, „zmęczyły ją różne formy kontaktów z mężczyznami". Po takich słowach moje uczucia przyjaźni do Lusi stały się jeszcze cieplejsze i byłam już mniej wstrzemięźliwa w opowieściach. Kiedy Lusia zapytała, co robiłam w Sopocie, nieoczekiwanie dla siebie wyrzuciłam:

– Obserwowałam jednego faceta. Podejrzewam, że jest winny morderstwa.

Lusię całkowicie zatkało, natomiast ja nagle spojrzałam na zegarek i przerażona zobaczyłam, że już pół do ósmej. Zerwałam się na równe nogi.

– Nie martw się. Odwiozę cię do domu. Musisz mi o wszystkim opowiedzieć – odezwała się Lusia, a wychodząc, wypchała całą siatkę szamponami, mydłami, kremami i próbkami perfum. – To dla ciebie i dzieci – oznajmił majowy święty Mikołaj.

Moja przyjaciółka była również szczęśliwą posiadaczką samochodu, który prowadziła zgoła fantazyjnie. Patrząc na jego poobijane drzwi, obawiałam się, czy dojedziemy żywe na miejsce, tym bardziej że Lusia ostro hamowała lub przyspieszała przy każdym bardziej ekscytującym fragmencie mojej opowieści.

– Anita, koniecznie musisz coś z tym zrobić – zakomunikowała mi, kiedy zatrzymała się przed moim domem.

– Sama już nie wiem co – odpowiedziałam, chwytając za plecak.

– Nie martw się. Ja coś wymyślę. Co dwie głowy, to nie jedna. – Lusia kipiała wprost optymizmem. – Wpadnę do ciebie jutro przed południem – oznajmiła, a ja wdrapywałam się na czwarte piętro, mając nadzieję, że podczas mojej nieobecności dzieci nie zrujnowały mieszkania do ostatka.

– Wymyśliłam – oświadczyła mi na wstępie Lusia, wtargnąwszy o godzinie dziesiątej do mojego mieszkania.

Dzieci już wyszły, a ja słaniałam się na nogach, gdyż do trzeciej w nocy pracowałam przy remoncie. Dopiero kiedy nastawiłam czajnik, zrozumiałam, co do mnie powiedziała.

Poprzedniego dnia, myjąc meble, zastanawiałam się, czy słusznie zrobiłam, wtajemniczając Lusię w tę historię. Zrozumiałam jednak, że zapuściłam się w ślepą uliczkę i że bez rady innej osoby nie będę wiedziała, co mam robić. Moja wyćwiczona przez lata cierpliwość nie na wiele się już przydawała. Należało podjąć jakieś nowe, konkretne działania.

– Naprawdę masz pomysł? – spytałam, podając Lusi kawę.

– To zupełnie proste – odparła, robiąc tajemniczą minę.

– Chyba nie myślisz o włamaniu się do jego mieszkania czy biura – dociekałam lekko zaniepokojona.

– Nie, wcale nie myślę o włamaniu – zaprzeczyła żywo Lusia – to musi być legalne wejście. Mówiłaś, że facet interesuje się panienkami, prawda?

No tak, i to całkiem aktywnie. Zresztą poprzedniego dnia pokazywałam Lusi zdjęcia, które sama im zrobiłam. Jeśli jednak Lusia myślała o tym, że jestem w stanie namówić którąś z nich do...

– I dlatego musisz go poderwać. To dobry moment, skoro z jedną z nich właśnie zerwał.

– Co???

– Zaprzyjaźnisz się z nim, a on zaprosi cię do swojego domu lub biura. Przecież to proste!

Proste jak świński ogon. Chyba z Lusią było coś nie w porządku. Czy ona nie widziała, jak ja wyglądam? Ale, ale, chwileczkę. Lusia ubrana była w obcisłą ciemnoróżową spódnicę, do tego jasnoróżową bluzeczkę, którą bezskutecznie próbował sforsować jej biust. Wyglądała o dekady młodziej ode mnie...

– Nie, nic z tego. Ja nie jestem w jego typie – zaprotestowała natychmiast. – Poza tym nie wiedziałabym, czego mam szukać. To musisz być ty.

– Chyba sama nie wiesz, o czym mówisz.

– Doskonale wiem – odpowiedziała głosem nieznoszącym sprzeciwu – widziałam te zdjęcia. Te jego lale nie są nawet ładne, tylko odpowiednio zrobione. Możesz wyglądać tak samo, tylko należy w ciebie zainwestować. To prosta sprawa!

Kiedyś Sebastian powiedział mi coś podobnego. Wówczas „zainwestowałam” w nowy kolor włosów, lekki makijaż i... zdjęłam okulary. Byłam jednak absolutnie przekonana, że na Hansona to by nie wystarczyło. Zainteresować go mną praktycznie oznaczało zdobycie Mount Everestu bez sprzętu wysokogórskiego.

– Opowiadasz głupstwa. Poczekaj, aż się tobą na dobre zajmę – zarządziła Lusia. – Najważniejsze jednak jest twoje nastawienie psychiczne i motywacja...

Miałam przewagę nad jego zwykłymi panienkami, gdyż im z pewnością chodziło o zaciągnięcie go przed ołtarz, wyciąganie od niego forsy, miłość czy inne głupstwa. Ja byłam wolna od takich samodestrukcyjnych myśli i mogłam zachować trzeźwość myślenia, koncentrując się jedynie na moim planie. Muszę jednak nabrać więcej pewności siebie, a Hanson będzie jadł mi z ręki.

Po tyradzie Lusi śmiałam się tak bardzo, że łzy potoczyły mi się po twarzy. Chyba jeszcze nigdy w życiu nie było mi tak wesoło.

– No to dzięki za kawę – powiedziała nagle Lusia, ucinając mój atak wesołości. – A teraz ubieraj się. Idziemy do fryzjera.

„Salon pani Kasi" znajdował się o dwie przecznice od jego domu i według Lusi był obecnie jednym z najbardziej wziętych w okolicy, głównie z uwagi na to, że mąż Kasi, a kolega ze szkoły, Władek, należał do trójki właścicieli największego objawienia gastronomicznego w Trójmieście.

– A wiesz, kto jest jego partnerem? – spytała mnie poważnie Lusia.

Dla mnie mógłby to być prezydent Clinton. Takie rzeczy mnie nie obchodziły. Lusia była bardziej zorientowana w życiu towarzyskim naszej byłej dzielnicy.

– Franek Reinert.

– Twój Franek? Janek Kos? – zdziwiłam się.

– A jakże. To teraz poważny przedsiębiorca. Ale niestety zajęty. Zakochany na zabój w żonie tego przystojnego dziennikarza z telewizji. Wiesz, o kim mówię?

Nie wiem, bo dopiero dwa dni wcześniej kupiłam nowy telewizor. Stoi jeszcze w pudle, żeby się nie zniszczył przy remoncie. Słuchałam opowieści Lusi jednym uchem, ale, swoją drogą, to miło się dowiedzieć, że dla tylu z „naszych" życie jest przyjazne.

– Masz piękne, mocne włosy – po chwili odezwała się Kasia, a ja poddałam się jej zabiegom z lubością.

Prawie zasypiałam w fotelu, nie zwracając uwagi na to, co dzieje się z moją głową. Już dawno powinnam była pójść do fryzjera, a nie sama machać nożyczkami przy twarzy. Prawda, nie było mnie na to stać. Z trwogą zaczynam się zastanawiać, ile mnie będą kosztować te inwestycje, czy robię słusznie...

– No i jak? – pyta Kasia i ściąga mi z ramion pelerynę.

Z niedowierzaniem obserwuję lustrzane odbicie. Jasnorude włosy, pasujące do jasnej karnacji, niemal dotykają ramion. Dość pociągła twarz wydaje się teraz nieco bardziej okrągła. Jedynie oczy mają znajomą burą barwę.

– To ja? – Uszczypnęłam się i to mnie ostatecznie przekonało. – O Boże!

Kasia i Lusia były mną zachwycone. Wychodziłam z salonu jak oniemiała. Takie przeżycia nie zdarzały mi się codziennie. Nie miałam jednak czasu, aby się nimi napawać.

– No dobra, a teraz ciuchy – zarządziła Lusia, wpychając mnie do swego golfa.

Chodziłam po mieszkaniu, porządkując resztę rzeczy, i nie mogłam się uspokoić. Miałam życiowego pecha. Znowu wpadłam w złe towarzystwo. Perswazja Lusi zmusiła mnie do wydania na siebie niemalże równowartości moich trzymiesięcznych poborów. Jeśli dalej tak pójdzie, diabli wezmą moją żelazną rezerwę. A jeśli nie znajdę pracy?

Jednak przypominając sobie moje nowe wcielenie, niechętnie musiałam przyznać, że warto było raz w życiu zaszaleć. Nigdy nawet nie przypuszczałabym, że mogę tak wyglądać.

Wprawdzie wiadomo było, że bez chirurgii plastycznej w Julię Roberts się nie zamienię, ale moja dobra wróżka Lusia odwaliła kawał porządnej roboty. Ponownie przymierzyłam brązową, dość obcisłą bluzkę z czarnymi guziczkami. Do końca jednak nie uległam Lusi. Namawiała mnie na kupno spódniczek do połowy uda, obcisłych sweterków i innych strojów, które określała jako sexy. Wprawdzie odrzuciła natychmiast moje pomysły w postaci szarej garsonki ze spódnicą do pół łydki, ale ta jasnozielona sukienka z ciemniejszą o ton marynarką była rozsądnym kompromisem. Pozostałe rzeczy również. Przy bieliźnie jednak się zaparłam. Przecież nie zamierzałam się rozbierać przy Hansonie. Zauważyłam przy tym moim stwierdzeniu nieco zawiedzioną minę Lusi. Fakt, iż Hanson był najprawdopodobniej mordercą, nie przeszkadzał jej w wygłaszaniu opinii, że jest „zupełnie niezły".

Nagle usłyszałam dzwonek u drzwi. Byłam przekonana, że to Mateusz z Mirką – tego dnia byli na wycieczce szkolnej. Otworzyłam, ciekawa ich reakcji na mój widok. Reakcja była, ale nie ich.

– Czy zastałem panią Lisiecką? – Na progu mych drzwi stał mężczyzna.

– Tak, jest w domu, proszę wejść – umyślnie obniżyłam nieco tembr głosu.

Mężczyzna chciał już przekroczyć próg, ale coś go zastanowiło. Jeszcze raz spojrzał na mnie i dosadnie zaklął.

– Anita, to ty?!

– Nie poznałeś mnie, nie poznałeś! – Z radości aż podskoczyłam.

Uniósł mnie w górę.

– Ale mnie nabrałaś. Z ciebie to prawdziwa cicha woda. Zawsze to podejrzewałem – powiedział.

– Ale nie poznałeś mnie, prawda, Pirat, sam powiedz!

Sebastian odstawił mnie na ziemię i spojrzał przeciągle.

Sebastian

– To jest Sebastian, Pirat – powiedział Paweł, wskazując na stojącego w ciemnym korytarzu chłopaka. – Razem jedziemy do Niemiec.

Chłopak zbliżył się do mnie i do światła, a ja oniemiałam. Był bardzo wysoki, chyba ponad metr dziewięćdziesiąt wzrostu, miał dość długie, lekko kręcone ciemne włosy i podłużne zielone oczy, w których stale igrał jakiś piracki chochlik. Błyskając w uśmiechu białymi zębami, powiedział:

– Cieszę się, że w końcu mogłem cię poznać, Anita. Teraz ja zajmę się twoim mężem.

Pokochałam go natychmiast za te słowa. Już od dawna pragnęłam, by Pawłem zajął się ktoś inny. Szkoda, że matka Pawła chciała jedynie nim rządzić, a nie się nim zajmować. W tym akurat była bardzo podobna do mojej własnej rodzicielki. Ich pierwsze spotkanie o mały włos nie zakończyło się przyjazdem milicji.

– Pani córka zniszczyła przyszłość mojego syna. – Pierwsza przystąpiła do ataku moja przyszła teściowa, fertyczna właścicielka straganu ze sprzętem hi-fi na hali w Gdyni. – Uwiodła go podstępnie.

Podstępnie? Może. Ale uwiodła? Przycisnęłam mocniej ucho do ściany kuchennej.

– Co za bzdury – oświadczyła dobitnie Ewa. Jej wyrazista artykulacja zwiastowała zawsze gromy. – Anita jest świetnie wychowaną dziewczyną i nigdy dotąd nie miała żadnego chłopaka.

– Wcale mnie to nie dziwi – mruknęła z pogardą Lisiecka. – To również pani wina. Nie powinna była pani zostawiać jej samej w kraju. Jest zupełnie nieodpowiedzialna.

Na chwilę zapadła cisza, bo widać Ewa musiała się zgodzić z tym ostatnim stwierdzeniem.

– No dobrze, co się stało, to... – Lisiecka rozpoczęła fazę mediacyjną. – Musimy obie się zastanowić, co można zrobić. Mój syn musi skończyć studia. Proponuję, aby na ten czas wzięła pani na siebie opłacanie czynszu.

– Ja, czynszu?

– No tak, za to mieszkanie.

– Chyba się pani pomyliła – oświadczyła Ewa. – Ja to mieszkanie zamierzam sprzedać. Połowę sumy otrzyma oczywiście Anita i może z nią robić, co chce. Może nawet urzymywać pani syna, który nie jest w stanie sam o czymkolwiek zadecydować.

– Chyba pani żartuje! Zostawić ich na bruku. To niemożliwe!

– To jest, droga pani, jak najbardziej możliwe.

I wówczas wybuchła wojna. Ewa, wściekła na mnie do ostateczności („co za niedojdę sobie wzięłaś na głowę”), postawiła na swoim. Wyciągnęła od Lisieckiej zobowiązanie, że spłaci jej połowę sumy i wówczas mieszkanie zostanie przepisane na nas oboje. Moja teściowa nie miała wyboru, gdyż, wbrew opinii Ewy, Paweł po raz pierwszy w życiu uparł się i zdecydował. Ożeni się ze mną i już. Poznawszy Lisiecką i widząc jej złote plomby, zrozumiałam powody jego determinacji i nabrałam do niego szacunku. Oboje byliśmy dla siebie ostatnią deską ratunku.

Po pospiesznie zorganizowanym cichym ślubie, na który nawet nie zaproszono ojca Pawła mieszkającego ze swoją nową rodziną w Krakowie, dano nam trochę spokoju. Ja zostałam w swoim pokoju, a Paweł osiedlił się w sąsiednim. Byłam mu bardzo wdzięczna, że nie przejawia w stosunku do mnie żadnych seksualnych roszczeń. Nadal byliśmy zbyt wstrząśnięci tym, co wynikło w rezultacie naszego pierwszego zbliżenia. Żyliśmy więc cicho, bez wzruszeń, razem i osobno. Razem, bo przygotowywaliśmy teraz posiłki dla nas obojga, prałam i prasowałam jego ubrania, osobno, bo każde z nas nadal studiowało i pracowało. W szóstym miesiącu ciąży musiałam jednak zaniechać zarobkowego sprzątania i po raz pierwszy poprosić o pieniądze Pawła. Bardzo go to zaniepokoiło, ale nie protestował. Wkrótce zresztą z coraz większym trudem wdrapywałam się na czwarte piętro, a któregoś dnia, kiedy Paweł nie wrócił jeszcze z zajęć, pogotowie zabrało mnie do szpitala, gdzie urodziłam Mateusza. Szybko i niemal bezboleśnie wypchnęłam na świat owoc dyskotekowej nocy.

– Czy ten dzieciak musi tak nieustannie wyć? – skarżył się Paweł, przygotowując się do egzaminów. – Ucisz go.

Patrzyłam na zmarszczoną od krzyku twarz Mateusza jak na obiekt podstępnie podrzucony mi przez kosmitów i z rezygnacją brałam go na ręce.

– Mógłbyś pójść z nim na spacer. Byłoby trochę spokoju – proponował mój mąż, a ja zwlekałam wózek z czwartego piętra i wychodziłam w mroźny lutowy dzień na dwór.

Mimo zapewnianego spokoju Paweł zawalił egzaminy w sesji zimowej i zaczął coraz częściej znikać z domu. Z początku podejrzewałam, że może zaczął się oglądać za jakąś pracą, ale wkrótce okazało się, że mój mąż spędzał całe dnie u swojej matki, która zajmowała się dokarmianiem go. Stwierdziła, że jej jedynak nie ma w swoim domu odpowiednich warunków do studiowania. Nie na wiele to się jednak zdało, gdyż sesja letnia wypadła mu równie beznadziejnie jak poprzednia. Był to cios dla jego męskiej dumy, tym bardziej że mnie jakimś cudem udało się zaliczyć trzeci rok. Teściowa uważała, że ten mój sukces jest okupiony ogromnym poświęceniem ze strony jej syna.

– Powinnaś od jesieni iść do pracy, żeby pomóc Pawłowi – padła komenda. – Mateusz może iść do żłobka.

Skinęłam pokornie głową, gdyż wcale nie byłam za tym, żeby siedzieć w domu z dzieckiem, i po uzyskaniu rocznego urlopu dziekańskiego znalazłam pracę na pół etatu w spółdzielni mieszkaniowej. Paweł mógł teraz sobie do woli studiować.

On jednak wówczas zdecydował się na powrót do swoich wcześniejszych zainteresowań, mianowicie malarstwa. Cały jego pokój był teraz zawalony różnymi sztalugami i farbami, ale on sam bynajmniej w nim nie siedział. Nawiązywał kontakty towarzyskie z kolegami studiującymi sztuki piękne. Był coraz bardziej zamknięty w sobie, coraz później wracał do domu i coraz częściej po alkoholu.

– Dlaczego dzisiaj znowu ten sam obiad? – skarżył się któregoś dnia, kiedy wrócił po dziesiątej do domu.

– Nie miałam czasu iść po zakupy. Mateusz jest trochę przeziębiony. Jutro mogą go nie przyjąć do żłobka. Może mógłbyś z nim zostać? – spytałam naiwnie.

Paweł przecież nigdy nawet nie zmienił dziecku pieluchy. Jego matka uważała, że to nie wypada, aby mężczyzna zastępował kobietę w jej czynnościach. Rola kobiety polegała przecież na zajmowaniu się dziećmi i mężem. Ale zbliżała się majowa burza, a ja byłam zmęczona, wykończona i zła. Dlatego też zaczął rodzić się we mnie bunt.

– A może to ty zechcesz w końcu zarobić jakieś pieniądze? – spytałam nieopatrznie i niepotrzebnie, bo Paweł wypił zbyt dużo, aby dało się z nim racjonalnie rozmawiać.

– Tak, pieniądze. Tego wy, wszystkie kobiety, potrzebujecie. Pieniędzy i nic nie robić. – Chwycił mnie za ramię, kiedy usiłowałam uciec z kuchni. – Myślisz, że jak złapałaś mnie na dziecko, to będę cię utrzymywał! Wybij to sobie z głowy! Ciesz się, że masz to swoje mieszkanie. Tylko o to ci zawsze chodziło, prawda?!

Udało mi się w końcu wyrwać i uciec do mojego pokoju. Nie mogłam pojąć, co się z Pawłem dzieje. Do tej pory był przecież taki spokojny i mogłam z nim wytrzymać bez większych problemów. Awantury domowe zawsze mnie przerażały.

– Nie śpisz? – Nagły cień wyłonił się zza drzwi.

Natychmiast zamknęłam oczy, ale nie zraziło to Pawła, gdyż wszedł do mojego łóżka i położył mi rękę na piersiach.

– Nie! – powiedziałam dobitnie.

– Co: nie? Jesteś moją żoną.

To prawda, ale... No cóż, przecież mogłam się tego spodziewać, a jednak przez tyle czasu miałam spokój. Pozwoliłam Pawłowi zdjąć z siebie koszulę.

Po dwóch miesiącach okazało się, że niecały tydzień kontaktów seksualnych z Pawłem zaowocował kolejną ciążą. Tym razem wszystko to było jeszcze bardziej skomplikowane. Ciąża – bo teraz musiałam leżeć w łóżku; kontakty z teściową – całkowicie zerwane, bo Paweł został wyrzucony ze studiów; mąż – którego nigdy nie było w domu, bo sfrustrowany moją płodnością rzucił się w ramiona studenckiej bohemy. Narodziny Mirki, równie szybkie jak Mateusza, były dla mnie szczęśliwym wyzwoleniem z tych coraz bardziej narastających problemów; tym bardziej że nagle Paweł zaczął się interesować domem. Wydawało mi się, że w końcu zrozumiał, iż jest ojcem dwójki dzieci. Któregoś dnia przyprowadził do domu Sebastiana.

– Pirat jest po malarstwie. Załatwił nam wyjazd do Niemiec – oświadczył przepełniony dumą Paweł. – Będziemy pracować przy przebudowie starych domów. Nie musisz się już martwić o pieniądze, będę ci co miesiąc przesyłał na utrzymanie. Zobaczysz, jak teraz wszystko się zmieni.

Rzeczywiście wszystko zmieniało się na lepsze. Było mi o wiele lżej, kiedy odpadła trzecia osoba do obsługi. Choć musiałam przerwać studia, by dzieci zdrowo rosły, ja haftowałam dla „Cepelii", przekazy od Pawła przychodziły regularnie, a teściowa nigdy. I tak ukształtował się u mnie idealny obraz życia rodzinnego. Nie mógł on jednak trwać wiecznie.

Pod koniec 1989 roku, kiedy Mateusz kończył pięć lat, a Mirka miała dwa i pół roku, późnym wieczorem pojawił się w domu Paweł. Ubrany w nowe ciuchy, w szkłach kontaktowych...

– Wróciłeś?! – W moim głosie było chyba więcej zdziwienia niż radości. Czułam się jednak zobowiązana podejść do niego z próbą uściskania go.

Paweł nie miał ochoty na czułości.

– Tak, postanowiliśmy wracać do kraju. Sebastian chce spróbować teraz szczęścia tutaj i sprzedać swoje obrazy. Są genialne, więc na pewno mu się uda. – Na twarzy Pawła pojawił się uśmiech. – Gdzie są dzieci?

– Już śpią. Nie poznasz ich, tak urosły.

Paweł wszedł do mojego pokoju, gdyż tam spały, i przyjrzał im się w łóżeczkach.

– Przyjdę do nich jutro, to je dokładnie zobaczę.

– Jak to, przyjdziesz jutro? Przecież twój pokój...

Dopiero teraz zauważyłam, że Paweł nie ma ze sobą żadnego bagażu. Co to wszystko miało oznaczać?

– Nie będę już z tobą mieszkał, Anita. Rozwiedziemy się, to nie ma sensu. Sama musisz przyznać, że nasze małżeństwo to kompletna fikcja. Dobrze wiesz, że pobraliśmy się, chcąc od czegoś uciec, a nie dlatego, że chcieliśmy być razem.

– A dzieci? – jęknęłam cicho. Prawdę mówiąc, nigdy nie chciałam być rozwódką. Bardziej odpowiadałby mi status wdowy, choć oczywiście nie życzyłam Pawłowi niczego złego.

– Dziećmi postaram się zająć. Są również moje, prawda?

Po co pytał? Chyba sam dobrze wiedział, czyje są. Nie spodziewałam się jednak takiej rozmowy. Oczy napełniły mi się łzami.

– Związałeś się z inną kobietą – powiedziałam z rezygnacją. Mogłam się tego domyślić, skoro przez półtora roku ani razu nie przyjechał do domu.

Paweł zaśmiał się i pokręcił głową.

– Nie, nie jest tak, jak myślisz. Nie ma w tym żadnych kobiet.

– Ale... – zaczęłam, gdy nagle spostrzegłam, że ktoś wszedł do mieszkania. Sebastian. Ubrany był w obcisłe levisy i brązową skórzaną kurtkę. Na policzkach miał trzydniowy zarost i wyglądał... bosko.

– Już porozmawialiście? – spytał Pawła.

– Niezupełnie – odparł mój mąż.

– To znaczy, że jej nie powiedziałeś – warknął ostro Sebastian.

– Daj mi jeszcze chwilę.

– Sterczę przy samochodzie już od godziny – denerwował się Sebastian – i sądzę, że i tak sam się nie zdecydujesz. Jesteś dziedzicznie obciążony hipokryzją.

Paweł czerwienił się, nie spuszczając Sebastiana z oczu.

– Nie jest tak, jak myślisz...

Sebastian zmierzył go chmurnym wzrokiem, a potem przeniósł go na mnie. W koszuli nocnej i pospiesznie narzuconym na nią szlafroku wyglądałam jak wypłoszona mysz w okularach. Mój widok jednak go wzruszył.

– Idź do wozu. Ja porozmawiam z Anitą – zarządził.

– Nie, Pirat. Sam to załatwię. Przecież to ja jestem jej mężem – protestował Paweł.

– Byłeś jej mężem – podkreślił Sebastian. – A teraz zmykaj już i nie podsłuchuj pod drzwiami, bo jak cię na tym złapię...

– No dobrze, dobrze... Nie musisz się denerwować. Już idę, tylko...

– Precz! – wrzasnął Sebastian, a mój mąż natychmiast obrócił się na pięcie i czmychnął ze swojego mieszkania, w którym spała dwójka jego dzieci.

– O Jezu! Jak ty to robisz? – Ogarnął mnie nieoczekiwany podziw dla niego.

Sebastian roześmiał się i podszedłszy bliżej, przygarnął mnie do swojej szerokiej piersi.

– Och, Anita. To lata praktyki. – Pogłaskał mnie po włosach. – Muszę ci o tym powiedzieć, bo on by nigdy na to się nie zdecydował. Prawdę mówiąc, Paweł jest rozpuszczonym przez matkę życiowym tchórzem, ale go lubię. Pewnie bardziej niż ty sama – spojrzał mi teraz poważnie w oczy – ale uważam też, że powinnaś poznać prawdę. Potem zastanowisz się, co z tym zrobić. Lepiej jednak wiedzieć.

Zrobił pauzę, a ja zaczęłam się pocić z tej niepewności.

– Paweł będzie mieszkał teraz ze mną – powiedział w końcu. – To będzie taki przyjacielski układ. – Popatrzył mi głęboko w oczy, a ja nagle zaczęłam wszystko rozumieć. – Wiesz, o co chodzi, prawda?

Sebastian obiecał mi wówczas, że dopilnuje, aby Paweł nam pomagał, i dotrzymał słowa. Za to ja chodziłam przez kilka miesięcy jak po serii elektrowstrząsów. I co z tego, że nasze małżeństwo nie należało do typowych. Były jednak dzieci. Miałam dwoje dzieci z... Nie zamierzałam tego nazywać po imieniu, bo nawet nie znałam na to nazwy. Nigdy z czymś takim się wcześniej nie spotkałam. Nie wiedziałam, że można mieć żonę i dzieci, a jednocześnie... przyjaciela? Z niepokojem przyglądałam się Mateuszowi, szukając u niego symptomów przypadłości ojca. Kiedy któregoś dnia po powrocie z przedszkola oznajmił, że kocha swoją koleżankę Paulinkę, nie posiadałam się ze szczęścia. Jednak tydzień później znowu wpadłam w rozpacz, słysząc:

– Bardzo podoba mi się Tomek, wiesz?

Już w następnym tygodniu po powrocie do Polski Paweł zaproponował, że zajmie się dziećmi przez całą sobotę. Mina momentalnie mi stężała, ale Sebastian, który jak zwykle z nim przyszedł, roześmiał się i zakręcił dokoła.

– Wyluzuj, dziewczyno. Wiem, co ci chodzi po głowie. Zapewniam cię, że nie mam nic wspólnego z pedofilią.

Czułam, że pulsująca szybko krew rozsadzi mi policzki. Sebastian dotknął ich ręką. Powinnam czuć do niego skrajne obrzydzenie, ale jego dotyk był delikatny i przyjemny.

– To jest dla ciebie trudne, ale nie możesz mieć sobie nic do zarzucenia. Po prostu tak jest.

Po prostu tak jest, tłumaczył mi Sebastian, który dość często zaczął pojawiać się u mnie również bez Pawła. Czasem kocha się kobietę, a czasem mężczyznę i lepiej, żebym się nad tym zbytnio nie zastanawiała, bo być może i tak nigdy nie będę w stanie tego zrozumieć. Ale kiedy Sebastian po moim przyjściu z pracy podawał mi kubek z gorącą herbatą i rysował projekty nowych wyszywanek, wydawało mi się, że to rozumiem. Sebastian był znacznie bardziej atrakcyjnym partnerem ode mnie. Zawsze intelektualnie ożywiony, pełen energii, zdecydowany, ale również, jeśli wymagała tego sytuacja, czarująco delikatny. Nie mogłam go nie lubić. Nie wiedziałam jednak, dlaczego on sam szuka tak często mojego towarzystwa. Podejrzewałam, że mógł mieć wyrzuty sumienia z powodu rozbicia naszego małżeństwa. Doszło nawet do tego, że przychodził do nas częściej od Pawła, a mała Mirka zaczęła na niego wołać „tata". Bardzo mu to schlebiało. Dał mi nawet klucz do ich mieszkania, prosząc, abym wpadała tam z dziećmi jak najczęściej.

– Zawsze możesz zostawić u nas dzieci, gdybyś się z kimś umówiła. Ty też musisz ułożyć sobie życie.

W wieku dwudziestu siedmiu lat uważałam je za wystarczająco ułożone. Przy dwójce małych dzieci i pracy w spółdzielni mieszkaniowej nie miałam czasu na głupstwa. Jednak było mi miło, że w tym moim życiu pojawiła się wreszcie osoba, która się trochę mną interesowała.

– Nie masz pojęcia, jak przy tobie, Anita, wypoczywam. Paweł stale ma do mnie o wszystko pretensje. Nie mam zamiaru stale go niańczyć – skarżył się czasem Sebastian. – To wina jego matki – stwierdził kiedyś stanowczo.

Chyba tak, tylko że teraz nie miał z nią żadnych kontaktów. Obraziła się na niego definitywnie, kiedy wyjeżdżał do Niemiec, i nigdy nas nawet nie odwiedziła.

Westchnęłam głęboko.

– Jesteś zmęczona, biedactwo. Usiądź w fotelu, to pomasuję ci kark. Tylko zdejmij te okulary. Nie mogę na nie patrzeć – poprosił Sebastian. – Kiedy pójdziesz do optyka zmienić oprawki, co?

Męczył mnie o to już od jakiegoś czasu i w końcu się zdecydowałam. Z czystej próżności, bo w jakiś niepojęty sposób, zważywszy na beznadziejność tego uczucia, podkochiwałam się trochę w Sebastianie.

Okulista z przychodni spojrzał na moje okulary wstrząśnięty.

– Boże! Nie widziałem czegoś takiego od lat. Skąd to pani ma? I kiedy po raz ostatni była pani na kontroli?

Jak ja miałam mu powiedzieć, że nigdy. To babcia zawsze przynosiła mi nowe oprawki, mówiąc, że szkła nie wymagają zmiany. Ale po sprawdzeniu mojego wzroku okulista jeszcze bardziej się zdziwił.

– Nie wiedziała pani, że ma dobry wzrok? Ani śladu zeza czy nadwzroczności. Zobaczę teraz te okulary.

Widocznie rzeczywiście dobrze spełniły swoje zadanie. A to, co lekarz powiedział później...

Biegłam wzburzona przez Wrzeszcz, nie bardzo wiedząc, z kim mam się tą informacją podzielić. Nagle doszło do mnie, że jest taka osoba. Sebastian. Tylko on był moim jedynym przyjacielem i mieszkał... zupełnie niedaleko stąd.

Wkrótce wdrapywałam się po schodach przedwojennej kamienicy na poddasze, gdzie mieszkał z Pawłem. Nikt jednak nie odpowiadał na moje pukanie. Nagle przypomniałam sobie, że mam klucz i że mogę zostawić Sebastianowi kartkę z prośbą, aby się ze mną skontaktował. Przez chwilę mocowałam się z zamkiem i weszłam do środka. Byłam tu już wiele razy, ale teraz w pustym mieszkaniu czułam się jak intruz. Poszłam do kuchni, aby przy stole napisać moją informację, i nagle z głębi mieszkania usłyszałam cichy odgłos. Dochodził z pracowni, z której profesjonalnie korzystał Sebastian, a po amatorsku Paweł. Odważnie podeszłam do drzwi i pchnęłam je lekko do środka. Mój wzrok natrafił na rozwieszone na sztalugach duże płótno z namalowaną do połowy nagą dziewczyną. Spojrzałam w prawo i nagle na tapczanie stojącym pod oknem zobaczyłam ożywioną wersję tej samej kobiety. Okrakiem siedziała na równie gołym mężczyźnie, który obiema rękami obejmował jej piersi. Na mój widok wrzasnęła z całych sił.

Obróciłam się na pięcie, rzucając się do ucieczki, ale Sebastian złapał mnie przed drzwiami wejściowymi.

– Prze...praszam, ale pukałam – jąkałam, nie wiedząc, co zrobić ze wzrokiem, bo Sebastian był zupełnie nagi.

– Anita, nie denerwuj się. Proszę cię, uspokój się. Chodź, zrobię ci herbatę.

Krzyknął coś do dziewczyny, która nadal była w pracowni, i trzymając mnie mocno za ramię, poprowadził do kuchni. Tam wziął w dłonie moją twarz, uniósł ją i spojrzał mi w oczy.

– Proszę cię, Anita.

Jego nagie ciało było stanowczo zbyt blisko mojego. Nie chciałam, aby przyciskał mnie do ściany w taki sposób.

– Ubierz się – poprosiłam prawie błagalnie.

– Dobrze. – Zmrużył zielone kocie oczy, a mnie przeszły ciarki. – Jeśli mi obiecasz, że stąd nie uciekniesz.

– Obiecuję – powiedziałam, ścierając z policzka ściekającą łzę.

Po chwili wrócił ubrany. Słysząc zamykane drzwi wejściowe, zrozumiałam, że musiał się pozbyć swojej partnerki.

– Oj, Anita. Co za pech! Chcę, żebyś dobrze zrozumiała tę sytuację. To była moja modelka. Pozowała mi do nowego obrazu i trochę... trochę nas poniosło. To taka jednorazowa rozrywka bez znaczenia. Rozumiesz? – Spojrzał na mnie. – Nie, jednak nie rozumiesz...

– A Paweł? – spytałam, stając się nagle rzecznikiem praw mojego eks. – On o tym wie?

– Oczywiście, że nie. – Ponownie przyparł mnie do ściany, zmuszając, abym na niego patrzyła. – Po co ma wiedzieć. Denerwowałby się tylko jak ty. Powtarzam ci, to nie ma żadnego znaczenia. Jezu, tak mi trudno wyjaśniać ci te rzeczy. Ty jesteś taka... niewinna. Taka krucha i delikatna.

Jego zarost muskał mi niebezpiecznie policzek. Zaczęło robić mi się gorąco, a nogi dziwnie osłabły. Z nagłym zdecydowaniem dałam nura pod ramionami Sebastiana i uwolniłam się z tej pułapki.

– Nie musisz się martwić, Sebastian. Ja Pawłowi o tym nie powiem. Nie musisz próbować robić ze mnie wspólnika – rzuciłam z gniewem w oczach.

Sebastian się roześmiał.

– Jesteś bardziej inteligentna, niż chcesz pokazać światu, ale nie masz racji. Nie chcę przez łóżko przypieczętowywać tej tajemnicy. To byłby bardzo zły moment, a ja, czy chcesz w to wierzyć, czy nie... naprawdę jestem twoim przyjacielem.

Wracałam do domu zbyt oszołomiona tym wydarzeniem, aby jeszcze pamiętać słowa okulisty – o tym, że przez całe życie w szpetnej oprawce nosiłam niepotrzebne szkła. Myślałam tylko o Sebastianie i stale robiło mi się gorąco.

Rozdział III

– Skarbie, wyglądasz rewelacyjnie – powiedział Sebastian. – Nie mów mi tylko, że znowu miałaś nawrót nekrofilii.

– Jesteś okropny! – Roześmiałam się po chwili, gdy zrozumiałam jego niestosowny dowcip, i rzuciłam w niego ścierką do odkurzania.

– Ale mnie uwielbiasz, prawda? – śmiał się Sebastian, próbując mnie obejmować w pasie. – Sam wiem. Nie musisz odpowiadać. Ale teraz opowiedz mi, co się stało. Jestem pewien, że się w końcu zakochałaś.

Z dużą satysfakcją zaprzeczyłam i streściłam wszystkie wydarzenia ostatnich dwóch miesięcy. Kiedy doszłam do wątku Hansona, twarz Sebastiana spoważniała i zaczął nerwowo przemierzać pokój.

– Czy wiesz, czym on się teraz zajmuje? – spytał w końcu.

Skinęłam głową. Wiedziałam, albo przynajmniej tak mi się zdawało. Prowadził w Gdańsku dość dużą firmę jubilerską. Coś tam robili własnego, głównie z bursztynu na eksport, ale przede wszystkim zajmowali się sprowadzaniem pereł z Tajwanu, złotych łańcuszków z Włoch i na małą skalę diamentami. Odwiedziłam ich raz pod jego nieobecność, pytając, czy nie są zainteresowani dostawami na rynek wschodni. Kazali mi wrócić, kiedy będzie Hanson. Wykręciłam się brakiem czasu, zapowiadając, że zwrócę się do niego w formie pisemnej. Dali mi wówczas jego wizytówkę z wszystkimi telefonami, również komórkowym. Zakończyłam relację, widząc, że Sebastian ma oczy postawione w słup i na wpół otwarte usta.

– Jezu! Ty to wszystko zrobiłaś? Ty sama, Anita?

Aha, jak najbardziej. To była kwestia środków i motywacji. Motywacji... coś mi ostatnio o niej wspominała Lusia.

– A byłaś już u niego w domu? – dopytywał się Sebastian, który tymczasem wyjadł dzieciom wszystkie chrupki.

Zwiesiłam głowę. No właśnie, to był ten martwy punkt, w którym się znalazłam. Czerwieniąc się, opowiedziałam mu o spotkaniu Lusi i jej szalonym pomyśle. Myślałam, że go to rozbawi, ale tylko pokiwał ze zrozumieniem głową.

– Chyba to jest najlepszy sposób – powiedział w końcu. – Musisz go poderwać.

– Och, Pirat. Przecież znasz mnie od lat. Wiesz, że takie rzeczy nie są możliwe. On się nigdy mną nie zainteresuje.

– Bzdura – zaparł się Sebastian.

– Chyba że jest zupełnie nienormalny.

– Wobec tego mnie też uważasz za nienormalnego?

– Ciebie? – spytałam, a coś miękkiego i ciepłego zaczęło mi się rozchodzić po klatce piersiowej.

– Tak, mnie. Przecież ja się tobą bardzo interesuję i ciągle czekam, aż ty dorośniesz do tego zainteresowania. Boję się tylko, że znowu może być to samo co trzy lata temu.

– Nie kpij sobie ze mnie, Pirat, proszę cię – powiedziałam, ale napawałam się jego słowami do zachłyśnięcia.

– No dobrze. Nie mówmy o mnie, tylko o nim. Jak najbardziej możesz go sobą zainteresować. Prawdę mówiąc, to zrobisz łaskę temu śmieciowi, jeśli to zrobisz. Nie możesz jednak myśleć o nim jako o kimś lepszym. Pamiętaj, facet jest najprawdopodobniej przestępcą i musisz na siebie uważać. Przede wszystkim przy pierwszym spotkaniu postaraj się zrobić odciski jego kluczy do biura i do domu. Jeśli go poznasz, na pewno zaprosi cię do swojego mieszkania. – Nagle Sebastian przerwał, widząc moją przerażoną twarz. – Nie martw się, skarbie, przecież nie musisz iść z nim do łóżka.

– Do łóżka? – jęknęłam, słysząc tylko te ostatnie słowa.

– Przecież mówię, że nie musisz. – Sebastian się roześmiał. – Facet cię nie zgwałci. To nie jest to przestępstwo, o które go podejrzewamy. Na ogół nie chodzi się do łóżka na pierwszej randce, Anita – powiedział, rzucając mi rozbawione spojrzenie, a ja wówczas zrozumiałam, że Paweł musiał mu wszystko powiedzieć o tamtej nocy. Byłam bardzo zażenowana, ale nagłe wtargnięcie dzieci wybawiło mnie z tej kłopotliwej rozmowy.

– Sebastian! – wrzasnęły dzieci, całkowicie mnie ignorując i rzucając się na mojego gościa.

Podgrzewałam im wszystkim późny obiad, obserwując z kuchni adorację, jaką moje dzieci otaczały Sebastiana. Naprawdę trudno byłoby go nie uwielbiać, zwłaszcza że przywiózł Mateuszowi elektroniczną grę, a Mirce lalkę Barbie, o której zawsze marzyła. Widziałam, że Sebastiana bawi ich uwielbienie. Zastanawiałam się nad tym, co powiedział o mnie, że się mną od dawna interesuje. To nie było chyba możliwe, ale jeśli coś takiego mógł powiedzieć ktoś tak wspaniały jak Sebastian, to może rzeczywiście Hanson... No cóż, chyba nie będę wiedzieć, póki nie spróbuję, powiedziałam sobie i zdecydowałam się. Jeśli ta ostatnia próba nie wypali, spokojnie zajmę się dalej moim życiem.

Sebastian zjadł z nami obiad, a potem zarządził odwrót dzieci do drugiego pokoju, mówiąc, że musi porozmawiać z mamą. Posłuchały go bez narzekania. Ucieszyłam się, kiedy powiedział mi, że zamierza teraz wrócić do Gdańska. Nie wie jeszcze na jak długo. To zależy od okoliczności, stwierdził, rzucając mi przy tym znaczące spojrzenie. Jego interesy rozwijały się zupełnie pomyślnie. Współpracował z pewnym Polakiem, który zarobił w Niemczech fortunę, a teraz postanowił pomnażać ją w ojczyźnie. Obiecał Sebastianowi, że pożyczy mu pieniądze na otwarcie własnej galerii.

– To cudownie – ucieszyłam się. – Będziesz mógł nas odwiedzać.

– Nie tak często, jak bym chciał – odpowiedział. – Już teraz wiem, że będę bardzo zajęty, ale oczywiście będę wpadał, żeby się dowiedzieć, jak się sprawa rozwija. Wiesz, że zawsze możesz liczyć na moją pomoc, skarbie – obiecał, otaczając mnie ramionami.

Próbowałam się wyrwać, gdy jego ręce opuściły się na moje biodra i zaczęły je gładzić.

– Jest późno, muszę już iść – powiedział. – Chyba że pozwolisz mi tu zanocować.

– Nie. – Odepchnęłam go z wypiekami na twarzy.

– Sama nie wiesz, co tracisz. Mógłbym cię nieźle przygotować na tego Hansona. Mam spore doświadczenie.

Jeszcze czego! Jeśli przez ułamek sekundy przeleciały mi przez głowę jakieś grzeszne myśli, to wzmianka o doświadczeniu Sebastiana całkowicie je rozproszyła. Coś chyba na ten temat już wiedziałam.

– Dobranoc! – powiedziałam, otwierając drzwi na klatkę schodową.

Sebastian stał już na korytarzu, ale nagle odwrócił się i pocałował mnie w szyję. Przylgnęłam do jego zapachu jak magnes i nawet nie zauważyłam, kiedy jego ręka rozpięła dwa guziki mojej nowej bluzki.

– Hm. Chciałbym, żebyś mi kiedyś pozowała – powiedział spokojnie.

Udałam, że mnie to nie porusza, i spokojnie zapięłam

bluzkę, karcąc w myślach sutki, które prężyły się teraz dumnie jak na paradzie wojskowej. Cóż to za twory bez mózgu!

– Wybij to sobie z głowy! – Sebastian na zbyt wiele sobie pozwalał, a ja jak zwykle nie byłam w stanie mu się postawić.

– Boisz się – zauważył i dodał: – Naprawdę wyglądasz teraz świetnie. I ja tu wrócę.

Przyłożył rękę do ust i przesłał mi całusa. Zamknęłam drzwi i zaczęłam się zastanawiać, czy mam się bardziej obawiać spotkania z Hansonem, czy kolejnej wizyty Pirata.

„Poderwać", dobre sobie. Uznałam jednak, że nie lubię tego słowa, i zastąpiłam je innym zwrotem – „poznać", zamierzałam poznać Hansona. Tylko gdzie się na ogół poznaje osobników przeciwnej płci? W miejscu pracy, przez znajomych, na urlopie, w lokalach rozrywkowych... nic innego nie mogło mi przyjść do głowy, a żadna z tych okoliczności w naszym wypadku nie wchodziła w rachubę. Złapałam się na tym, że zaczynam myśleć w liczbie mnogiej. I chyba słusznie, bo do poznania potrzebne są dwie osoby.

Przestudiowałam dokładnie moje notatki z obserwacji i zrozumiałam, że mam z nich niewielki pożytek. Życie Hansona nie było zbyt rutynowe. Równie dobrze mógł się brać do pracy o siódmej rano, jak i o piątej po południu. Nie uprawiał ogródka, żebym go mogła zapytać o sadzonki. Jeździł samochodem, więc nie mogłam kupić od niego biletu tramwajowego. Po prostu poruszał się po trajektorii zupełnie nie krzyżującej się z moją własną. Mogłam jedynie czekać, aż kiedyś opuści swoje biuro per pedes, i iść za nim. A potem... co?

– Możesz go spytać o drogę. Albo na przykład, gdzie jest to twoje muzeum. Był tam, więc ci odpowie – radziła mi Lusia, ucząc mnie idealnego makijażu. – Najprościej, żeby cię zaprowadził albo zawiózł. Taki pierwszy kontakt byłby najlepszy. Potem znowu możesz go spotkać „przypadkowo" na mieście. I dalej się już potoczy. A pamiętasz, jak w czwartej klasie obserwowałyśmy, co Franek je na kolację?

Oczywiście, że pamiętałam. I o tym, jak pogonił nas wilczur Władka, a ja zgubiłam nowe rękawiczki. Miałam nadzieję, że tym razem nie poniosę takich dotkliwych strat.

Tego dnia do mojej szkoły angielskiego ubrałam się wyjątkowo starannie, uzupełniając nowy ubiór o zminimalizowany „idealny makijaż" i porcję perfum Giorgio. Czułam się luksusowo, tym bardziej że pamiętałam, ile perfumy kosztują w sklepie Lusi, a pierwszą ofiarą mojej metamorfozy okazał się sześćdziesięcioletni kolega z ławki.

– *You are so beautiful today* – wystękał z widocznym wysiłkiem.

– *Thank you. You are very kind* – odpowiedziałam krótko, bo na więcej nie było mnie stać. Powinnam bardziej przyłożyć się do nauki i ćwiczyć nowe słówka podczas wykonywania moich „czynności śledczych".

Looking for, watching, spying, powtarzałam sobie w myślach, wydreptując na dość wysokich obcasach w pobliżu biura Hansona niezliczone kilometry. *Following...* nagle w głowie zamigotały czerwone światełka i uruchomił się alarm. Kaj Hanson wychodził właśnie z biura. Jasne spodnie, błękitna koszula z krótkim rękawem. Naprzód!

W ten prawie trzydziestostopniowy upał musiałam niemal biec. Hanson poruszał się szybkim krokiem, a ja zupełnie nie byłam przyzwyczajona do wysokich obcasów. Kiedy w końcu wyhamował w budynku poczty przy Długiej, z trudem łapałam oddech. Teraz powinnam go zaczepić. Pytanie samo ułożyło mi się w głowie: „Czy nie wie pan, gdzie można...". Próżny trud. Widząc długą kolejkę do okienek, Hanson obrócił się na pięcie i wyszedł. Minął mnie i nawet na mnie nie spojrzał.

Z opuszczoną głową wychodziłam z poczty. To była moja trzecia próba i kolejna nieudana. Miałam prawie trzydzieści trzy lata, byłam matką dwójki dzieci, a biegając po mieście za nieznajomym facetem, zachowywałam się jak obłąkana.

Rozejrzałam się dokoła. Zniknął gdzieś w tłumie bez śladu. Lekko kuśtykając, próbowałam się przecisnąć przez roje turystów. Mogłam już wrócić do domu. Aby jednak osłodzić sobie porażkę, postanowiłam zajść do jakiegoś sklepu z ciuchami. Od kiedy zadbałam o swoją garderobę, uzyskałam przepustkę do przeglądania magazynów z modą i oglądania się za elegancko ubranymi kobietami. Ten sklep, przed którym się zatrzymałam, należał do wyjątkowo drogich, ale przecież nie zamierzałam niczego kupować.

Ledwie stanęłam przy wieszakach z letnimi garsonkami, nagle kątem oka zobaczyłam znikającą za rogiem błękitną koszulę. Oczywiście musiałam sprawdzić, czy mi się nie przywidziało, i ruszyłam w tamtym kierunku. To nie były przywidzenia. Hanson stał w dziale męskim i przyglądał się koszulom. Niedbałym krokiem weszłam do tego samego pomieszczenia i zaczęłam podziwiać wiszące krawaty. Mijały kolejne minuty, a Hanson rozmawiał teraz ze sprzedawczynią, chcąc przymierzyć marynarkę. Stanowczo zbyt długo tkwiłam już przy krawatach, ale nie wiedziałam, co mam z sobą począć. Może zacząć oglądać garnitury? Cofnęłam się trochę w stronę wieszaków i patrzyłam, jak Hanson wkłada jedną z letnich marynarek. Stanął przed lustrem wyprostowany. Ściskając kurczowo torebkę, ruszyłam w jego kierunku.

– Bardzo ładna marynarka – wyjąkałam cicho.

– Słucham? – Hanson spojrzał w moją stronę.

– Mówię, że ładna marynarka.

– A! – odpowiedział z irytacją i odwrócił się do lustra.

– Ale ten kolor do pana nie pasuje – rzuciłam mściwie.

– Dlaczego? – Przejawił jednak jakieś zainteresowanie.

– Bo to zielony kolor. Do pana pasują szarości – wystękałam.

– Dziękuję za niezależną i nieproszoną opinię, ale ta marynarka mi się podoba – odparł ze złością i skinął na sprzedawczynię.

Nie wiedziałam, gdzie oczy podziać ze wstydu, tym bardziej że sprzedawczyni spojrzała na mnie z ironicznym uśmieszkiem. Co to za cham! Nie ma mowy, abym wdała się z nim ponownie w rozmowę. Czym prędzej wycofałam się ze sklepu i stanęłam na schodkach przy wejściu, żeby się trochę uspokoić. Rozpięłam górny guzik u bluzki i nabrałam pełne płuca powietrza. W tym momencie impet otwieranych drzwi i postać, która się za nimi pojawiła, zmiotły mnie ze schodków. Wypuściłam powietrze, siedząc już, a w zasadzie leżąc na brudnym bruku. Moje nowe ubranie, to była pierwsza myśl, a potem już nie myślałam, tylko zwijałam się z bólu.

– Tak bardzo panią przepraszam. Czy pani sobie coś zrobiła? – Pojawiła się przede mną zatroskana twarz Hansona.

– Proszę mnie zostawić! Ja sobie nic nie chciałam zrobić – syknęłam i zaczęłam jęczeć. Ból był paraliżujący.

– Co panią boli? – upierał się Hanson, podtrzymując mi ramiona.

– Noga. Kostka. O Boże! Ja chcę do domu. – Łzy lecące ciurkiem skutecznie rujnowały „idealny makijaż".

– Zawiozę panią. – Hanson zaczął się rozglądać dokoła, pewnie za taksówką, i próbował mnie podnieść z ziemi.

– Niech mnie pan natychmiast zostawi – zarządziłam między jękami bólu.

– Nigdzie pani nie zostawię. To moja wina. Zrzuciłem panią z tych schodów. Teraz się panią zajmę.

– Dziękuję za przyznanie się do winy, ale ja od pana niczego nie chcę. Proszę mnie zostawić.

I zostawił. Opartą o ścianę domu, z bólem w kostce nie do opisania. Zaciskając zęby, zaczęłam skakać na jednej nodze. Widziałam, że przechodnie mi się przyglądają.

– Czy pani się coś stało w nogę? Może pani pomóc? – spytała jakaś życzliwa staruszka.

– Ja tej pani pomagam. – Raptem przed nami ponownie wyrosła postać Hansona i zanim zdążyłam coś powiedzieć, wziął mnie na ręce i zaniósł do taksówki, którą zatrzymał za rogiem.

– Dlaczego nie chce mnie pan zostawić w spokoju? – pytałam, kiedy wsiadł do niej razem ze mną.

– Na pogotowie – powiedział krótko do kierowcy, a potem obrócił się w moją stronę. – Bardzo panią przepraszam. I za ten wypadek... i za to, co powiedziałem w sklepie. Z reguły nie jestem taki niegrzeczny. Nie wiem, co mnie napadło.

– A ja nie wiem, co mnie – odparłam, szczękając z bólu zębami. – Z reguły nie interesują mnie marynarki nieznanych mężczyzn.

– Nie kupiłem jej – powiedział Hanson i wytarł mi chusteczką twarz.

– Zaoszczędzone pieniądze – mruknęłam i zakończyłam konwersację.

– Kostka jest zwichnięta. O, tu. – Lekarz pokazywał na zdjęcie rentgenowskie. – Będzie musiała pani poleżeć w domu przez najbliższe dwa tygodnie. Teraz pana czeka gotowanie obiadów – zaśmiał się do Hansona.

– To nie mój mąż! – zaprotestowałam oburzona. – Ja tego pana w ogóle nie znam.

Lekarz jednak mnie nie słuchał, gdyż wyszedł z gabinetu zabiegowego.

– Nazywam się Kaj Hanson.

Popatrzyłam smutno na leżącą na taborecie nogę w gipsie i powiedziałam z rezygnacją:

– Aniela Lisiecka.

– O, mała Nel – zauważył Hanson, a ja po raz pierwszy spojrzałam na niego z zainteresowaniem. Nie spodziewałam się, że czyta jakiekolwiek książki. – Zabiorę teraz panią do domu.

– Dlaczego ja? – jęknęłam, ale czułam już, że środek przeciwbólowy zaczął działać.

– Bo mi się pani podoba. – Pokręcił głową rozbawiony swoim dowcipem Hanson.

– Czy napastuje pan wszystkie ofiary wypadków ulicznych?

– Tylko te, które sam przejechałem – powiedział Hanson i wyniósł mnie z budynku pogotowia.

Czując jego rękę pod spódnicą, byłam spięta, ale może powinnam przestać protestować, bo to go najwidoczniej nakręcało. Dziwne, ale w tym momencie zupełnie zapomniałam, że spędziłam kilka miesięcy, szukając z nim kontaktu. A kiedy ten kontakt był już spotkaniem trzeciego stopnia, biorąc pod uwagę jego rękę pod spódnicą, to i nawet czwartego – pragnęłam z całych sił, żeby się ode mnie odczepił. Milczałam całą drogę do Brzeźna.

– Jezu! Już wyżej nie mogłaś zamieszkać – jęknął Hanson, zrzucając z siebie mój ciężar, i opadł bez sił na podłogę.

Niesienie na plecach sześćdziesięciokilogramowej kobiety na czwarte piętro było chyba jego największym alpinistycznym osiągnięciem. Stałam na jednym, pozbawionym obcasa bucie, i patrzyłam na niego z nienawiścią. Co chwila przez moje ciało przechodziły fale zimna i gorąca.

– Gdzie jest mój drugi but? – wykrzyknęłam nagle w panice.

– Nie wiem. Pewnie został na pogotowiu – odparł spokojnie Hanson i otarł sobie chusteczką spoconą twarz.

Moje nowe buty! Tego już było za wiele jak na mnie. Zasłabłam.

Obudziłam się, leżąc na swoim łóżku, a ktoś czymś mokrym dotykał mojej twarzy i dekoltu. Z przerażeniem dostrzegłam rozpięte na piersiach guziki i uniosłam się gwałtownie.

– Auu! – Uderzyłam głową w Hansona.

– A teraz jeszcze nabiłaś mi guza – poskarżył się, chwytając się za czoło.

Gdybym tylko mogła, rozbiłabym mu głowę czymś naprawdę ciężkim.

– Lepiej się czujesz? – spytał, próbując wyczuć ręką mój puls.

– Towarzystwo mi nie odpowiada – wymamrotałam, nie wiedząc, co mam o tym myśleć.

– Masz więc dzisiaj prawdziwego pecha – odpowiedział Hanson i wstał z mojego łóżka.

Widziałam, że z zaciekawieniem rozgląda się dokoła.

Dobrze, że wszystko było czyste i pachnące. Nowy dywan, pomarańczowo-zielone zasłony i nawet konwalie stojące w wazoniku przy moim łóżku.

– Gdzie tu można usiąść? – dopytywał się Hanson, patrząc na fotele pokryte haftowanymi poduszkami. – Nie ma kanapy?

Nie było. Wolałam moje stare łóżko z mosiężnymi prętami. Widziałam, że trochę go to dziwi. Zanim usiadł w fotelu, starannie pozdejmował z niego poduszki.

– Jakie to piękne! – Przyjrzał się mojej poduszce z wyszytą sceną *Hołdu pruskiego*. Fazę botaniczną zastąpiły zainteresowania historyczne. – Kto to zrobił?

– Ja – mruknęłam, odwracając się od niego do ściany.

– To przykre, że udało mi się znokautować prawdziwą artystkę – powiedział.

Nadsłuchiwałam ironii w jego tonie, ale jakoś jej nie znalazłam. Jednak najbezpieczniej było się nie odzywać.

– Czy mogę zrobić coś do picia? Konam z pragnienia – zaproponował.

Ja również konałam, więc w ostatnich słowach poinformowałam go, gdzie jest kuchnia i gdzie ma szukać herbaty.

Ból w nodze zdawał się jednak ustępować. Podniosłam się na łóżku i położyłam sobie poduszkę pod głowę.

– Pijesz z cukrem, bo nie znalazłem? – spytał Hanson, ustawiając kubek na nocnym stoliku.

– Nie, bez cukru – odpowiedziałam i nagle zaczęłam się histerycznie śmiać.

Co za idiotyczna sytuacja! Hanson spojrzał na mnie i po chwili też zaczął się śmiać. Nasz wybuch śmiechu został nagle przerwany przez pojawienie się dzieci.

Stanęły na progu pokoju zaskoczone sytuacją.

– To wasza mama? – pierwszy doszedł do siebie Hanson.

Skinęły posłusznie głowami.

– Mama miała wypadek i nie może chodzić. Będzie musiała leżeć w domu przez najbliższe dwa tygodnie.

Pierwsza zbliżyła się do mnie Mirka i szybko mnie pocałowała. Mateusz był bardziej racjonalny.

– A co będzie z twoim angielskim? – zapytał.

Nawet o tym jeszcze nie pomyślałam. Głucho jęknęłam.

– A co się stało? – zaciekawił się Hanson.

– Mama zapisała się na intensywny kurs angielskiego, żeby dostać lepszą pracę. A jeśli nie może chodzić...

W oczach obojga dzieci pojawiła się panika. Dobrze zdawały sobie sprawę z tego, co to może dla nich oznaczać.

– Wasz tata musi jej teraz pomagać – znalazł rozwiązanie Hanson.

– Nasz tata od pięciu lat jest w Ameryce.

– To musicie zadzwonić po babcię albo koleżankę mamy, to wam pomoże.

– Nie ma tu nikogo. Telefonu jeszcze też nie ma. Obiecali w przyszłym miesiącu. – Mateusz momentalnie przejął rolę mojego opiekuna.

Teraz jęknął Hanson.

– Ale ja mam pecha od poniedziałku – powiedział, wstając z fotela. A potem dodał: – No to co ma być dzisiaj na obiad?

Trzy pary oczu przykuły go do miejsca.

– Skoro lekarz kazał mi teraz gotować... – z uśmieszkiem spojrzał na mnie – ale może się nie pogniewa, kiedy zamówię pizzę – i sięgnął do kieszeni po telefon komórkowy.

– To niemożliwe! – powtarzała Lusia zaniepokojona, że od paru dni do niej nie dzwoniłam.

Wpadła późnym popołudniem, kiedy nie było dzieci, a ja leżałam w łóżku, pisząc wypracowanie z angielskiego.

Sama uważałam, że to niemożliwe, ale taka była prawda. Hanson nie tylko zamówił pizzę i siedział u mnie w domu do późnego wieczora. Następnego ranka, kiedy podskakując na jednej nodze, wychodziłam z łazienki, pojawił się ponownie w celu zawiezienia mnie na angielski. Zaskoczyłam całą grupę, pojawiając się z nogą w gipsie i otoczona ramieniem mężczyzny... no dobrze, przystojnego mężczyzny. Szok był tym większy, że po zajęciach przyszedł znowu, tym razem z parą kul, i ubawiony moim zaskoczeniem dopytywał się lektorki o moje postępy z angielskiego. „Nie musisz się mną zajmować", stale protestowałam. „Traktuję cię jako swój moralny obowiązek", odpowiedział ten całkiem amoralny typ... No dobrze, jest całkiem miły przy bliższym kontakcie. Potrafi również gotować.

– Chyba żartujesz? – wykrzykiwała Lusia.

Wcale nie żartowałam i sama byłam nadal w szoku. Po dwóch dniach jedzenia pizzy przyniósł do domu kilka siatek zakupów i przygotował spaghetti. Spalił wprawdzie moją starą patelnię, ale już następnego dnia wymienił ją na nową, teflonową.

– No to ci się udało – podsumowała moją relację Lusia.

Chyba żartowała. Co mi się udało? Byłam równie daleko od wejścia do jego domu czy biura jak poprzednio, natomiast Hanson na dobre zadomowił się u mnie, skąd zarządzał firmą przez telefon komórkowy i myszkował po wszystkich kątach. Całe szczęście, że zamknęłam dokumentację na jego temat w szafce na klucz. Dopadł jednak moich książek. Nie schowałam ich, bo nigdy nie przypuszczałam, że jego noga kiedykolwiek przestąpi mój próg.

– Nie wiedziałem, że interesujesz się bursztynem?

Bursztyn? Ręce Wiktora trzymające kawałek surowego bursztynu. Za brunatną skórką dostrzegam coś błyszczącego.

– *Co to takiego?*

– *To łza... – mówi cichym, głuchym głosem. – Nie słyszałaś o tym? Bursztyny są łzami po Faetonie, synu Heliosa, który marząc o zastąpieniu ojca, zabrał mu rydwan, lecz nie umiał go prowadzić. Gdyby nie pomoc innych bogów, spaliłby całą ziemię. Rażony Zeusowym gromem Faeton runął jak rozpalona pochodnia do rzeki Eridian, a jego siostry topole leją za nim bursztynowe łzy.*

Patrzę na mądrą, skupioną twarz Wiktora i przeżywam magię tej chwili.

– Powiedzmy, że musiałam się interesować – mówię ochrypłym głosem. – Napisałam pracę magisterską o średniowiecznym handlu bursztynem. Nie przyniosło mi to żadnego życiowego pożytku.

Hanson jednak w zrozumiały sposób się tym zainteresował i zaczął wypytywać mnie na temat mojej kariery zawodowej.

– Pracowałam w muzeum regionalnym, w księgowości – zmyśliłam, żeby zbyt wiele nie wiedział. – A ty sam, czym się zajmujesz? Pewnie to luksusowa posadka, która nie wymaga twojej stałej obecności.

– Zupełnie nie masz racji. Codziennie po odśpiewaniu wam kołysanki jeżdżę do pracy i nadrabiam zaległości. A czym się zajmuję? – powtórzył moje pytanie. – Handlem. Import i eksport różnych towarów.

Aha! Ani słowa o tym, że jest jubilerem. Może z obawy, że zaczęłabym ostrzyć na niego pazury. Może się nie obawiać. Ja swoje paznokcie u rąk ostrzę i maluję wyłącznie po to, aby trenować idealny manicure.

– Handlowiec – mówię z przekąsem.

– Ale nie zawsze udaje mi się zrobić dobry interes – odpowiada i stawia przede mną talerz ze spaghetti.

A zatem nic mi się jeszcze nie udało. Natomiast zostałam więźniem we własnym domu.

– Ale musisz przyznać, że klawisz jest przystojny. – Lusia zawsze swoje! – Gdzie są dzieci?

– Poszły do kina z Hansonem – udaję, że nie widzę triumfalnego wyrazu na jej twarzy – bo dzisiaj jest Dzień Dziecka. Powinny zaraz wrócić.

Lusia poderwała się z fotela jak szalona.

– Natychmiast stąd znikam.

– Nie znikaj. Chcę, żebyś na niego poczekała i powiedziała mu, żeby się ode mnie odczepił, bo teraz ty się mną zajmiesz.

– Chyba żartujesz! Prowadzę przecież własny biznes. Pa, kochanie!

I wyszła, a ja ze złości rzuciłam za nią kulą.

To ona wrobiła mnie w to wszystko, a teraz umywa rączki jak Piłat.

Dzieci nadfruwają jak ptaki z różnych stron.

– Mamusiu, wróciliśmy, a Kaj obiecał nam, że zabierze nas znowu do kina, jak będziemy mieć na świadectwie dobre oceny. Ciebie też chce zabrać.

Leżę na łóżku z wbitym w sufit wzrokiem i myślę sobie, że jednak jestem nadzwyczajnie spokojną i uległą osobą.

Myślę również o Wiktorze i próbuję przypomnieć sobie, jak to się wszystko zaczęło. Z pewnością od Sebastiana, ale gdyby Paweł nie...

Wiktor

Patrzyłam na człowieka, z którym dwa miesiące wcześniej się rozwiodłam, i nie wiedziałam, co o tym wszystkim myśleć.

Paweł siedział przy stole kuchennym, z głową ukrytą w ramionach. Co chwila całym jego ciałem wstrząsał spazmatyczny szloch. Kiedy niespodziewanie pojawił się o godzinie jedenastej w nocy, blady jak ściana i z ciemnymi sińcami wokół oczu – nie spodziewałam się tak nagłej porcji uczuć.

– Czy jest tu Pirat? – zapytał od progu.

Nie widziałam Sebastiana od tego dnia, kiedy zaskoczyłam go na poddaszu in flagranti.

Zanim zdążyłam odpowiedzieć, Paweł wtargnął do środka i natychmiast skierował kroki do mojego pokoju. Najpierw przyjrzał się łóżku, potem zajrzał pod spód, następnie otworzył starą szafę na korytarzu.

– Nie ma go tutaj – stwierdził z jawnym zdziwieniem.

– Już od dawna nie widziałam Sebastiana – powiedziałam, stając w drzwiach. – Czy coś mu się stało?

Paweł nie odpowiedział, tylko otworzył drzwi do pokoju dzieci i również poddał go dokładnej inspekcji. Na koniec wszedł do kuchni i załamany usiadł przy stole.

– O co chodzi, Paweł? – dopytywałam się, ostrożnie dotykając jego włosów.

– Ty mi powiedz. – Nagłym ruchem Paweł ścisnął moją szczękę.

– Co? – zakwiliłam wystraszona.

– Czy ty z nim spałaś?

– Z kim?

Pytanie to jeszcze bardziej rozjuszyło Pawła.

– Widać musi być ich wielu, że się pytasz, o kogo chodzi. – Widząc jednak moje nieprzytomne spojrzenie, westchnął z rezygnacją i uwolnił moją twarz z uścisku. – No dobrze, chodzi mi o Sebastiana. Czy wy...?

– Jak możesz, Paweł? Jak możesz mnie o to podejrzewać?!

– On tak często do ciebie przychodził. Musisz przyznać, że zaprzyjaźniłaś się z nim, prawda? Lubisz go. Jest przecież świetnym facetem.

– Lubię, ale przecież nigdy nie... Paweł, proszę cię, powiedz, co takiego się stało?

Paweł został ugodzony w samo serce. Już od pewnego czasu zauważył, że Sebastian zachowuje się nieco inaczej. Chodzi na jakieś spotkania, o których wcześniej mu nawet nie wspomniał, wraca późno do domu, wydaje coraz więcej pieniędzy – przez ostatni rok to Paweł utrzymywał Pirata, który wyłącznie malował, czekając na odniesienie sukcesu – aż pewnego dnia Paweł tego dłużej nie wytrzymał i zrobił mu awanturę. Sądził, że Sebastian zacznie się bronić i wytłumaczy mu swoje zachowanie, ale on, wysłuchawszy zarzutów, usiadł spokojnie w fotelu i powiedział:

– Chyba lepiej będzie się rozstać.

Ostudziło to natychmiast zamiary Pawła, który wcale nie chciał się rozstawać. Awanturą próbował jedynie wynegocjować dla siebie lepsze warunki.

– Nie wygłupiaj się, Sebastian.

– Ja mówię serio. Zrozumiałem, że nie chcę się wiązać z facetem.

To było takie młodzieńcze eksperymentowanie. Sebastian zawsze uważał, że prawdziwy artysta nie może być czymkolwiek ograniczony. Również determinacja płci wydała mu się czymś prostym do przeskoczenia. Ale teraz podjął decyzję. Jest taka jedna kobieta. Kobieta! Umysł Pawła przerabiał poszczególne zbiory danych. O dziewczynach i Sebastianie wiedział od dawna, a w zasadzie domyślał się. Głównie były to modelki do tych jego aktów i Paweł w zasadzie pogodził się z ich inspirującą rolą w życiu Sebastiana. Nawet je zaszeregował w rubryce – praca Sebastiana. Ale tym razem chodziło o KOBIETĘ. Jakie on znał kobiety? Odpowiedź była jasna. Jedyną kobietą w życiu Sebastiana, w dodatku starszą od niego o dwa lata, byłam ja.

– Czy on ci nigdy nie mówił, że się w tobie zakochał? – pytał błagalnie Paweł.

– Nigdy – odpowiedziałam z czystym sumieniem, bo scena na poddaszu w żaden sposób nie była na to dowodem. – A teraz, Paweł, nie szalej i spójrz na mnie przez swoje szkła kontaktowe – odezwałam się ze stoickim spokojem. – Widzisz mnie dobrze, prawda?

Paweł posłusznie skinął głową.

Mysie włosy, obcięte „na garnek" dokoła głowy, blada, wymizerowana cera.

– Nie masz... okularów? – wyjąkał.

Nigdy ich nie wyrzuciłam, więc teraz sięgnęłam po futerał leżący w biurku. Paweł nie musiał wiedzieć, że ich nie potrzebuję.

– No i jak?

Trójkątna twarz mola książkowego w okularach.

– Chyba masz rację. To musi być inna kobieta – powiedział Paweł, wbijając mi nóż w samo serce.

Nie zamierzałam więcej pocieszać byłego męża, rozpaczającego z powodu rozstania z przyjacielem.

Wtedy ostatni raz widziałam Pawła. Miesiąc później dostałam od niego list ze Stanów Zjednoczonych. Napisał, że wyjeżdża na jakiś czas i nie zamierza mi przesyłać żadnych pieniędzy, gdyż i tak mi się nie należą. Alimenty należne dzieciom zalicza sobie jako kwotę, którą powinien po rozwodzie otrzymać ode mnie w ramach podziału majątku, czyli mieszkania.

Z listem w ręku pobiegłam do Sebastiana, aby się dowiedzieć, czy wie coś o moim mężu, ale na miejscu okazało się, że mieszkanie wynajęte jest już innym lokatorom. Pirat wyjechał do Niemiec. Teściowa Lisiecka również nic nie wiedziała o swoim synu. Nawet nie chciała ze mną rozmawiać. Najpierw obarczała mnie winą za usidlenie jej syna, potem, że przeze mnie i moją oziębłość związał się z Sebastianem. Również wnuki wykreśliła ze swojego życia. Nie przeszkodziło to jej jednak dwa lata później wyjechać na stałe do Pawła.

Zanim minął mój szok spowodowany treścią listu, czekały mnie inne niemiłe niespodzianki. Straciłam pracę w spółdzielni, która z dnia na dzień przestała istnieć. Otrzymałam niewielką rekompensatę i mogłam zapisać się na „kuroniówkę".

Mirka miała cztery lata, Mateusz prawie siedem, a ja codziennie biegałam do budki telefonicznej dzwonić do potencjalnych pracodawców. Po trzech rozmowach kwalifikacyjnych, do których mnie dopuszczono, czułam się potwornie upokorzona. Miałam stale wrażenie, że się jąkam, zacinam, nie jestem w stanie powiedzieć o sobie trzech słów, jestem niewykształcona, niedouczona, brzydka, zapyziała, źle ubrana i w dodatku mam dwójkę małych dzieci, które zapewne często chorują. Nie mogąc liczyć na żadną biurową pracę, zaczęłam rozglądać się za innymi ofertami. Nie chciał mnie również handel ani usługi. Któregoś dnia natrafiłam w gazecie na hasło „pomoc domowa" i rozjaśniły mi się oczy. W tym zawsze byłam dobra.

Na początku otrzymałam pracę w domu starszej pani, która miała sparaliżowane nogi i poruszała się na wózku inwalidzkim. Przychodziłam do niej dwa razy w tygodniu i szybko zrozumiałam, że aby wyżyć wraz z dziećmi, muszę pracować przynajmniej przez pięć dni. Staruszka była zadowolona z mojej pracy i poleciła mnie swoim znajomym, a piątki zagospodarował mi pan Damian, czterdziestoletni przedsiębiorca z Osowej. W tym ostatnim miejscu charakter mojej pracy związany był bardziej ze sprzątaniem, jednakże zarobki były wyśmienite.

Przedsiębiorca należał do tych pedantycznych starych kawalerów, którzy wszędzie muszą wsadzić swój nos. Jednak mnie ani razu nie był w stanie skrytykować.

– Pani Anitko! Jest pani moim aniołem, który zstąpił na ziemię – żartował, gdy prasowałam jego wykrochmalone koszule. – Jest pani pierwszą kobietą, która potrafi to poprawnie zrobić – mówił i zawsze zostawiał mi hojny napiwek.

Któregoś dnia przyszedł wcześniej do domu, a ja nie skończyłam jeszcze pastować podłóg.

– Co za widok! Dopiero teraz widzę, jakie ty masz walory – usłyszałam jego głos przy drzwiach.

Nie zrozumiałam, o co mu chodzi, i zbyt późno pojęłam, że jest pijany.

– Anita! Co się stało?

Przez zapuchnięte od płaczu powieki dostrzegłam Sebastiana. Zamiast ucieszyć się na jego widok, rozszlochałam się jeszcze bardziej.

Sebastian uniósł mój podbródek i przyjrzał się sińcom.

– Kto? – spytał lakonicznie, a ja wypuściłam z siebie potok chaotycznych słów.

– Zgwałcił cię? – Miał kamienną twarz.

Potrząsnęłam głową. Niewiele brakowało, bo zdołał mi już ściągnąć majtki i przygwoździć do świeżo wypastowanej podłogi, ale gdy w ostatnim momencie mu się wykręciłam, z podniecenia eksplodował na zewnątrz.

Sebastian położył mnie do łóżka i zmusił do wypicia pół szklanki koniaku, który ze sobą przyniósł. Usiadł potem bliżej i chciał mnie wziąć za rękę, ale gwałtownie ją zabrałam.

– Czy pójdziemy na policję?

– Nigdy w życiu. Proszę cię, Sebastian, nie zmuszaj mnie, żebym to zrobiła. Nie mogę o tym mówić. Nie chcę o tym mówić. To była taka niespodziewana ohyda. W życiu nie mogłabym spojrzeć na tego faceta. Na tę jego wykrzywioną, zaczerwienioną gębę: „Wiem dobrze, czego ci trzeba". Nie chcę o tym pamiętać. Chcę to jak najszybciej wymazać z pamięci.

– Nie wiem, czy masz rację, Anita. Facet musi za to zapłacić.

– Chybabym umarła, gdybym musiała jeszcze raz przez to przejść. Nie chcę o tym mówić, proszę.

Kiedy Sebastian zaczął gładzić mnie po włosach, nie oponowałam i po kilku kolejnych szlochach zasnęłam.

Rano obudziłam się pełna strachu o dzieci. Jednak na stoliku leżała kartka od Sebastiana. Odprowadził Mirkę do przedszkola, a Mateusza do szkoły, więc powinnam spać i wypoczywać. Spojrzałam na podłogę. Leżał na niej porzucony koc i rozłożone poduszki. Zrozumiałam wówczas, że Sebastian został u mnie na noc.

Pirat pojawił się ponownie późnym wieczorem.

Wyglądał na wyczerpanego i z westchnieniem ulgi rzucił się na fotel. Natomiast we mnie na jego widok wszystko rozbłysło.

– Musimy porozmawiać, Anita.

Oczywiście, że chciałam z nim porozmawiać. Na taką prawdziwą rozmowę czekałam przecież prawie od roku. Od tak dawna nie miałam od niego żadnego znaku życia. Nie wiedziałam, gdzie jest, czym się teraz zajmuje.

– Wyjeżdżam jutro – powiedział, a moje wszystkie wewnętrzne światełka zgasły. – Wpadłem tylko na moment. Muszę znowu wracać do Niemiec.

– Do tej kobiety? – zapytałam z goryczą.

– Jakiej kobiety? – zdziwił się Sebastian.

– Paweł powiedział mi, że powodem waszego zerwania była kobieta.

– Ach, tak, tak. – Machnął ręką z pewnym lekceważeniem. – To przez nią. To przez nią muszę wyjeżdżać.

– Chcesz się z nią ożenić? – Nie wiem, dlaczego musiałam się katować takimi pytaniami.

– Ja, ożenić? – Sebastian roześmiał się jak z najlepszego dowcipu, ale równie nagle spoważniał. – No, może kiedyś. Ona również nie chce wyjść za mąż. To taki dziwny układ.

– A jak wygląda?

Sebastian postawił oczy w słup i zrobił głupią minę.

Sądząc po jego małomówności, to musiała być poważna sprawa.

– No dobrze. Jeśli chcesz wiedzieć, to jest piękna. To jest taki nieprawdopodobnie rzadki rodzaj piękna. Następnym razem pokażę ci jej portret. Nagle Sebastian pochylił się w moją stronę. – Trzymaj, to dla ciebie. – Wcisnął mi do ręki jakieś zawiniątko. – To pieniądze. Pomogą ci stanąć na nogi.

– Ale ja nie mogę ich przyjąć – zaprotestowałam.

– To dla dzieci – powiedział stanowczo. – A jeśli chodzi o ciebie, to musisz skończyć z tymi idiotycznymi pracami. Rozmawiałem dzisiaj z moim znajomym. Jest plastykiem i prowadzi zakład bursztyniarski. Powiedział, że przydałaby mu się osoba, która zajmie się jego biurem. Do tej pory robił to sam, ale interes coraz szybciej się rozwija i już nie jest w stanie nadążyć. Tu masz jego adres.

– Sebastian! Ale to jest tyle pieniędzy! – wykrzyknęłam, układając w rękach banknoty. Marki niemieckie, dolary, złotówki...

– Stać mnie na to, Anita. Chciałbym, abyś wydała część tych pieniędzy tylko na siebie: nową kieckę, kosmetyki i takie rzeczy. Od razu poczujesz się lepiej w nowej pracy – mówił Sebastian i gładził moje włosy. Nagle zerknął na zegarek. – Muszę już lecieć. Jakbyś czegoś potrzebowała...

– A kiedy znowu przyjedziesz? – spytałam, a oczy napełniły mi się łzami.

– Wkrótce do ciebie wrócę – powiedział Sebastian i uniósł kciukiem mój podbródek, a potem wolno, bardzo wolno ucałował wszystkie moje sińce.

Dziesięć dni później poszłam do mojej nowej pracy i tego samego dnia przeczytałam nekrolog pana Damiana z Osowej. Zginął tragicznie w wypadku samochodowym. Nie mogłam odpędzić myśli, że sprawiedliwość została wymierzona.

Wydawało mi się, że Wiktor Nokian nie ucieszył się zbytnio na mój widok. Wystawił głowę znad kartonu nad szlifierką i zmierzył mnie ponurym wzrokiem od stóp do głów. Potem głęboko westchnął i wytarł w szmatę uwalane zieloną pastą ręce. O co mu chodzi? W jasnych pasemkach we włosach i nowej, granatowej garsonce wyglądałam całkiem poprawnie jak na pomocnicę biurową.

– Pani dobrze zna Sebastiana? – zapytał na wstępie, kiedy przyjechałam do jego pracowni na Starówce.

Nie wiedziałam, co mam mu odpowiedzieć i jakiej odpowiedzi ode mnie oczekiwał. Pirat nie dał mi przecież żadnych wskazówek.

– Przyjaźnił się z moim byłym mężem – odpowiedziałam po dłuższym namyśle i nagle natrafiłam na bystre spojrzenie brązowych oczu mojego przyszłego szefa.

– A, rozumiem – skwitował i więcej już o nic nie pytał.

Pewnie wiedział o Sebastianie, tak jak wszyscy. Przecież naczelną zasadą Pirata było zmaganie się z „ciasnymi horyzontami ludzi maluczkich i zakłamanych". Imponowało mi to, ale nigdy nie próbowałam go naśladować. Skrzętnie ukrywając swoje myśli, zawsze podążałam z prądem.

– Chciałbym, żeby pomogła mi pani to ogarnąć, pani... – Zatoczył ręką koło.

– Anita. Mam na imię Anita – podpowiedziałam i rozejrzałam się dokoła.

Na podłodze walały się „koty" kurzu, metaliczne ścinki, kolorowe piramidki, a poza tym mnóstwo pomiętych papierów i ogryzki od jabłek. Pracownia i biuro Wiktora Nokiana były prawdziwym chlewem. Sam właściciel tego pomieszczenia przypominał niedźwiedzia, który właśnie wtoczył się do gawry. Wiktor był potężnym i zwalistym mężczyzną z szopą szpakowatych włosów i bardzo ciemną brodą, której nie imała się siwizna. Mrucząc do siebie i ziewając, tak jakby już zapomniał o mojej obecności, zasiadł przy wygiętym w półksiężyc stole, wziął do rąk palnik i pincetę i zajął się lutowaniem, całkowicie odcinając się od świata zewnętrznego.

Z rezygnacją stwierdziłam, że rola sprzątaczki jest jednak moim przeznaczeniem, i zabrałam się do porządkowania.

Wiktor zbudził się ze swojego twórczego letargu trzy dni później zdziwiony, że nie rozpoznaje swojego otoczenia. Śmieci były wyniesione, naczynia umyte i schowane do szafki, a cała korespondencja posegregowana i umieszczona w grubych czarnych teczkach. Umyłam również podłogę i okno w składziku, w którym sypiał Wiktor, oraz kuchenkę. Dumna oczekiwałam słów aprobaty. Pomyliłam się.

– Kto ci pozwolił to wszystko ruszać?! – zagrzmiał Wiktor. – Już nigdy się w tym nie połapię! – Chwycił się za głowę.

– Sam mi pan powiedział, żeby to ogarnąć – wyjąkałam wystraszona.

– Ogarnąć, powiedziałem, to prawda, ale coś ty tu zrobiła?! To przecież istna sala operacyjna, a nie warsztat. Gdzie są moje ścinki? Gdzie jest zamówienie z Japonii?

Przez chwilę stałam jak skamieniała, ale zaraz ruszyłam biegiem do półek.

– Jest tutaj, w teczce „Zapytania eksportowe" – odpowiedziałam pospiesznie, wtykając mu w ręce segregator i odwracając głowę, bo czułam wzbierające w oczach łzy.

Myślałam, że go to uspokoi, jednakże furia Wiktora rosła.

– A gdzie są ścinki? Gdzie jest worek ze ścinkami? Jeśli wyrzuciłaś je na śmieci...

– Ma pan na myśli worek z takimi metalowymi odpadami? – spytałam, cała dygocąc.

– Jakie metalowe! To były odpady srebra do rafinacji! –

wrzeszczał teraz tak głośno, że do pokoju wpadli przerażeni obaj pracownicy.

– Wo...worek leży w składzie na szczotki – wydukałam i się rozryczałam.

Wiktor wybiegł na zaplecze, a kiedy wrócił – nie wiedział, gdzie schować oczy ze wstydu.

– Oj, przepraszam cię, malutka. Nie przypuszczałem, że będziesz taka mądra. – Objął mnie za ramiona. – Widzę, jak bardzo się napracowałaś. Musisz się przyzwyczaić, że masz nieokrzesanego szefa. Wybaczysz mi?

Rękawem ocierałam oczy, a Wiktor klepał mnie pojednawczo po ramieniu i patrzył na mnie przepraszająco oczami pluszowego misia.

– No, już dobrze, malutka. Naprawdę cię przepraszam. A czy mogę mojej asystentce zrobić kawę?

Skinęłam głową.

– A tymczasem przyjrzyj się tym wzorom. Jak ci się podoba taka kolia? – Wcisnął mi w ręce blok techniczny.

Po tej awanturze prędko się zorientowałam w obyczajach i nawykach mojego szefa. Był postacią jakby przeniesioną z innej epoki i ta anachroniczność jego osobowości powodowała, że nie bardzo umiał dostosować się do rzeczywistości. Zawsze podziwiałam jego wszechstronne utalentowanie. Świetnie malował, rysował, grał na skrzypcach, doskonale znał się na wszelkich urządzeniach technicznych. Mówił biegle w kilku językach obcych, dzięki czemu miał przyjaciół i znajomych we wszystkich częściach świata. Był bardziej renesansowym artystą niż rzemieślnikiem. Wielokrotnie oglądałam na pogniecionych papierach czy serwetkach z knajpy jego fantastyczne wizje.

Równie prędko odkryłam, że Wiktor ma jednak problemy z wykonawstwem i bynajmniej nie chodziło o to, że nie potrafi urzeczywistnić swoich pomysłów. Po prostu, po przelaniu na papier czy model swoich myśli tracił dla nich zainteresowanie. Może dlatego, że nie było nikogo, kogo by one naprawdę obchodziły. Wiedział, że aby przetrwać i pomagać swojej córce, musi koncentrować się na rzeczach, które będą się sprzedawać. Z początku wydawało mi się, że gdyby tylko trafiła się osoba, która uwierzyłaby w niego i pomogłaby mu w walce z rzeczywistością, Wiktor stałby się drugim Michałem Aniołem. Potem jednak odkryłam ze zdziwieniem, że w jego życiu pojawiały się nawet takie osoby. Ale tak naprawdę Wiktora nie można było zakontraktować, gdyż wykańczał go zgubny nałóg. Był hazardzistą. Każdy wolny grosz topiony był w kartach. To prawdopodobnie zadecydowało, że siedem lat wcześniej zostawiła go żona i wyjechała do Warszawy.

Kiedy spotkałam Wiktora, był tak spłukany finansowo, że nie do końca rozumiałam, jak stać go na zatrudnienie drugiej osoby. Jednak on twierdził, że dzięki mnie i mojemu wysiłkowi skierowanemu na usystematyzowanie zarówno jego, jak i jego pracy, ten interes bardzo mu się opłaca. Tym bardziej że dzięki moim staraniom rosła sprzedaż.

Wiktor był cudownym, ciepłym człowiekiem, co ze zdumieniem odkryłam pod jego gburowatą zasłoną. Kiedy nie wymyślał niczego i nikomu, potrafił się cieszyć z najprostszej rzeczy. Dobrze zdawał sobie sprawę ze swojej nieumiejętności kończenia zaczętych spraw i chciał mnie przed tym przestrzec.

– Anita! Musisz skończyć studia. Polerowaniem srebra może się zająć ktoś inny. Dam ci tyle wolnego czasu, ile chcesz, ale nie wolno ci tego zaniedbać.

Musiałam przyznać mu rację i pracowałam teraz potrójnie: w domu, biegając na uczelnię i w zakładzie. Warto jednak było, stwierdziłam, widząc autentyczną radość Wiktora, kiedy po dwóch latach przyniosłam mu mój dyplom. Tego wieczoru zaprosił mnie na kolację do „Grand Hotelu".

Czułam się doskonale z bardzo różnych powodów. Udało mi się doprowadzić do końca tak ważną dla mojej przyszłości sprawę, miałam na sobie nową sukienkę, dzieci leżały w łóżeczkach pod czujną kontrolą sąsiadki, a przy mnie siedział mężczyzna, którego kochałam.

Tak, pokochałam Wiktora. Nie było to uczucie nagłe jak błysk pioruna, ale powolne jak bluszcz rozrastający się na ścianie domu. Najpierw pojawił się pierwszy pęd – spojrzenie, ciepły uścisk jego dłoni, potem kolejne listki – w postaci słów i nagle poczułam, że moje serce już do mnie nie należy. Wydawało mi się, że w końcu Wiktor zaczął zauważać moje uczucie do niego i że ta wspólna kolacja może stać się dla nas nowym początkiem. Wiktor był jednak bardzo poważny tego wieczoru i stale zerkał na zegarek.

– Czy coś się stało, Wiktor? – (od pewnego czasu kazał mi nazywać się po imieniu) spytałam w końcu z niepokojem, widząc, że nici z romantycznego nastroju.

– To co zawsze. Jestem spłukany – przyznał mi się. – Poszły pieniądze na zakup surowca.

– Ale masz przecież to zamówienie od jubilera w Warszawie! Dostałeś od niego zaliczkę. Jezu, puściłeś całą zaliczkę... – Przeraziłam się. Było to zamówienie na całą kolekcję nowych unikatów Wiktora. Dzięki niemu można by w końcu stanąć porządnie na nogach, zatrudnić dodatkowego pracownika, dokupić potrzebne maszyny. Za co teraz kupi bursztyn? „Rusek" miał przyjechać do nas już w przyszłym tygodniu. Wiktor wprawdzie nie przepadał za rosyjskim bursztynem. Mówił zawsze, że przypomina mu mydło, ale w tej sytuacji...

– Nie musisz mi o tym mówić, sam dobrze wiem, że przyjeżdża! – mruknął Wiktor i wściekle zaatakował polędwicę na talerzu.

– Dlaczego musisz to robić, dlaczego? – powtarzałam bezradnie, wiedząc doskonale, że cały czas przegrywa w kasynie.

– Bo lubię, to chyba jasne! – prawie wrzasnął na mnie. – Bo przy tym zapominam o moim całym przefajdanym życiu.

– Nie użalaj się nad sobą – powiedziałam nagle odważnie. – Tylu innych ludzi ma od ciebie o wiele gorzej. Czego tak naprawdę ci brak do szczęścia? Jesteś zdrowy, inteligentny, utalentowany, masz wokół siebie ludzi, którzy cię szanują i kochają.

– Tak, ludzi! – Wiktor zaśmiał się ironicznie. – Ludzi, którzy tylko czekają na to, żeby wyciągnąć ode mnie pieniądze. Tak jak moja córunia, która przypomina sobie o mnie tylko wtedy, kiedy zabraknie jej na nowe ciuchy. Nie odmówisz chyba swojej jedynaczce! – Wykrzywił usta, naśladując mimikę Moniki. – A inni? Jacy inni? Ci, co podrabiają moje wzory, robią z tego masówkę i zarzucają nimi Zachód? O nich mówisz?

– A innym ty sam oddajesz pokornie pieniądze. Nie muszą od ciebie wyciągać – zauważyłam i spostrzegłam, że Wiktor podejrzliwie mi się przygląda.

– Tobie też oddaję – mruknął coś pod nosem.

– Nie musisz płacić mi pensji. Mogę przez kilka miesięcy popracować za darmo – rzuciłam, nie zastanawiając się przez chwilę nad konsekwencjami.

– To nie jest mądre – powiedział nagle spokojnie Wiktor i rzucił mi szybkie spojrzenie. – Nie jest mądre ani to, co mówisz, ani to... co czujesz.

Spuściłam głowę, żeby nie widział, jak poczerwieniałam. Poczułam pulsowanie krwi w uszach.

– To nie ma sensu, malutka. Naprawdę nie ma sensu. Widzisz chyba, jaki jestem i do czego się nadaję, to znaczy już do niczego. Taki stary człowiek jak ja nie ma już wiele do zaoferowania młodej dziewczynie.

– Nie jesteś stary, Wiktor – powiedziałam ze wzrokiem wbitym w talerz.

– Mógłbym być twoim ojcem.

Mógłby. Gdyby żył mój ojciec, byłby od niego o dwa lata młodszy.

– Wiek nie ma nic do tego – z rozpaczą spojrzałam mu prosto w oczy.

– Ale dzieli nas cała przepaść doświadczeń.

– Proszę, nie mów mi nic o doświadczeniach. Jestem matką wychowującą samotnie dwójkę dzieci. Zarabiam na życie od wczesnej młodości, udało mi się przetrwać najcięższy okres, kiedy to mój mąż, który okazał się... – Nagle dłużej nie mogłam tego wytrzymać i wybuchnęłam płaczem.

Wiktor ujął moje policzki w swoje niedźwiedzie ręce.

– Lepiej, żebyś płakała teraz niż później.

To przepełniło czarę goryczy. Zerwałam się od stolika i wybiegłam z restauracji.

Następnego dnia nie poszłam do pracy, bo obudziłam się z wysoką temperaturą. Poprosiłam sąsiadkę Balińską, aby powiadomiła o tym Wiktora. Po powrocie od lekarza – miałam zapalenie krtani – położyłam się natychmiast do łóżka i wychodziłam z niego jedynie po to, aby nakarmić moje głodujące dzieci. Cały czas łudziłam się nadzieją, że Wiktor może mnie odwiedzi, ale na próżno. Natomiast po wielu miesiącach nieobecności w kraju wpadł do mnie, obładowany prezentami, wieczny tułacz – Sebastian. Zdrowiejąc, chodziłam już po domu, ale oczy miałam cały czas zapuchnięte.

– Znowu płaczesz? – Natychmiast zauważył mój stan. – Czy to ten Nokian? Już ja się z nim rozmówię.

Nawet nie wiedziałam, kiedy Sebastian wyciągnął ze mnie całą prawdę.

– Jak ty mogłaś się zakochać w takim obleśnym staruchu! – zezłościł się Sebastian. – Jesteś niespełna rozumu.

– Ależ Pirat... – próbowałam protestować, ale Sebastian wpadł w furię i ścisnął mi ramiona.

– Natychmiast masz się zwolnić z tej pracy. Załatwię ci inną.

– Ja muszę pomóc Wiktorowi. Nie ma nikogo innego...

Bo jak on sobie da radę, kiedy jeszcze nawet nie zabrał się do pracy nad zamówieniem?

– Pomóc? Dobre sobie! A kto ty jesteś? Jakaś nawiedzona samarytanka czy co? Masz się opiekować swoimi dziećmi, a nie tym starcem. Przecież on wszystko przerżnie w karty... Czy ty i on... Anita, przyznaj mi się, czy on cię tknął?

Myślałam, że dostanę wstrząsu mózgu od tego potrząsania przez Sebastiana.

Tknął? To chyba nawet nie wchodziło w rachubę. Ja chciałam jedynie, żeby on mnie kochał, żeby mnie trzymał za rękę, opowiadał o swojej miłości, spotykał się ze mną po pracy...

Kiedy to wszystko mówiłam, Sebastian patrzył na mnie i z niedowierzaniem kręcił głową. W końcu się roześmiał i przytulił mnie do siebie.

– A nie wystarczy ci, że ja cię kocham? – spytał i pocałował mnie we włosy.

Odskoczyłam od niego jak od ognia.

– Przestań ze mnie żartować! Jeśli chcesz wiedzieć, to sama mam zamiar zmienić pracę. Pracuję u Wiktora ostatni miesiąc.

– Moja dziewczynka. – Sebastian zadowolony uniósł do góry kciuk. – No to w takim razie zaraz usłyszysz o mojej wystawie obrazów – powiedział i zaczął opowiadać mi o swoich planach artystycznych.

Opuścił mnie o bardzo późnej porze, ale najpierw musiałam mu przysiąc, że powiadomię go o załatwieniu sprawy z Nokianem.

– Malutka!

Stałam w opustoszałej pracowni zamyślona i wdychałam zapach wypalanego bursztynu, gdy zaskoczył mnie głos Wiktora.

Obróciłam się niepewnie i nagle znalazłam się naprzeciw ogromnego bukietu czerwonych róż. Kiedy kwiaty przesunęły się na bok, ujrzałam za nimi twarz Wiktora. Był rozpromieniony i chyba wracał prosto od fryzjera.

– To dla ciebie, malutka! – Wcisnął mi bukiet w ręce.

– Czy coś się stało? – Bałam się zarówno wybuchów smutku i gniewu, jak i nieoczekiwanej radości.

– Bardzo dużo się stało – powiedział Wiktor i wziął mnie za ręce. – Ale nie o wszystkim powiem ci teraz. W każdym razie, żebyś się nie martwiła... Kupiłem bursztyn, będę miał forsę na nową szlifierkę. Patrz. – Rozłożył przede mną plik banknotów. – Jutro będzie tego więcej i zaczniemy pracę!

– Tylko że... – zaczęłam, ale Wiktor mi nie pozwolił. Był jak nakręcony z podniecenia. Zachowywał się jak Mateusz. Jak on kiedykolwiek mógł myśleć, że jest stary!

– Ale muszę ci to powiedzieć, Anita. Po raz kolejny muszę cię przeprosić. Masz rację. Nie powinienem użalać się nad sobą, nie powinienem marnować swojego życia. Już nigdy nie pójdę grać, teraz wiem to na pewno. Zdarzyło się bowiem coś, co... Nie, powiem ci o tym wieczorem. Czy mógłbym przyjść do ciebie wieczorem? Do twojego domu?

– Tak – odparłam coraz bardziej zdumiona.

– Kocham cię, Anita – wyrzucił nagle z siebie Wiktor i przybrał zmartwioną minę. – Boję się jednak potwornie, że mógłbym cię skrzywdzić.

– Och, ja jestem bardzo odpornym stopem – powiedziałam na granicy euforii. – Wiktor! – zdążyłam jedynie wykrzyknąć, bo jego usta zamknęły moje. Kiedy po dłuższej chwili oderwał się ode mnie, zrozumiałam, że w zasadzie całuję się po raz pierwszy w życiu. Dotyku ust Pawła w żaden sposób nie można było nazwać pocałunkiem.

– Malutka, czy zostaniesz moją żoną? – spytał, a ja poczułam, że z długotrwałego braku tlenu kręci mi się w głowie.

– Kocham cię, Wiktor – wyszeptałam.

Wiktor szczerzył się teraz w zawadiackim uśmiechu.

– Porozmawiamy o tym dzisiaj w nocy, dobrze? – Wypuścił mnie z objęć, miękką jak wytapiany wosk przed wlaniem w jego miejsce srebra.

– Teraz muszę załatwić jeszcze jedno spotkanie, a ty pędź do domu i odpoczywaj. Zanim jednak znikniesz... powiedz, jak podoba ci się ten pierścionek. – Wiktor wyjął z kieszeni małe zawiniątko. – To mój dawny wzór. Uważam, że nadal jest niezły. Podobałoby ci się coś w podobnym stylu?

W tym stanie, w jakim się znajdowałam, podobałaby mi się nakrętka od śruby. Byłam jak odurzona. Na klatce schodowej zderzyłam się z idącym na górę jasnowłosym mężczyzną. Rozpoznałam w nim jednego z nowych klientów Wiktora. Pospiesznie przeprosiłam go za nieuwagę i pobiegłam do tramwaju. Po drodze jednak zatrzymałam się przy budce telefonicznej.

Rozdział IV

W poniedziałek w napięciu czekałam na pojawienie się Hansona. Kiedy zadzwonił dzwonek do drzwi, prawie natychmiast je otworzyłam. Chyba nie byłam w stanie ukryć mojego rozczarowania, kiedy za drzwiami ujrzałam obcego mężczyznę.

– Jestem kierowcą z firmy „Hansons". Szef polecił mi zawieźć panią do Gdańska.

– A gdzie on jest? – spytałam, siedząc już w służbowym wozie.

– Wczoraj zawiozłem go na lotnisko. Poleciał do Amsterdamu.

Aha, do Amsterdamu. Pewnie po diamenty, domyśliłam się natychmiast. Zastanawiałam się, czy nie zacząć rozmawiać z kierowcą o firmie i dowiedzieć się paru interesujących mnie szczegółów, ale zrezygnowałam. Kierowca mógł być przecież szpiclem Hansona. Lepiej, żeby się nawet nie domyślał, jak bardzo jestem zainteresowana działalnością jego szefa. Bez słowa dojechaliśmy pod moją szkołę angielskiego.

– O której pani kończy? – spytał kierowca. – Mam panią zawozić i odwozić do czasu, kiedy ściągną pani gips. Tak zlecił szef – dodał i pomógł mi wysiąść z wozu.

Było to bardzo niepokojące; myślałam, że Hanson zastąpił swoją osobę służbą. Bo przecież kiedy ściągną mi gips, to zniknie pretekst do kolejnego spotkania, a ja bezpowrotnie stracę okazję do przeszukania jego mieszkania.

Było dla mnie jasne, że Hanson nie zamierza się więcej ze mną kontaktować. Widać uznał, że spełnił już swój „moralny" obowiązek. I tak zrobił dla mnie nieprawdopodobnie dużo.

Gryzłam się tym przez następny tydzień i początek kolejnego. Po gipsie, jak i po Hansonie nie było już ani śladu, natomiast któregoś dnia założono mi telefon. Mogę teraz do niego zadzwonić i podziękować za opiekę, wymyśliłam. Żałowałam, że mój consigliere Lusia właśnie wyjechała na tygodniowy urlop do Tunezji. Byłam zatem skazana na własną inwencję. Na wszelki wypadek spisałam scenariusz rozmowy na kartce i wieczorem, kiedy udało mi się zagonić dzieci do łóżek, wykręciłam numer domowy Hansona.

Tak naprawdę nie liczyłam, że będzie w domu i odbierze telefon, i kiedy usłyszałam jego głos w słuchawce, myślałam, że umrę na zawał.

– Dobry wieczór – powiedziałam. – Mówi twoja konsultantka od marynarek.

– Ilona, to ty, kochanie? – spytał wyjątkowo ciepły głos, zagłuszany nieco bardzo głośną muzyką.

– Nie, to ja... Nela – odparłam, chcąc rzucić słuchawką. Scenariusz walił mi się w gruzy.

– Nela? Poczekaj sekundę. Wyłączę tylko sprzęt – krzyknął, a ja przez tych parę chwil próbowałam uspokoić przyspieszony oddech. – Nela! – usłyszałam ponownie. – Jak się czujesz? Co z twoją kostką?

– Dobrze, już wszystko z nią dobrze. Tak mi się wydaje. Przepraszam, że...

– Tak mi przykro, że sam nie zawiadomiłem cię o moim wyjeździe, ale to tak nagle wyszło. Mieliśmy kłopot z przesyłką naszych... i musiałem sam interweniować. Dopiero wróciłem. Walizki jeszcze leżą w korytarzu. – Zaśmiał się.

– Wobec tego nie będę ci przeszkadzać. Chciałam tylko...

– Czy już skończyła się szkoła? – nagle zadał nieoczekiwane pytanie.

– Interesuje cię moja edukacja czy też placówka oświatowa moich dzieci?

– Nie rozumiem, powtórz to raz jeszcze.

Nie zrozumiał. Hanson mimo swojej biegłości w języku polskim i braku obcego akcentu w wymowie nie zawsze rozumiał wszystko, co się do niego mówiło.

– Chodzi mi o twoje dzieci.

– Szkoła kończy się za trzy dni.

– To możemy się wówczas spotkać? – spytał. – Obiecałem im, że zabiorę was wszystkich do kina.

Po odłożeniu słuchawki podskoczyłam radośnie i natychmiast poczułam ból. Wieczorami noga nadal mnie dotkliwie bolała. Ale teraz nie miało to większego znaczenia. Jakaś kochana Ilona również. Teraz ja byłam rozgrywającą!

– Michał, mój kierowca, mówi, że jeszcze w życiu nie widział tak milczącej kobiety jak ty. Mówi, że to cenne i niespotykane zjawisko – zauważył Hanson po długiej ciszy, jaka zaległa między nami.

A zatem miałam rację, nie zadając pytań. Kierowca donosił mu o wszystkim.

– Nie bardzo się w tym mogę połapać. – Zaśmiał się. – Z jednej strony potrafisz zagadać w sklepie do nieznanego mężczyzny, z drugiej, kiedy go już znasz, milczysz.

– Och, mówiłam ci już, że nie wiem, co we mnie wtedy wstąpiło – powiedziałam szybko.

Byliśmy w nowej, modnej restauracji „Świat według Franka", niedaleko mojego domu. Dzieci zaspokojone filmem pozwoliły nam wziąć wychodne. Byłam milcząca, bo pomstowałam w myślach. Z Hansonem odwiedziłam już sklep, pogotowie, szkołę angielskiego, własny dom, kino i restaurację, a nadal nie byłam w stanie przekroczyć progu jego domu.

– Nie mogę cię rozgryźć – zastanawiał się Hanson. – Czasem oschła, innym razem gorąca w gniewie, a jeszcze kiedy indziej potrafi się wzruszyć.

Była to aluzja do tego, że rozpłakałam się pod koniec filmu *Dzwonnik z Nôtre Dame*. Zupełnie tego nie rozumiałam. Nigdy nie byłam skora do wzruszeń wobec fikcyjnych dramatów, czytałam głównie biografie i oglądałam filmy dokumentalne, a tu nagle potok łez podczas tej rysunkowej animacji. Dzieci były wstrząśnięte. „Mama, ludzie patrzą". A Kaj zachwycony. Udając, że mnie pociesza, bezwstydnie się przytulał.

– Zapewniam cię, że mieszczę się w normie – odparłam.

– Chyba masz rację. Jesteś kobietą – powiedział, a ja nie bardzo rozumiałam, o co mu może chodzić.

Wracaliśmy do domu po jedenastej wieczorem. Hanson żałował, że ze względu na nogę nie mogę tańczyć, a ja stwierdziłam, że to pomyślne zrządzenie losu, skoro nie potrafię tego robić. Poza tym noga nadal mi puchła co wieczór.

– Co będziesz teraz robić, Nelu? – spytał nagle Hanson, niebezpiecznie się do mnie zbliżając.

Daruję mu opowieści o moczeniu nogi w ziołach.

– Jak to co? Idę spać! – odparłam dość ostrym tonem.

– Nie, nie o to mi chodzi. Źle mi się powiedziało. Jakie masz najbliższe plany?

Zbliżał się lipiec, a z nim kurs komputerowy i prawa jazdy. Z kolei za dwa dni wyprawiałam dzieci na kolonie na Mazury.

– Aha – skwitował moją odpowiedź Hanson i pocałował mnie w rękę. – Dziękuję pani.

– To ja dziękuję.

Chyba nie zamierzał zniknąć bez umówienia się ze mną na następne spotkanie. Ja przecież nie mogę sama....

– Dobrze mi to wychodzi? – zapytał, już odchodząc.

– Co takiego?

– To całowanie w rękę.

– Chyba normalnie – zdziwiłam się.

– To świetnie. Ostatnio się tego nauczyłem w Polsce... w kraju. Wcześniej mnie to śmieszyło i nigdy tego nie robiłem, ale teraz zrozumiałem, że... że są takie kobiety, które trzeba całować w rękę.

Zanim odpowiedziałam, Kaj zniknął za rogiem.

– Co ja mam teraz robić? – prawie łkałam w słuchawkę, błagając Lusię o pomoc.

Kilka minut wcześniej rozmawiałam z Hansonem. Spytał, czy następnego dnia, w sobotę, jestem wolna. Kiedy odpowiedziałam, że tak, oznajmił mi wesoło, że ma zamiar zabrać mnie na całodniową eskapadę nad morze. Po co mi było jechać nad morze? Morze znajdowało się o pięć minut od mojego domu. Nad otwarte morze. Jutro będzie piękna słoneczna pogoda, więc powinnam spakować jedynie kostium i być gotowa na dziewiątą.

Jaki kostium, jaki kostium? Chciało mi się wyć z rozpaczy. Ja przecież nie miałam żadnego kostiumu, a po leżeniu na słońcu przez piętnaście minut moja jasna cera dostawała natychmiast uczulenia. Wyglądałam wówczas jak po użądleniu przez rój pszczół.

– Za chwilę do ciebie przyjadę, to coś wymyślę – uspokoiła mnie Lusia.

Chwila okazała się dłuższa niż godzina, ale kiedy jej uśmiechnięta twarz zajrzała do mojego mieszkania, wiedziałam już, że postawiłam na właściwą osobę.

– No to przymierzaj! – Rzuciła w moją stronę torbę, która okazała się pełna kostiumów kąpielowych.

– Skąd są? – spytałam.

– Z pewnością nie ze sklepu nocnego. Myślisz, że załatwienie bikini po godzinie dziesiątej jest taką prostą sprawą?

Wcale nie myślałam. Ja po prostu wiedziałam, że Lusia jest czarodziejką.

– Są ze „szmateksu", ale nowe – objaśniała mi Lusia, kiedy w łazience rozłożyłam przed sobą trzy kostiumy. – Właściciel sklepu był dość zaskoczony moją prośbą, ale ponieważ mnie zna... Oo, ten jest zupełnie niezły – zauważyła, gdy się przed nią pojawiłam.

– Właśnie, że jest zły. Czuję się w nim zupełnie goła – powiedziałam, kręcąc się po korytarzu w ciemnozielonym bikini.

Lusia wyjaśniła mi, że moje stanowisko w sprawie golizny różni się diametralnie od opinii ogółu. Muszę jednak wydepilować sobie nogi i hm... inne części ciała, a jeśli chodzi o opalanie, to przywiozła mi cały zestaw kremów z filtrami przeciwsłonecznymi. Do tego kapelusz słoneczny i krótką sukienkę na ramiączkach. Lusia pracowała nade mną dobrą godzinę, a ja starałam się być jak najbardziej pojętną uczennicą.

Wejście pierwsze. Nela w jasnobeżowej sukience i w kapeluszu z dużym rondem, owiniętym szarfą w tym samym kolorze co sukienka.

Wejście drugie. Nela w bikini i czarnym bawełnianym pareo na biodrach. Publiczność bije brawo. Nela kłania się do samej ziemi. I podnosząc wzrok, natrafia na poważną minę Lusi, która ponownie sięga do swojej przepastnej torby.

– Masz jeszcze to. – Podaje mi małe kolorowe opakowanie.

– Co to takiego? – Patrzę zaciekawiona.

– Prezerwatywy. Tak na wszelki wypadek – mówi Lusia. Rzuciłam je na podłogę, jakby parzyły.

– Ja wiem, co o nim sądzisz, ale może wyniknąć taka sytuacja i nie będziesz miała wyboru. Z tego, co mówisz o Hansonie, wydaje się, że ma silny popęd seksualny. Nie denerwuj się na mnie, Anita. Ja mam trochę większe doświadczenie w tych sprawach od ciebie. I chcę ci pomóc. Myślę nawet, że dobrze by ci zrobiło, gdybyś się z nim przespała. Nie patrz tak na mnie! Nic ci się od tego nie stanie, a może ci się to nawet spodobać.

– Ja... ja miałabym się przespać z Hansonem? – Nigdy, nawet przez sekundę, nie brałam pod uwagę takiej ewentualności.

– To naprawdę nic trudnego. Nie musisz się angażować. Myśl o sprawie! To proste.

Na początku byłam oburzona i chciałam natychmiast wyrzucić Lusię z domu, ale przypomniałam sobie, że nie powinnam się na nią obrażać. Szukając kandydata na męża, poszłam do łóżka z Pawłem. Wówczas motywacją było zostanie w kraju. Ale teraz, zważywszy na moje podejrzenia, sprawa była o wiele trudniejsza.

Patrzyłam na Lusię z na pół otwartymi ustami.

– Ojej! Rób, jak chcesz. Ja już lecę, ale przejrzyj sobie te pisma, może ci się przydadzą – powiedziała i czmychnęła z mieszkania, zapewne w obawie, że się na nią śmiertelnie obrażę.

Gdy wróciłam do pokoju i zerknęłam na pozostawioną przez Lusię literaturę, odnotowałam z ulgą, że to periodyki kobiece, jednak same tytuły na okładkach zdawały się mnie prowokować: *Jak doprowadzić do orgazmu swojego mężczyznę*, *Najbardziej erotyczne miejsca na ciele mężczyzny*, *Jak uwieść faceta twych marzeń*, *Kamasutra dla początkujących...*

Nie do wiary. Pisali o takich rzeczach... Poczułam się jak debiutantka, nieświadoma, że za plecami wyrosła mi aż tak wielka dziedzina wiedzy, o której nie miałam najmniejszego pojęcia. „Jednocześnie możesz ustami pobudzać jego członek"... Pospiesznie zgarnęłam pisma i odkryłam pod nimi książkową publikację: *Podstawowe pozycje w seksie*. Otworzyłam ją i ujrzałam fotografię przedstawiającą stosunek i nagle zrozumiałam, że w moim życiu nie doszłam nawet do podstaw.

Wcisnęłam pisma do szafki zamykanej na klucz i dygocząc, objęłam się ramionami. Cały czas byłam w kostiumie. Przeszłam do korytarza, aby spojrzeć na siebie w dużym lustrze. „On ma silny popęd seksualny... dobrze by ci zrobiło, gdybyś się z nim przespała... może ci się nawet spodobać".

Spojrzałam na swoją zaróżowioną z emocji twarz i zdjęłam górę biustonosza. Piersi już od dawna przestały być mikroskopijne i dorosły do rozmiaru B. Nie, nie były zwiotczałe, stwierdziłam, badając je ręką. Mój dotyk sprawił, że się nagle ożywiły. Przypomniałam sobie wzrok Sebastiana i zaczął przenikać mnie dreszcz. Zrzuciłam dół bikini. Po wąskiej talii natrafiało się na prawdziwą przeszkodę. Biodra były dość szerokie. To pewnie im zawdzięczałam tak łatwe porody. Oparłam na nich ręce i spojrzałam na pomniejszony depilacją ciemny trójkąt. I nagle nie było już ze mną Sebastiana. W lustrze widziałam wyraźnie stojącego za mną Hansona, który jedną ręką obejmował moją pierś, a drugą... Zostaw mnie, nie chcę tego. Z przerażeniem uciekłam od lustra.

– I znowu się zamyśliłaś – powiedział Hanson, odrywając wzrok od szosy.

– Podziwiam widoki – odparłam zgodnie z prawdą. Od czasu zakończenia pracy u Wiktora nie jechałam nigdy samochodem poza Gdańsk. Teraz jak gąbka chłonęłam obrazy dojrzewającego zboża, głębokiej zieleni lasów i błękitu nieba.

Uśmiechnęłam się do Hansona. Diabeł okazał się nie taki straszny w świetle dnia. Ubrany w krótkie spodenki i trykotową koszulkę w jakieś afrykańskie wzory, był po prostu nastoletnim skautem.

– Ojej! Zapomniałam przygotować kanapki – przypomniałam sobie. Pamiętałam jeszcze z dzieciństwa, że kanapki na plażę to rzecz święta. Zresztą Mateusz i Mirka w pełni się ze mną zgadzali. Całe szczęście, że moje dzieci bez kłopotów dotarły już na miejsce, co stwierdziłam, telefonując z samego rana do miejscowości kolonijnej.

– Nie martw się – powiedział. – Jeśli zgłodniejemy, to pójdziemy do knajpy.

Tak, dla niego to było proste. On nie należał do kultury kanapkowej.

– Jaką muzykę lubisz?

Kolejne pytanie-przeszkoda. Gorączkowo przypominam sobie, kogo ostatnio chwalił Niedźwiecki w „Trójce" i oczywiście nie pamiętam. Rzucam, jak mi się wydaje, bezpiecznie:

– Phil Collins. – Mam nadzieję, że prawidłowo to wymawiam.

Powinnam mieć, bo z oceną dobrą skończyłam właśnie mój kurs angielskiego dla średnio zaawansowanych. I po chwili słyszę *Against All Odds*. Jestem taka średnio mądra, bo Hanson, wkładając kasetę do magnetofonu, daje mi obwolutę.

– Ja go też lubię.

No i świetnie. Mam nadzieję, że sprostam również pytaniom dotyczącym filmów, których nie widziałam, koncertów, których nie słyszałam, ludzi, których nie spotkałam. Szkoda, że nie mogę z nim rozmawiać o bursztynie.

Plaża w Juracie jest wprost zapchana ludźmi. Po kilkuminutowym spacerze Hanson ma już dość i rzuca swój bagaż na wolny kawałek piachu niedaleko morza. Próby uformowania podgłówka z piasku mój towarzysz kwituje śmiechem.

– To tak się robi?

– Tak – odpowiadam i z pełnym zaangażowaniem przesuwam plażę pod koc.

– Lepiej posmaruj mi plecy – mówi nagle, rzucając się na swój ręcznik.

Momentalnie zrobiło mi się sucho w gardle.

– Jaki krem? – Przedstawiłam mu przyniesioną przez Lusię ofertę, na którą spojrzał z niedowierzaniem.

– Jesteś niesamowita. – Pokręcił głową. – Może być zwyczajny olejek.

No cóż, dla kogoś, czyja skóra ma kolor ciemnobrązowy, wybór jest prosty.

Wylewam kilka kropel olejku na jego plecy i zaczynam wolno rozprowadzać, mając nadzieję, że Hanson nie wyczuje drżenia mych rąk. Ma szeroką klatkę piersiową, jest dobrze umięśniony. Można poznać, że uprawia jakiś sport. Staram się myśleć o smarowaniu kurczaka przyprawami, ale nie bardzo mi to wychodzi. Widzę przecież przed sobą plecy mężczyzny, pracujące pod skórą mięśnie, widzę jego kark porośnięty jasnymi włosami. Zastanawiam się...

– Chryste! – mówi nagle do mnie.

– Co takiego?

– Masz taki jedwabisty dotyk.

Jego uwagi nabierały coraz bardziej osobistego charakteru. Zakręciłam olejek i przesunąwszy się na własny koc, sama zaczęłam się natłuszczać przeróżnymi kremami.

– Ja też ci posmaruję plecy, ale dopiero za chwilę. Teraz nie mogę. To przez ciebie – mówi Hanson, unosząc jedynie głowę.

Wcale nie mam zamiaru opalać teraz pleców i wcale nie chcę myśleć o tym, dlaczego on nie może... Nakładam na twarz kapelusz i odpływam.

– Nela! Dostaniesz poparzenia. Obudź się – doszedł mnie nagle głos Hansona. – Chodź, pójdziemy się wykąpać. Woda jest całkiem ciepła.

Spojrzałam na zegarek i zobaczyłam, że minęła godzina. Z obawą przyjrzałam się mojej skórze, ale wydawała się dość dobrze chroniona przez te wszystkie kremy.

– Tylko nie pryskaj na mnie – poprosiłam, mocząc najpierw stopę. To była ta dość ciepła woda!

– Chodź, chodź, tchórzu. Zaraz będzie lepiej.

I rzeczywiście tak było. Po pięciu minutach mogłam się nawet zanurzyć. Hanson popłynął gdzieś do Szwecji profesjonalnym kraulem, ja natomiast taplałam się kilka metrów od brzegu. Przypomniałam sobie, że trochę potrafię pływać na plecach, i powoli wyciągnęłam się na wodzie. Intensywny żar słoneczny palił mi powieki i było cudownie. Nagle jakiś potwór morski złapał mnie za nogę.

– Nie bój się. To ja – powiedział Hanson, przysuwając moje stopy do swojej piersi.

Potem podniósł do góry jedną nogę i zbliżył moje palce u nóg do swojej twarzy. Jezu! Co on zamierzał zrobić! Dlaczego nie obejrzałam dokładnie tych wszystkich pism od Lusi?

Okazało się jednak, że nic takiego strasznego, bo tylko potarł mocno moją stopą o swój nieogolony policzek. Ale jak to łaskotało! Ze śmiechu poszłam prosto na dno, ale mnie natychmiast wyciągnął. On również się śmiał. Wyglądał teraz tak młodo.

– Ile ty masz lat? – spytałam.

– No, w końcu coś cię zainteresowało na mój temat. Jestem trzy lata starszy od ciebie. Mam trzydzieści pięć lat.

Ha! Skąd on to wiedział? Jakim prawem miał o mnie takie informacje? To ja interesuję się jego życiem, rozzłościłam się w duchu.

– Twoje dzieci mi doniosły. Przekupiłem je lodami. – Puścił do mnie oko.

I było już tylko wesoło. Droczyliśmy się i dokuczaliśmy sobie nawzajem. Potem Hanson zniknął, przynosząc po chwili pączki i picie, a jeszcze później stwierdził, że się przejdzie. Ja ze względu na nogę nie mogłam zapuszczać się na żadne wędrówki i zostałam na kocu. Najpierw obserwowałam ludzi, którzy stopniowo zaczęli opuszczać plażę, a potem, chcąc wykorzystać mniej palące słońce, wystawiłam ku niemu twarz.

– Opalasz buzię – zauważył Hanson, wracając ze swojego spaceru.

Przyciągnął ręcznik w moją stronę i położył się na brzuchu. Mruknęłam coś do niego, ale moje powieki przesłonił jakiś cień i otworzyłam oczy. Przede mną znajdowała się przesłonięta okularami słonecznymi twarz Hansona.

– Jesteś już zaróżowiona – powiedział, dotykając palcem mojej twarzy.

Zamknęłam szybko oczy, myśląc, że go to zniechęci, ale nadaremnie. Hanson pociągnął palcem najpierw po owalu mojej twarzy – od nasady włosów poprzez kości policzkowe do podbródka, a kiedy już cały ten rejon znajdował się w ogniu, dotknął palcem ust. Powinnam była wówczas wstać z ręcznika, ale byłam do niego jak przyśrubowana. Potem już było za późno. Hanson jeszcze bardziej nachylił się nade mną i delikatnie dotknął mych ust wargami. Rozchylił je i wsunął w nie czubek języka, którym ostrożnie badał teren. Ogień teraz szalał na dobre i musiałam go ostudzić westchnięciem, ale on wówczas przeniósł się na Hansona. Tym razem był to bardzo głęboki pocałunek.

– Cii, nie martw się. Nikt nas nie widzi.

Hanson zrzucił okulary słoneczne i wreszcie mogłam zobaczyć jego oczy. Widziałam rozszerzone źrenice...

– Nela. Moja mała Nel – westchnął Hanson, a jego palec tym razem powędrował pod górę bikini i ścisnął brodawkę.

– A! – Moje plecy nagle wygięły się i bez sprzeciwu przyjęłam powrót warg Hansona do moich ust.

Oderwał się ode mnie szybciej, niżbym tego chciała.

Byłam zupełnie otumaniona.

– Pójdziemy gdzie indziej, co? – zapytał, wciągając szybko spodenki.

Podnosząc z piasku ręcznik i inne manele, poszłam za nim pokornie jak niewolnica Isaura.

Myślałam, że Hanson skręci na parking, jednak on podążał w zupełnie innym kierunku i nawet się nie oglądał, czy idę za nim. W końcu doszliśmy do jednego z tych eleganckich, nowo wybudowanych hoteli, które sąsiadowały z plażą. Weszliśmy do foyer i wówczas Hanson powiedział:

– Poczekaj. Sprawdzę, czy są wolne pokoje.

Trzymając kciuki, żeby nie było, wszak pełnia sezonu, usiadłam w fotelu nieopodal stoiska z gazetami. *Jak często się kochasz?* – zerknął na mnie tytuł ze stojaka. Chciałam wstać i wrzasnąć, że nigdy. Nerwowo zaglądałam do torebki, pragnąc znaleźć w niej jakiś ratunek. Gorączkowo zaczęłam sobie przypominać, że przecież jeszcze nie tak dawno podobnie jak ja musiały czuć się wszystkie wydawane za mąż pod przymusem kobiety. A dynastyczne małżeństwa? Ciekawe, o czym myślała biedna młodociana królowa Jadwiga, kiedy prowadzono ją do łożnicy z tym dzikim Litwinem? Czy rozchylając nogi, zaciskała usta, myśląc jedynie o racji stanu? A taka pani Walewska? Czy ona miała coś do powiedzenia, kiedy wciskano ją temu Tyranowi Europy? Mężczyznom zawsze chodziło o władzę i pieniądze. Kobieta była środkiem, który po wykorzystaniu usuwano lub zabijano. Oczywiście, jeśli sama się nie usunęła, na przykład do klasztoru lub umierając w połogu. Ja miałam szansę odwrócić te role. Teraz ja mogłam posłużyć się Hansonem, żeby dowiedzieć się o nim prawdy. I aby osiągnąć swój cel, mogłam wykorzystać dane mi przez naturę walory, którymi on był ewidentnie zainteresowany. Dzięki różnicom fizjologicznym nie powinien dostrzec braku mojego zainteresowania. Kiedy po chwili pojawił się Hanson, byłam trochę spokojniejsza, mimo że zobaczyłam w jego ręku klucz.

Mieliśmy pokój na drugim piętrze, więc wjechaliśmy windą. Przez korytarz szłam coraz wolniej, lekko kulejąc, jak skazaniec wędrujący na szafot. Hanson znowu podążał przede mną. Kiedy dotoczyłam się do pokoju, drzwi były już otwarte.

– Zupełnie przyzwoity pokój – powiedział, rozglądając się dokoła, ale ja widziałam jedynie ogromne, przykryte rudawą kapą, stojące pośrodku ŁÓŻKO.

Chciałam czym prędzej czmychnąć do toalety, ale wówczas po raz pierwszy Hanson złapał mnie za rękę i przyciągnął do siebie. Patrząc mi prosto w oczy, uniósł sukienkę i zsunął majtki od bikini. Miał zupełnie nieruchomą twarz, a ja stałam przed nim obnażona, demonstrując moją największą prywatność. Kiedy na podłogę poleciała sukienka, a za nią biustonosz, zaczęłam dygotać, a on nadal tak stał przede mną i mi się przypatrywał. Wówczas zbliżyłam się do niego i położyłam mu ręce na ramionach.

– Tego chcesz? – spytałam, wkładając dłoń pod jego koszulkę.

– Ja bardzo dużo chcę – odparł Hanson i rzucił mnie na łóżko.

Potem szybko się to potoczyło. Zaczął szamotać się z jakimś papierkiem – prezerwatywa? – i wtargnął we mnie, nawet nie zdejmując ubrania. Trwało to niewiele dłużej niż z Pawłem. Wyczerpany intensywnym wysiłkiem, zsunął się ze mnie i natychmiast zasnął. Może niewiele dłużej niż z Pawłem, ale jeszcze bardziej dotkliwie, stwierdziłam. Wydawało mi się, że jeśli jeszcze kiedykolwiek miałabym doświadczyć takiego bólu, tobym chyba oszalała. No to koniec. Próbowałam, ale się nie udało. Nie zamierzałam powtarzać tych igraszek ani z Hansonem, ani z kimkolwiek innym. A jeśli z Wiktorem byłoby tak samo? Niemożliwe. Był przecież taki delikatny, przypomniałam sobie aksamitny dotyk jego niedźwiedzich rąk. Ale dlaczego tylu innym kobietom podobało się to, co Hanson z nimi wyczyniał? Jedynym racjonalnym wyjaśnieniem było to, że nie mam do „tych rzeczy" odpowiedniej budowy.

– Długo spałem? – doszedł mnie nagle głos Hansona. Leżał rozwalony w poprzek mnie i bałam się wstać, aby go nie obudzić.

Spojrzałam na zegarek.

– Ponad godzinę.

– Cholera! – zaklął i obrócił się w moją stronę. – Moja mała Nel, tak bardzo cię przepraszam.

– Za co? – spytałam zdumiona.

– Za ten pośpiech. To zupełnie nie miało być tak, rozumiesz?

Pośpiech? O czym on mówił?

– Tak bardzo cię pragnąłem. Bałem się, że nie zdążę.

Przed oczami stanął mi obraz pana Damiana z Osowej. To o tym mówił?

– Poprawię się następnym razem, dobrze?

Nie, żadnego następnego razu, zdecydowałam. Wystarczyło mi na następnych dziesięć lat. Całe szczęście, że Hanson nie przejawiał żadnej aktywności co do następnego razu. Energicznie zerwał się z łóżka.

– Wezmę prysznic i pójdziemy coś zjeść do restauracji. Konam z głodu.

To zjawisko było mi znane, ale...

– Ja mam ze sobą tylko plażową sukienkę.

– To pójdziemy najpierw na szybkie zakupy – zaproponował, szczerząc w uśmiechu wszystkie zęby, które zawdzięczał albo naturze, albo dobremu dentyście.

Okazało się, że Hanson miał ze sobą zapasową garderobę, czyli planował ten numer z hotelem od pewnego czasu. Pewnie znacznie wcześniej dokonał rezerwacji, a potem sprowokował tę sytuację na plaży. Udawałam głupią i o nic go nie pytałam. Weszliśmy do kilku sklepów i w końcu zmusił mnie do przyjęcia kupionych krótkich spodenek, dwóch letnich bluzek i letniej wieczorowej sukienki z dużym dekoltem, nie mówiąc o szczoteczkach do zębów, kosmetykach i dessous. Wprawdzie jego gust okazał się odmienny od mojego – bo co mi po majtkach, których tył składa się w zasadzie ze sznurka – ale nie protestowałam.

Jako hojny ofiarodawca mógł przecież sam decydować. Zaczęło mi świtać w głowie, dlaczego te wszystkie dziewczyny Hansona ciągnęły do niego jak pszczoły do miodu. To o to im chodziło!

Zostawiliśmy kupione rzeczy w pokoju, gdzie starałam się nie ociągać, i poszliśmy na kolację do hotelowej restauracji, w której aż się roiło od różnych znakomitości. Przynajmniej tak mi się wydawało. Ale ponieważ ja nie kojarzyłam ich twarzy z nazwiskami, a Hansonowi ani jedne, ani drugie nic nie mówiły – pozostaliśmy w pełnej nieświadomości roztaczanych wokół nas atrakcji.

– Jesteś zmęczona? Chcesz spać czy pójdziemy do night--clubu? – spytał po kolacji.

Oczywiście że night-club! Gotowa byłam nawet zatańczyć, żeby się nie dać zamknąć ponownie w pokoju hotelowym. Hanson przyglądał mi się zgoła podejrzliwie, ale ja postanowiłam entuzjastycznie poprzeć pomysł pójścia do nocnego lokalu.

– Mam ochotę się napić – ogłosiłam, a potem prawie sama wypiłam butelkę szampana. – Będziemy tańczyć? – sama zaproponowałam Hansonowi.

– Jesteś pewna? Nie boli cię noga? – dopytywał się zupełnie niepotrzebnie, bo ja gotowa byłam tańczyć, nawet gdyby noga mi krwawiła jak Kusocińskiemu, byle tylko nie wracać na górę.

Nie byłam jednak Kusocińskim, więc po kilku kawałkach, obolała, wróciłam na miejsce.

– Mogliśmy poczekać na wolne – zauważył Hanson, ale ja wiedziałam, co robię. Przy wolnym tańcu, gdyby tylko zaczęła boleć mnie noga, zawisłabym mu natychmiast u szyi jak wór. – Naprawdę nie chcesz wracać?

W końcu o trzeciej w nocy udało mu się dotaszczyć mnie do pokoju. Wepchnęłam się pierwsza do łazienki, a potem, kiedy on tam wszedł, postarałam się „zasnąć".

– Nelu? Śpisz już? – Poczułam jego rękę na nagiej piersi. Skąpiec, nie chciał mi kupić piżamy!

Nie odpowiedziałam i wkrótce rzeczywiście zasnęłam. Z początku śniły mi się różne dziwne rzeczy, których nie pamiętam, ale potem pojawił się Wiktor. Widziałam, że stał i przyglądał mi się śpiącej na tym hotelowym łóżku, lecz po chwili był już przy mnie i dotykał moich piersi. Najpierw brał je do ręki i przyglądał się im uważnie, a potem dotykał ich ustami. Westchnęłam z zachwytu, pragnąc go pocałować, i wówczas nade mną znalazła się znajoma pociągła twarz. Chciałam wykrzyknąć jego imię, ale w tym samym momencie poczułam, jak rozchyla moje uda i zaczyna gładzić mnie ręką. Widziałam, że Wiktor trzyma obu rękami moje piersi, czyja więc ręka znajdowała się między nogami? Odczuwałam teraz takie napięcie, że dygotałam. Po chwili coś innego zastąpiło rękę w moich stanach dolnych, a ja prężyłam się z tej nieprawdopodobnej przyjemności. Obróciłam głowę i zobaczyłam jasne włosy. To Hanson był we mnie! Jęknęłam tak głośno, że się obudziłam.

Dokoła mnie jest ciemność. Nadal jestem w łóżku hotelowym i nadal jestem taka podniecona, a ktoś znajdujący się za moimi plecami jest nadal we mnie i wraz ze mną porusza się miarowym rytmem. Nagle widzę palce Hansona na moich piersiach i rozumiem już, że to nie całkiem sen, ale nieprawdopodobna rzeczywistość, gdyż nadal, wraz z jego miarowymi ruchami, narasta we mnie rozkosz. Tym razem nic nie boli, a ja, czując jego przyspieszony oddech na szyi, nie mogę już tego więcej znieść. Nagle moim ciałem zaczynają wstrząsać spazmy. Nie mogę tego wytrzymać, rozpaczliwie krzyczę i opuszczam moje ciało, wznosząc się nad łóżkiem pod sufit. Stamtąd widzę wyraźnie plecy Hansona wyginające się nagle w łuk i opadające na moje. To jest cudowny lot. Nie chcę już nigdy wracać na ziemię. Pragnę lecieć do tego rozgwieżdżonego lipcowego nieba. Wiem już, dlaczego Faeton porwał rydwan ojca.

Zrobiłabym to samo! Lecę do was, krzyczę do gwiazd, ale nagle ponownie wsysa mnie w moją ziemską powłokę.

– Nie, nie – protestowałam spłakana.

Hanson oparł się na ramieniu i całował mnie po twarzy.

– Jesteś taka cudowna, Nelu. Uwielbiam cię.

– Ja chcę do gwiazd – upierałam się.

– Poczekaj trochę – powiedział, pieszcząc moje uda. – Musisz być cierpliwa. Za chwilę znów cię tam zabiorę.

Rozdział V

Obudziłam się pozbawiona poczucia czasu i przestrzeni. Wypełniał mnie spokój i światłość. Z lubością przeciągnęłam się i westchnęłam. Byłam cała przesączona obcym zapachem, zapachem Kaja. Wszędzie go było pełno, na moich palcach, ustach, szyi, we włosach. Tylko jego samego nie było przy mnie. Przez zasunięte kotary widziałam dość wysoko wznoszące się słońce. Szybkie spojrzenie na zegarek uzmysłowiło mi, że było już po dziesiątej. A gdzie Kaj? Z łazienki nie dobiegały mnie żadne odgłosy, więc wstałam z łóżka i do niej zajrzałam. Nie było go tam, więc sama weszłam, żeby się umyć. W łazienkowym lustrze powitała mnie poczerwieniała i pokłuta twarz. Reszta ciała nie była w lepszym stanie. To jednak zawdzięczałam zarostowi Kaja, a nie słońcu. Napuściłam do wanny ogromną ilość wody i płynu do kąpieli; wyciągnęłam się w niej, uznając to za najbardziej luksusową chwilę w moim życiu.

Kaj... Kaj zabrał mnie do gwiazd tyle razy... na ile wystarczyło prezerwatyw, a ja nadal nie mogłam uwierzyć, że do tej pory żyłam wyłącznie na ziemi. Wzięłam do ręki trochę piany i dmuchnęłam w nią, aż poszybowała do góry. Kaj...

Kiedy ubrana w nowe szorty i koszulę wyszłam z łazienki, nadal go nie było. Odchyliłam zasłony i podniosłam żaluzję, a cała światłość tkwiąca we mnie przelała się również na pokój. Spostrzegłam wówczas brak torby Kaja. Lekko zaniepokojona zaczęłam rozglądać się dokoła. Nigdzie nie widziałam jego rzeczy. Zajrzałam do szafy, gdzie samotnie wisiała moja wczorajsza wieczorowa sukienka.

Zostawił mnie. Musiał mnie zostawić. Mogłam się tego spodziewać, że się nie sprawdzę. Spokój momentalnie mnie opuścił, zaczęłam nerwowo biegać po pokoju, zastanawiając się, co mam robić i co mam o tym wszystkim myśleć. Chyba wczoraj zapłacił za hotel? Zajrzałam do portmonetki. Powinno mi wystarczyć na bilet kolejowy do domu.

Miałam za swoje. Tak bywa, jak się człowiek zadaje z przestępcą. Złodziejem i zabójcą! Prawdę mówiąc, kiedy się z nim w nocy kochałam, nie byłam już tego tak bardzo pewna. Jego dłonie, którym pozwalałam się dotykać w najintymniejszych miejscach, nie mogły być przecież rękami mordercy.

Kiedy pospiesznie wrzucałam do torby tych parę moich rzeczy, oblewały mnie zimne poty. Po pięciu minutach byłam gotowa do wyjścia i naciskałam już na klamkę, gdy ktoś pchnął drzwi z drugiej strony. Kaj. Zmęczony i spocony, z ręcznikiem na szyi i torbą w ręku.

– Ale się zmęczyłem. – Cisnął w kąt torbę i ręcznik. – Przebiegłem po plaży z dziesięć kilometrów.

Stałam, nie wiedząc, co powiedzieć, ale w końcu mi się przypomniało:

– A torba?

Kaj nie rozumiał, co mam na myśli.

– Wziąłeś swoje rzeczy.

Uśmiechnął się do mnie i pogładził mnie po policzku.

– Bardzo często jeżdżę służbowo i na wszelki wypadek mam zawsze przygotowane ubranie. W tej drugiej torbie były adidasy i trochę więcej rzeczy. – Nagle Kaj zauważył, że jestem spakowana do drogi. – A ty co? Chciałaś się stąd wymknąć?

– Ja, nie... Myślałam, że ty. – Spuściłam oczy ze wstydu.

Kaj westchnął i złapał się za głowę.

– Za kogo ty mnie masz, co? Jak mogło przyjść ci do głowy, że cię zostawiłem? Z kim ty się wcześniej zadawałaś? – Pogroził mi palcem. – Zawracaj więc z drogi, bo za chwilę room-service przyniesie śniadanie. Niech je postawią na balkonie – powiedział i zniknął w łazience, skąd po chwili dobiegł mnie szum prysznica.

Pojawił się, kiedy siedziałam już na przysłoniętym markizą balkonie, przy zastawionym stole. Na dole w upalnym słońcu migotały morskie fale.

– I jak ci się tu podoba? – spytał, rzucając do pokoju ręcznik, którym wycierał włosy.

– Bardzo – odpowiedziałam po prostu, patrząc na nadal wilgotne, jasne włosy Kaja.

– Moglibyśmy zostać tu jeszcze przez parę dni. Chciałabyś? – spytał, całując mnie w rękę. – Poza tym zrobiłem zakupy w aptece. – Spojrzał na mnie nagle pociemniałymi oczami, a ja poczułam, jak to spojrzenie dziwnie ożywiło tę część mojego ciała, którą dopiero odkryłam ubiegłej nocy.

– A więc stało się! Zrobiłaś to z nim! – wykrzyknęła Lusia na mój widok.

Przyjechała prawie natychmiast po moim telefonie oznajmiającym powrót.

– Ja... – wyjąkałam i oblałam się rumieńcem. Czy miałam to wypisane na twarzy?

– Widać to po tobie. Rozpływasz się wprost ze szczęścia.

To chyba była prawda. Kiedy wróciłam do domu po pięciodniowym pobycie nad morzem, wydawało mi się, że minęły wieki i że już nigdy nie będę w stanie dostosować się do dawnej rzeczywistości.

– On musi być świetny. I jak było? Opowiadaj!

Jak było? Pierwsze, co zrobiłam po powrocie do domu, to pobiegłam do schowanych pod kluczem „publikacji" Lusi i do nich zajrzałam, aby się przekonać, czy to, co robiłam z Kajem, zostało już w jakiś sposób opisane. Ze zdumieniem odkryłam, że nie byliśmy zbyt oryginalni. Nawet „te rzeczy", którymi zajęliśmy się, kiedy skończyło się zabezpieczenie, ujęte były w „podstawach". Odetchnęłam wówczas z ulgą.

– Jak było? Normalnie – odpowiedziałam.

Zawsze bardzo zależało mi na tym, aby być normalną.

– No to się cieszę, że odkryłaś już „normę" – powiedziała Lusia. – Ale co myślisz o nim teraz?

– Myślę, że jest niewinny. Kaj nie byłby w stanie kogokolwiek skrzywdzić. Jest dobry, opiekuńczy...

Rozpływałam się w zachwytach, obserwując coraz bardziej sceptyczną minę Lusi.

– Ty tak nie uważasz? – spytałam zdziwiona.

– Oj, dziecko – odpowiedziała moja rówieśniczka – bo jesteś jak naiwne dziecko we mgle. Przecież wpadłaś już w uzależnienie seksualne od pierwszego faceta, który ci w życiu dogodził. Pamiętasz, co jeszcze tak niedawno o nim mówiłaś?

Bardzo się zmieszałam i zaczęłam skubać serwetkę z *Krzyżakami*. Nie bardzo wiedziałam, co mam jej odpowiedzieć.

O jakim uzależnieniu ona mówiła?

Lusia próbowała mi to wyjaśnić. To wspaniała sprawa, że tak na siebie oddziałujemy i chemia współgra, więc pewnie również się w nim zakochałam. Nie, ja się nie zakochałam, zaprotestowałam, ale Lusia tylko machnęła ręką. Więc jeśli się zakochałam, to pewnie wcześniej czy później zaczniemy się poważnie traktować. Być może ten cudowny seks przerodzi się w stały i trwały związek. I teraz powinnam sobie zadać pytanie:

– Czy jesteś w stanie związać się z facetem, którego podej
rzewałaś o zbrodnię... Uważałaś nawet, że twoje podejrzenie
oparte jest na solidnych podstawach. Mogłabyś to zrobić?

Dobrze wiedziała, że nie. Zatem jedynym rozwiązaniem
byłoby wywiązanie się do końca ze swoich zamierzeń i przekonanie się, czy rzeczywiście niczego mu nie można zarzucić.
Mogłam teraz zrobić następny krok.

Musiałam przyznać Lusi rację. Była taka mądra i o wiele
bardziej ode mnie doświadczona, jeśli chodzi o facetów. A tak
swoją drogą, to skąd ona tyle wiedziała? Kiedy zadałam jej to
pytanie, Lusia spąsowiała:

– Nie wiem, czy powinnaś się o tym dowiedzieć – powiedziała i zaczęła się zbierać do wyjścia.

– Lusia, jesteś przecież moją przyjaciółką!

– Właśnie dlatego, Anita. Ty jesteś moją jedyną przyjaciółką i nie chciałabym cię stracić.

– Nigdy mnie nie stracisz. Gdyby nie ty...

Gdyby nie ona, nigdy nie połączyłabym się z Kajem.
Nigdy nie zobaczyłabym gwiazd...

– No dobrze. Powiem ci, bo wiem, że te rzeczy wcześniej
czy później wychodzą na jaw. Nie chciałabym, żebyś dowiedziała się o nich przypadkiem – zaczęła.

Chłopcy garnęli się do Lusi od wczesnej młodości.

Nigdy tego nie rozumiała ani się nad tym nie zastanawiała.
Nigdy również nie odmawiała spotykania się z nimi na dys-
kotekach czy w kinie. W miarę dorastania potrzeby chłop-
ców nabierały nieco innego charakteru, a Lusia nadal nie była
w stanie im niczego odmówić. Po pewnym czasie zauważyła
jednak, że ci, którym dawała całą siebie, brali to bez „dziękuję" i biegli do dziewczyn, które pozwoliłyby im jedynie na
pocałunek. Lusia zbierała się właśnie do buntu, kiedy spotkała na swej drodze życia Tomka. Był starszy niż inni, wyda-

wał się dojrzalszy i miał rodzinę na Zachodzie. Na rok przed maturą zabrał Lusię do Niemiec. Zaczęli razem pracować w firmie, która zajmowała się profesjonalnym myciem szyb. Zachodnie marki, które co tydzień spływały na ręce Lusi, stały się dla niej prawdziwą manną z nieba. Dostała amoku, kiedy tygodniowo zaczęła zarabiać ekwiwalent półrocznych zarobków swojej matki. Nie miała zamiaru wracać do kraju i „robić tam głupią maturę". Kiedy ogłoszono w Polsce stan wojenny, z dumą uznała się za przewidującą osobę. Ale już miesiąc później Tomek napyskował pracodawcy i z dnia na dzień oboje zostali wyrzuceni z firmy. Prawie jednocześnie okazało się, że Lusia jest w ciąży. I wówczas Tomek ulotnił się bez śladu. Pisała długie listy do jego rodziny, błagając o jego adres, ale pozostawały bez odpowiedzi. Mimo wszystko Lusia postanowiła urodzić dziecko. Harowała dniem i nocą, aby zabezpieczyć przyszłość, ale być może zbyt mocno, bo w czwartym miesiącu poroniła.

– Wówczas stwierdziłam, że nienawidzę wszystkich mężczyzn. Czułam do nich jedynie pogardę.

Przeprowadziła się wtedy do dwóch dziewczyn, które zgodziły się ją przyjąć, aby wspólnie z nimi opłacała wysoki czynsz. Bardzo szybko odkryła, czym się jej sublokatorki zajmują, i nie posiadała się ze zdumienia. Jak to możliwe, że one mogły dostawać tyle forsy za coś, co ona do tej pory rozdawała za darmo. Ugłaskiwała dziewczyny tak długo, aż w końcu zapoznały ją z arkanami zawodu, i postanowiła rozpocząć własną działalność, początkowo w „agencji" prowadzonej przez prawdziwą madame, a potem jako call-girl.

– Te dziewczyny, z którymi na początku mieszkałam, miały swojego alfonsa, ja jednak byłam zdecydowana. Żaden mężczyzna nie dostanie z tego grosza. Oni mieli jedynie płacić.

Pracowała w ten sposób przez kilka dobrych lat. Początkowo wydawała wszystkie pieniądze na ciuchy, potem zaczęła oszczędzać i nawet uzupełniać wykształcenie.

– Nie uwierzysz, ale ukończyłam kurs kosmetyczny, dwa kursy kroju i szycia oraz gotowania. Aby być lepsza w „zagranicznych kontaktach", nauczyłam się nawet angielskiego. Postanowiłam też, że co tydzień przeczytam jedną „mądrą" książkę.

Mężczyzn było więc bardzo wielu w jej życiu, ale żaden nie mógł sprawić, aby zmieniła do nich nastawienie.

– Czasem mogło być nawet przyjemnie, ale zakochać się! Wykluczone!

A jednak... Któregoś dnia bardzo poważnie zachorowała matka Lusi. Dziewczyna nie miała wątpliwości. Wzięła „urlop" i pojawiła się w Nowym Porcie. Kiedyś na ulicy spotkała Franka Reinerta.

– Franka?

Lusia zawsze tak ciepło o nim mówiła. Wydawało mi się to dziwne, że fascynacja z wczesnych lat szkoły podstawowej mogła tak długo przetrwać.

Franek był wówczas w ciężkiej żałobie. Cudem udało mu się wyjść z życiem z wypadku samochodowego, w którym zginęła jego żona z małą córeczką. Lusia starała się mu pomagać. Gotowała posiłki, prała ubrania, licząc, że może w końcu Franek ją zauważy. Ponieważ upływały kolejne dni, a Franek nadal tkwił w innym wymiarze – Lusia postanowiła go zaszokować i któregoś dnia opowiedziała mu o swojej pracy w Niemczech. Franek uważnie ją wysłuchał i rzekł:

– Możesz robić cokolwiek, bylebyś miała do siebie szacunek.

Lusia wówczas uznała, że sypiając z tymi wszystkimi typami, wcale nie miała do siebie szacunku. Pieniędzy nie mogła na niego wymienić. Rozpłakała się, a wtedy Franek podszedł do niej i zaczął całować ją po rękach.

– Jesteś wspaniałą i ciepłą kobietą, Łucjo. Niewielu ma tyle serca co ty.

Kochali się wówczas tej nocy, a Lusi wydawało się, że robi to po raz pierwszy w życiu. Wiedziała, że spowodowała to jej miłość do Franka, ale zdawała sobie również sprawę z tego, że Franek jej nie kocha. Nie miała mu tego za złe. Wystarczyło jej, że był taki dobry, delikatny, dbający. „Niczym twój Kaj".

To był przełom. Gdy po długiej i ciężkiej chorobie umarła jej matka, Lusia wyjechała do Niemiec, aby znaleźć sobie pracę w salonie piękności, a kilka lat później wróciła do domu i otworzyła sklep.

– I tak sobie żyję, wygodnie i spokojnie. Mam wielu znajomych, ale gdybym chciała bliżej związać się z jakimś mężczyzną, musiałabym się w nim zakochać, a także opowiedzieć o sobie. A wiesz, jak ludzie reagują na coś takiego.

Nie musiała mi tłumaczyć. Już ja się nasłuchałam reakcji tych porządnych „życzliwych" ludzi, kiedy wybuchła sprawa Pawła. Nie wiadomo skąd się dowiadywali, bo ja tego wcale nie reklamowałam.

Lusia skończyła opowiadać i patrzyła na mnie w napięciu. I co ja jej mogłam powiedzieć? Chyba to samo co kiedyś Franek...

– I jak się czuje ofiara Billa Gatesa po pierwszym dniu szkolenia? – pytał Kaj, kiedy znowu wylądowaliśmy w restauracji Franka.

Przewróciłam oczami.

– Chyba w życiu tego nie pojmę. Te wszystkie bajty, pliki i mysz!

– Mysz! – krzyknął Kaj i chwycił mnie za udo.

Podskoczyłam do góry, zrzucając serwetkę. Kaj zanosił się od śmiechu.

– Widzę, że świetnie się bawisz – dobiegł mnie zza pleców czyjś głos.

Odwróciłam się i stanęłam oko w oko z kochanką Kaja, tą „małą czarną o gdaczącym śmiechu". Krótka czarna sukienka była napięta na niej do granicy wytrzymałości szwów. Stała przy wysokim patykowatym szatynie, którego twarz kogoś mi przypominała. Był o jakieś dziesięć lat starszy od swojej towarzyszki.

– Rzeczywiście – odparł wolno Kaj i wstał od stolika. – Świetnie się bawię.

– A z kim, jeśli wolno wiedzieć? – zapytała Mała Czarna w zbyt ciasnej czarnej.

– To jest Nela.

– Nela? – prychnęła Czarna.

– Aniela Lisiecka – odpowiedziałam uprzejmie i wyciągnęłam do niej rękę, którą zignorowała.

– Aniela! – roześmiała się. – Oo, a gdzie Karusek?

No cóż, całe moje życie przygotowało mnie na takie pytania. Widziałam po twarzy Kaja, że nie wie, o co Czarnej chodzi. Nie znał polskich lektur szkolnych.

– Karusek padł – odpowiedziałam spokojnie. – Ale teraz mam Kaja.

Szatyn wybuchnął śmiechem i podał mi rękę.

– Bogdan Warski. A ta znawczyni literatury to moja żona Ilona.

Ilona, kochanie. Już wszystko jasne. Ilona Warska.

– To moi starzy przyjaciele.

Ciekawe, czy po tylu latach przyjaźni mąż również wie o tym, że jego żona prowadza się z jego przyjacielem.

– Usiądziecie z nami? – zaprosił Kaj.

– Tylko na chwilę. Umówiłem się tutaj z jednym gościem – powiedział Warski.

– Bogdan zawsze tutaj umawia się ze wszystkimi, bo podkochuje się w szefowej tej knajpy – wysyczała Ilona.

– Nie przesadzaj. Po prostu lubię na nią patrzeć, bo kobieta ma klasę. To rzadkie – odparł jej mąż.

– A mówiąc o kobietach... – zaczęła mówić niezbita z tropu Ilona – ...to twojej Neli jeszcze nie widzieliśmy. A zatem to nowy narybek. – Zmrużyła do Kaja oczy.

Zupełnie nie podobało mi się, w jaki sposób o mnie mówiła. I ta drwina w głosie, kiedy wymawiała moje imię.

– To prawda. Znamy się od niedawna – odpowiedziałam lekko. Poczułam nagle dotyk ręki Kaja na swojej.

– Ja jednak mam wrażenie, jakbyśmy znali się od wieków – zauważył Kaj, a ciarki przebiegły mnie po plecach, bo przecież już wcześniej się widzieliśmy.

– Jaki ty nagle stałeś się romantyczny! – prychnęła Ilona.

– To przychodzi z wiekiem – odparł Kaj.

– Ale nie do każdego – zauważył Bogdan i uśmiechnął się do mnie. – Nelu, musisz odwiedzić nas z Kajem w naszym domku letniskowym.

– Tak, Kaj. Musisz do nas przyjechać. – Ilona obróciła się całą swoją górną połową w stronę Kaja, ale kątem oka zauważyłam, że jej ręka wędruje po jego spodniach. Z ulgą zaobserwowałam, że spokojnie ją stamtąd zdjął.

– Jeśli tylko Nela zakończy wszystkie swoje szkolenia, to oczywiście przyjedziemy.

Wydawało mi się, że Warski podśmiewa się z tej wymiany słów, ale nagle odwrócił głowę.

– No dobra, jest już Piotr, więc musimy lecieć. Zostaw Kaja, Ilona. Widzisz, że jest zajęty.

Zanim go zostawiła, zdążyła się na niego rzucić i pobrudzić mu całą twarz czerwoną szminką. Mnie zignorowała, ale zupełnie nie zależało mi na uścisku jej dłoni.

Kiedy zniknęli, zobaczyłam, że Kaj jest mocno skonsternowany i zdenerwowany. Stale patrzył w kierunku baru, gdzie zniknęli Warscy. Milcząc, skończyliśmy kolację i odprowadził mnie do domu. Liczyłam, że zajdzie do mnie, nie widzieliśmy się przecież przez trzy dni – od powrotu z Juraty, ale on objął mnie mocno i powiedział:

– Nie obrazisz się, jeśli cię tak zostawię?

Potrząsnęłam głową, ale było mi smutno.

– Muszę jeszcze spotkać się z kimś w interesach. Wiem, że to późna pora – była dziesiąta – ale ten facet prowadzi życie nietoperza i zawsze umawia się w nocy. Nelu...

– Tak?

Ujął moją twarz w dłonie.

– Jest mi ciężko cię zostawiać – westchnął. – Tak bardzo cię pragnę.

– Ja ciebie też – odpowiedziałam zgodnie z prawdą i po gorącym pocałunku wdrapałam się samotnie na czwarte piętro. Przed moimi drzwiami siedział, paląc papierosa, Sebastian.

Rozdział VI

Mimo iż nie widziałam Sebastiana od ponad dwóch miesięcy, nie miałam zupełnie ochoty z nim tej nocy rozmawiać. Byłam rozczarowana, że Kaj nie znalazł dla mnie czasu, i chciałam w ciszy i spokoju zastanowić się nad osobami Ilony Warskiej i jej męża. Im dłużej myślałam, tym bardziej byłam pewna, że go już gdzieś widziałam. Sebastian był jednak, jak zwykle, mocno absorbujący. Ugasiwszy w kuchni papierosa, rozpoczął prawdziwe przesłuchanie.

– Gdzie dzieci?

– Na koloniach na Mazurach. Zobacz. – Wskazałam mu kartkę umieszczoną za lustrem.

– Ha. Widać, że świetnie spędzają czas. Ale Mateusz jest cienki z ortografii – zauważył, oglądając pocztówkę z Mrągowa.

– To pismo Mirki. Wciąż ma kłopoty z pisaniem.

Zaczerpnęłam już powietrza, żeby opowiedzieć Sebastianowi, że podejrzewam u córki dysleksję, i odwieść go od innych, bardziej kłopotliwych pytań, gdy nagle zauważył:

– A ty co? Nowa kiecka i powrót po dziesiątej do domu. Co to wszystko ma znaczyć? Gdzie byłaś?

– W restauracji na kolacji – odpowiedziałam spokojnie, jakby to była moja codzienna rutyna, ale wówczas Sebastian dostrzegł kwiaty przysłane mi dzień wcześniej od Kaja.

– Ha. I otóż mamy odpowiedź na zagadkę nocnych spacerów Anieli. – Złapał za przyczepioną do bukietu kartkę. – Mojej wspaniałej Neli. Kaj. Wspaniała Nela to ty?

Spuściłam wzrok.

– Czerwone róże! Co za mało oryginalny palant! No i co, skarbie, mów. – Przyparł mnie nagle do ściany i zajrzał mi w twarz. – Cholera, Anita. Tyś się z nim przespała.

Nie byłam w stanie niczego powiedzieć, a Sebastian jak oszalały biegał po całym pokoju, pomstując.

– Ty zupełnie oszalałaś! Nie można zostawić cię nawet przez chwilę, żebyś nie narobiła głupstw. Miałaś go poznać, ale nie, na litość boską, w sensie biblijnym. Jak mogłaś zrobić to z facetem, którego podejrzewasz o zabójstwo Wiktora.

– On nie zabił Wiktora.

Moja odpowiedź zatrzymała Sebastiana w pół kroku.

– Tak, a kto?

Spojrzałam na Sebastiana, który wydawał się mocno zaskoczony, i milczałam przez chwilę.

– No kto? – Jego szarpnięcie obudziło mnie z zamyślenia.

– Nie wiem – wyjąkałam. – Policja powiedziała jednak, że to było samobójstwo.

– Wariatka! Ty po prostu jesteś albo nieskończenie naiwna, albo nieskończenie głupia. Kto jak nie ty uważał, że ma dowody na to, iż było inaczej. Kto miesiącami bredził mi o zaginionych pierścionkach, pieniądzach, które były, ale których nie było, o tajemniczym facecie, w którym sama rozpoznałaś Hansona. No kto? A kto zakochał się w tym staruchu do nieprzytomności, że po jego zejściu zamknął się na lata w pieprzonym muzeum, jak w klasztorze. No kto to był, jakaś Kowalska czy kto?

– Ja – odpowiedziałam i rozpłakałam się. – Jesteś podły, Pirat – wyjąkałam przez łzy.

Sebastian nagle się opanował. Podszedł do mnie i objął mnie ramieniem.

– Ogólnie wiadomo, że kobiety nie nadają się na szpiegów, bo się zakochują w swoich obiektach.

– Ja się nie zakochałam – szlochałam.

– Tak, tak, a kury pieją – warknął Sebastian, który jednak zaczął się uspokajać i mówił już teraz spokojniejszym tonem. Sięgnął po kolejnego papierosa. – Jestem taki wściekły na tego faceta, że gotów bym rozszarpać go na kawałki. To więcej niż pewne, że cię skrzywdzi, a wtedy będziesz miała złamane serce. To nie tak miało być. Myślałem, że dzięki twojej zabawie w policjantkę wyrwiesz się nieco z tej szarości, na którą się ostatnio sama skazałaś. A ty nagle poszłaś na całość. Coś ty narobiła, Anita.

Całował mnie teraz za uchem, ale nie sprawiało mi to takiej przyjemności jak dawniej. Odsunęłam się od niego.

– Jestem zazdrosny, Anita. To przy mnie miałaś rozkwitać. To ja miałem być twoim Pigmalionem, a nie ten facecik w granatowym volvo.

Nagle uspokoiłam się i usiadłam w fotelu.

– Może jestem taką idiotką, za jaką mnie uważasz, jednak chcę doprowadzić sprawę do końca. Nadal zamierzam znaleźć dowody.

Moje stwierdzenie zdumiało Sebastiana do tego stopnia, że usiadł raptownie w fotelu.

– Co?

– Tak. Mam zamiar znaleźć dowody – powtórzyłam. – Tylko że tym razem ma to być dowód niewinności. W sumie sprowadza się wszystko do tego samego, z wyjątkiem mojego nastawienia.

– A zatem mamy zwrot przez rufę – powiedział Sebastian. – Ciekawe, czym on zapłacił za tak ofiarnego adwokata.

Jasne, sam wiem, możesz oszczędzić mi szczegółów, bo mnie zemdli.

Tego już było za wiele. Tym razem zacięłam się w milczeniu.

– No dobrze, już dobrze. Nie obrażaj się. Rób to dalej, tylko się nie angażuj uczuciowo – mówił Sebastian pojednawczym tonem.

Pokiwałam głową. Po spotkaniu Ilony sama o tym doskonale wiedziałam.

– Byłaś u niego w domu? – spytał Sebastian.

– Nie. Jeszcze nie. Ale to chyba kwestia dni – odpowiedziałam. Jednak za nic nie chciałam, aby Sebastian przestał być moim przyjacielem. Tyle dobrego i złego nas ze sobą łączyło. Pirat przeprowadził mnie przez tyle raf życiowych, a związek z Kajem był przecież taki świeży i ulotny.

– Żeby znaleźć te twoje „dowody" – zaczął Sebastian z drwiną – będziesz musiała zrobić odcisk kluczy. Najlepiej do sejfu. Przyniosłem taką specjalną plastelinę. Sejfy znajdują się często za najbardziej obrzydliwymi obrazami. Ludzie nie mają zbyt wiele wyobraźni. Zorientuj się w systemie zabezpieczeń, połączeniach. Ważne są czujki. Trzeba by je rozrysować na planie. Nie chciałabyś chyba, żeby włączył się alarm, kiedy będziesz zbierać „dowody". I słuchaj, Anita...

Po pewnym czasie przestałam słuchać. Czułam, że coraz bardziej narasta we mnie stan rozdarcia. W końcu Sebastian przestał mówić.

– Jesteś zmęczona. Lepiej już pójdę.

Odprowadziłam go do drzwi.

– Przepraszam cię, Sebastian. Nie czuję się dzisiaj najlepiej.

Pirat zupełnie już się wyciszył i pogładził mnie po twarzy.

– Widzę. Porozmawiamy następnym razem.

Zamykałam już drzwi, kiedy ponownie pojawiła się w nich jego opalona twarz.

– Chcesz, żebym sprawdził, czy Hanson interesuje się facetami?

Nagle pociemniało mi w oczach z gniewu.

– Sebastian, jeśli się ważysz go tknąć!...

Pirat roześmiany od ucha do ucha zamknął za sobą drzwi. Przeszłam do pokoju, zbierając niedopałki papierosów po Sebastianie. I nagle coś mi się przypomniało. Jakim cudem Pirat wiedział, że Kaj jeździ granatowym volvo. Ja mu o tym nie powiedziałam. Byłam tego zupełnie pewna.

Rozdział VII

Granatowe volvo było dla mnie zbyt obszerne i miało zbyt wiele przeróżnych pokręteł i pedałów. Nie, Nela, są tylko trzy. Sprzęgło, hamulec i gaz. Możliwe, ale mi się one mnożyły, zwłaszcza gdy trzeba je było jednocześnie naciskać. Silnik gasł, samochód szarpał, a ja zamykałam oczy. Umierałam ze strachu, a zarazem ze szczęścia, widząc z boku spokojny profil Kaja.

Ostatnie dni były dla mnie męczarnią. Po ostatniej kolacji Kaj do mnie nie zadzwonił ani się nie pojawił. Początkowo zachowywałam spokój i jakby nigdy nic chodziłam na moje kursy. Jednak pod koniec drugiego dnia nie mogłam już znaleźć sobie miejsca. W piersiach czułam coraz bardziej narastający ciężar. Czy było to uzależnienie, o którym wspominała Lusia? Do powrotu dzieci z kolonii pozostał niecały tydzień i skończą się upojne noce. A może już się skończyły? Czy Kaj tej nocy wrócił do Ilony? Na zajęciach teoretycznych kursu prawa jazdy siedziałam otępiała, niczego nie rozumiejąc. Gdy wracając do domu, usłyszałam na klatce schodowej dzwoniący w moim mieszkaniu telefon, rzuciłam się z kluczami do drzwi jak oszalała.

– Myślałem już, że cię nie ma – mówił z wyrzutem głos Kaja, a ja całowałam słuchawkę. – Chciałabyś poćwiczyć ze mną jazdę samochodem?

Teraz bałam się, że przez moją głupotę i brak koordynacji Kaj będzie musiał korzystać z kolejki miejskiej. Parking, który na co dzień wydawał się bardzo duży, nagle dramatycznie zmalał i kiedy tylko nacisnęłam na pedał gazu, nagle wyrastały przede mną drzewa. Kolejny raz silnik zajęczał złowróżbnie i zgasł. Kaj westchnął, a ja ze wstydu osunęłam się na fotelu, pragnąc schować się pod wycieraczkę.

– Wysiadka! – powiedział Kaj.

Opuściłam to miejsce kaźni i byłam już gotowa się przesiąść, gdy idący od strony miejsca pasażera Kaj mnie zawrócił.

– Wracamy, słonko.

Sięgnął do samochodu i przesunął siedzenie do tyłu.

Potem wsiadł sam i skinął do mnie.

– No, chodź. Spróbujemy tak.

Siedziałam teraz przy kierownicy, czując jego ciało za sobą. Jego nogi sterowały również moimi ruchami przy pedałach i nagle okazało się, że jadę i nawet zmieniam biegi. Jechałam!

– Świetnie, Nelu, ale nie za szybko.

Podskakiwałam sobie tak na siedzeniu, gdy nagle poczułam, że coś z tyłu zaczęło mnie ugniatać. Zatrzymałam wóz i spojrzałam w stronę Kaja.

– Widzisz, to przez to twoje zmienianie biegów. Uruchomiłaś inny drążek – powiedział z wyrzutem i pocałował mnie w kark. – A może zakończylibyśmy lekcję dzisiaj, co? Zaprosiłabyś mnie na kawę...

Swoją ulubioną kawę kupił mi Kaj już wtedy, gdy miałam nogę w gipsie, ale nie dał mi nawet dojść do kuchni, tylko natychmiast zajął się testowaniem sprężystości materaca w moim mosiężnym łóżku.

– Uf! – powiedział, przytulając mnie do swego nagiego torsu. – To łóżko nie jest do spania dla dwojga ludzi.

Obróciłam się na brzuch i oparłam o Kaja łokciami.
Stale musiałam mu się przyglądać.

– I co tam widzisz, bursztynowa panno? – spytał Kaj.

– Bursztynowa panno? – zdziwiłam się.

– Jesteś takim kawałkiem surowego bursztynu. To taki ciepły kamień. W przeciwieństwie do diamentu. Ty właśnie jesteś taką mieszanką ciepła i bursztynowych barw. Twoje włosy, oczy, cera...

Dotknęłam moich miodowych włosów.

– Chyba się mylisz. Z natury jestem dość ciemna.

– To ty się mylisz. Nie wiesz, że bursztyn może mieć różne kolory, od białego po czerń, z całą gamą czerwieni, brązu, miodu i... – Nagle przerwał. – I po co ja to wszystko ci mówię. Wiesz o tym więcej ode mnie, pani magister – zaakcentował ostatnie słowa.

A zatem dokładnie zapamiętał, co mu kiedyś na ten temat mówiłam. Lepiej było skierować rozmowę na inne tory. Korzystając z pauzy, zapytałam:

– Od dawna jesteś rozwiedziony, Kaj?

Dostrzegłam nagle przenikliwy błysk w jego oku.

– Skąd wiesz, że jestem rozwiedziony? Nigdy ci o tym nie mówiłem.

Boże! Ale wpadka! To ja mu wspomniałam, że jestem rozwódką. On nigdy nie nawiązywał do swojego stanu cywilnego. Skąd mógł wiedzieć, że wiedzę tę posiadłam ze znalezionego w jego śmieciach listu od córki, który ze szwedzkiego przetłumaczyła mi sąsiadka z parteru.

Ze zdenerwowania przełykam ślinę, a potem walę va banque.

– Obrączki nie nosisz, a na kawalera nie wyglądasz.

I kto to mówi? Aniela, znawca setek mężczyzn stanu wolnego.

Z ulgą obserwowałam śmiejącego się Kaja.

– Masz rację. Jestem rozwiedziony – westchnął. – Od dziewięciu lat. Mam trzynastoletnią córkę, Alexandrę, która mieszka z matką w Sztokholmie. Moja była żona...

– Nie musisz, Kaj – przerwałam mu odważnie. – Nie musisz mi o tym mówić.

Kaj przytulił mnie mocniej.

– Oj, Nelu, nie ma w tym żadnej tajemnicy. Ożeniłem się, mając dwadzieścia dwa lata, i wkrótce pojawiło się dziecko. Różnie nam się układało w tych czasach. Zaczynałem wówczas pierwsze poważne interesy i często nie było mnie w domu. Moja żona podejrzewała, że ją zdradzam, ale to nie była prawda. Jednak nie uwierzyła w to i wkrótce ona zaczęła to robić. – Kaj zwrócił wzrok ku ścianie. – Zaczęła mnie zdradzać... a potem... a potem sprzedała mój projekt, moje wzory, konkurencji. – Kaj odwrócił teraz twarz w moją stronę. Widziałam w jego oczach zapiekły gniew. – Przysiągłem sobie wówczas, że jeśli jakakolwiek kobieta zdradzi moje zaufanie...

Serce natychmiast mi zamarło i uciekłam od niego wzrokiem.

– Głuptasku, nie bierz sobie tego tak do serca. Ty jesteś taka słodka i dobra. – Pocałował mnie w usta, a potem powiedział: – W twoim łóżku można tylko się kochać. W związku z tym jutro przeprowadzamy się do mnie. Niestety, muszę chodzić do pracy.

Nie byłam słodka i dobra, a w moim przebiegłym sercu czaiła się zdrada. To o tym myślałam i dlatego wcale się nie ucieszyłam, że w końcu uda mi się wejść do jego mieszkania.

Następnego dnia Kaj odebrał mnie z zajęć ubrany w białe spodenki i białą koszulkę polo.

– Wracam prosto z kortów – powiedział. – Mój klient uparł się, aby właśnie tam prowadzić rozmowy służbowe.

Powiało wielkim światem, a biedna Aniela, ubrana w ostatnią ze swojej nowej kolekcji przyzwoitą kreację, miała najszczerszą ochotę wcisnąć się w jakąś mysią dziurkę.

– Pojedziemy do mnie – zarządził Kaj – ale po drodze muszę jeszcze wpaść do firmy. To potrwa chwilę. Mam nadzieję, że się nie będziesz nudzić.

Na pewno nie zamierzałam się nudzić. Trochę się jedynie niepokoiłam, czy przypadkiem nie rozpozna mnie ktoś z jego pracowników, z kim rozmawiałam kilka miesięcy temu.

Biuro i pracownia Kaja mieściły się w kamienicy na Starym Mieście, w sąsiedztwie mojej szkoły angielskiego. Przy tej samej ulicy zlokalizowane były sklepy i warsztaty najstarszych gdańskich bursztynników. Ileż to razy przechodziłam tędy i podobnie jak tłumy kręcących się tutaj turystów wchodziłam do środka i przyglądałam się najnowszym wzorom biżuterii. Zawsze uwielbiałam podziwiać najcenniejsze trofea zgromadzone w tych niezwykłych miejscach. Uśmiechałam się do podświetlonych inkluzji i czasem wydawało mi się, że te zastygłe w żywicy pradawne stworzenia są o wiele bardziej żywe ode mnie.

Od frontu znajdował się sklep jubilerski, ale weszliśmy tylnymi drzwiami, tam gdzie był warsztat i inne pomieszczenia służbowe.

– O, eksport-import – zauważyłam, rozglądając się ciekawie dokoła.

Kaj się zaczerwienił.

– Powinienem być bardziej precyzyjny. Tak naprawdę to jestem jubilerem. Bursztynem też się zajmuję – bąknął. – Potem pokażę ci sklep.

Szliśmy przez chwilę długim, jasnym korytarzem. Przechodząc, zaglądałam do różnych pomieszczeń. Mimo iż było już po osiemnastej, po pracowni kręciło się pełno ludzi.

– Pracujecie na zmiany? – zapytałam.

– Nie, ale jest teraz kilka ważnych zamówień – wyjaśnił Kaj, dochodząc do końca korytarza, gdzie znajdowało się jego obszerne biuro wraz z młodą, piękną i anorektyczną sekretarką.

– Szefie, jak dobrze, że jesteś. Ścigam cię od kilku godzin, ale masz wyłączoną komórkę – rzekło dziewczę, entuzjazmując się na jego widok, po czym zmierzyło mnie taksującym spojrzeniem od stóp do głów.

– A co się dzieje, Wiola? – spytał Kaj.

– Dzwonił Sztokholm. Pan Robert. Mówił, że to bardzo pilna sprawa.

Kaj jęknął.

– On ma zawsze same pilne sprawy. Zaraz do niego zadzwonię, tylko najpierw sprawdzę jego zamówienie. – Obrócił się teraz do mnie. – Nelu, bardzo cię przepraszam. Poczekaj w moim pokoju. To nie powinno długo potrwać. – Wskazał mi otwarte drzwi do drugiego pomieszczenia. – A ty, Wiola, chodź ze mną. Będę cię potrzebował.

I nagle znalazłam się w samym sezamie. Przy stoliku stały dwa fotele, ale zasiadłam na krześle przy biurku szefa. Panował na nim bałagan nie do opisania, a kiedy pod papierami odkryłam zalegające tam ogryzki od jabłek, miałam wrażenie déjà vu. Rozejrzałam się dokoła, na wszelki wypadek szukając wzrokiem ukrytych kamer, ale nie zauważyłam niczego, co by je przypominało. Podejrzewając, że to, co mogłoby mnie interesować, ukryte jest przed światłem dziennym, zaczęłam ukradkiem zaglądać do szuflad. Otwierałam je na kilka centymetrów i sprawdzałam, co w nich leży. A leżało wszystko co możliwe, w tym odręczny opis funkcjonowania systemu alarmowego. Natychmiast stwierdziłam, że nie zdążę tego przepisać, i wówczas zobaczyłam stojącą w kącie kserokopiarkę.

Była identyczna jak nasz „dar sponsora" w muzeum. Cały czas obserwując kątem oka otwarte drzwi, zbliżyłam się do niej i nastawiłam kopiowanie. Opis składał się z dwóch stron. Kiedy ksero z szumem wyrzuciło mi obie strony, usłyszałam nagle odgłos powracających kroków. Rzuciłam się momentalnie na fotel, próbując wygłuszyć walenie serca.

– Nelu. – Głowa Kaja pojawiła się w drzwiach. Był sam i modliłam się w duchu, aby nie dostrzegł zielonego światełka aktywowanej kserokopiarki. – A, siedzisz sobie. Zaczekaj jeszcze chwilę. Muszę zadzwonić.

Kaj został w sekretariacie, a ja jak kot przekradłam się chyłkiem do kopiarki, aby wyjąć z niej kartki oryginalnego dokumentu. Podeszłam do biurka, gdy usłyszałam, że Kaj rozpoczął obcojęzyczną rozmowę.

Zajrzałam do kolejnej szuflady i wzrok mój przykuł papier pokryty drobnym, nieco nerwowym pismem. Położyłam go na wierzchu i patrzyłam na jego treść przez niedomkniętą szufladę. Był to list.

Mój nienasycony drapieżniku!

Dlaczego jesteś dla mnie taki okrutny? Przez cały dzień i noc czekałam na telefon od Ciebie. Jeśli to Twoje kolejne gierki, to wiedz, że tym razem trafiła kosa na kamień. Myślisz, że mnie to rusza, że obnosisz się z nią publicznie? Przez ten idiotyczny plan ja jestem stale uwiązana w domu, podczas gdy Ty... Nie, nie chcę o tym myśleć, bo sam wiesz, do czego jestem wówczas zdolna. Chcę myśleć o czym innym... O tym, co robimy, gdy się spotykamy. Wiesz, na co miałabym ochotę. Pomyśl sobie, że jestem teraz w domu zupełnie sama. Leżę na łóżku i robię się coraz bardziej podniecona i mokra... Sięgam ręką w miejsce zarezerwowane wyłącznie dla Twojej magicznej pałeczki. Coraz mocniej rozchylam nogi...

Domknęłam szufladę sekundę po zakończeniu rozmowy przez Kaja. Błyskawicznie podniosłam się z krzesła i obróciłam w stronę okna. Ja tylko podziwiam widok na garaże.

– Nela!

Bałam się obrócić w jego stronę, bo myślałam, że zemdleję. Ten podpis pod listem, który ledwie zdążyłam przeczytać. *Twoja ukochana I.*

– Co się tak zamyśliłaś?

„Nienasycony drapieżnik" całował mój kark. Jakoś odechciało mi się tych karesów.

– Tak, Kaj. – Odwróciłam się do niego.

– Jestem najbardziej nieszczęśliwym mężczyzną na świecie.

Jeśli teraz usłyszę o tej chorej pasji do niejakiej I., to wyskoczę przez okno. Tylko szkoda, że to parter.

Nie zadając pytań, pozwoliłam mu wyjaśnić sobie powód tego nieszczęścia.

– Muszę natychmiast lecieć do Sztokholmu. To pilna sprawa i zarezerwowali mi nawet samolot. Nie wiem, jak długo to potrwa i kiedy wrócę. – Nagle twarz mu się rozjaśniła. – Och, Nelu, jedź ze mną. Twoje dzieci wracają dopiero za kilka dni. Moglibyśmy być razem.

– Kaj, ja nie mam paszportu – odpowiedziałam po prostu i zobaczyłam wyraz niedowierzania na jego twarzy.

– Nie masz paszportu? Jak to możliwe? Mówiłaś przecież, że twoja matka mieszka w Anglii.

– Tak, ale ja u niej nigdy nie byłam. Nawet nigdy mnie nie zaprosiła.

– No to koniec. – Chyba rzeczywiście było mu smutno. Pocałował mnie w czubek głowy. – Muszę teraz jechać do siebie i szybko się spakować. Zadzwonię do ciebie.

Nie wiedziałam, co mam robić. Patrzyłam, jak Kaj zbiera pospiesznie ze stołu jakieś papiery.

– W takim razie pojadę do domu – powiedziałam, nie chcąc mu przeszkadzać w przygotowaniach.

– Zaczekaj. Zamówię ci taksówkę.

Przypomniałam sobie, że nie mam w portmonetce większej gotówki.

– Nie, nie. Przejadę się tramwajem.

Nagle Kaj zostawił swoje papiery i znalazł się przede mną. Wyciągnął coś z kieszeni.

– Proszę, to na taksówkę. To ja powinienem cię zawieźć. – Nagle zobaczył moją twarz. – Obraziłaś się? Nelu, proszę cię...

– Ja też cię proszę, Kaj. Pojadę tramwajem. Nie chcę twoich pieniędzy.

– Rozumiem. Obraziłaś się, że ci nie powiedziałem, czym się zajmuję.

Może w normalnych warunkach byłby to powód do obrażenia się, ale ja przecież też niejedno miałam na sumieniu. Nie mogłam mu jednak powiedzieć, że ten pornograf od „ukochanej I” rozbudził we mnie kolejne nieznane mi uczucie. Upiornie bolesną zazdrość.

– Mój bursztynku! To było przecież na samym początku naszej znajomości.

– Nie, Kaju, nie mam do ciebie żadnych pretensji. Tylko tak bardzo mi żal, że wyjeżdżasz – powiedziałam i ku mojemu zaskoczeniu rozpłakałam się.

– Mamo, ty jeszcze nam wpadniesz do przepaści – ostrzegała Mirka, a ja w końcu skupiłam wzrok na dzieciach skaczących po skałach.

Oboje byli tacy uśmiechnięci i opaleni. Z kolonii wrócili z sukcesami. Mateusz zdobył kartę pływacką, a Mirka wygrała quiz historyczny. Radzili sobie znakomicie i wcale nie tęsknili za domem. Jednak po trzytygodniowej nieobecności ich stare podwórko okazało się znowu atrakcyjne, więc kolejne dni wakacji mijały bardzo miło. Kilka razy udało nam się skorzystać z pogody i pójść na plażę, a po dziesięciu dniach, kiedy cudem boskim wywalczyłam moje prawo jazdy, pojechaliśmy do Zakopanego.

Do pociągu odwiozła nas Lusia. Zdaje się, że przypadła jej do gustu rola dobrej cioteczki i psuła moje dzieci w sposób jak najbardziej obrzydliwy. Tym razem wyszykowała nam na drogę kurtki i inne ubrania sportowe, przynosząc całe siatki z zaprzyjaźnionego szmateksu.

– Pomyśleć, że ludzie pozbywają się zupełnie nowych ubrań – mówiłam, patrząc z niedowierzaniem na piękną granatowo-czerwoną kurtkę, do której przyczepiona była oryginalna sklepowa metka.

– Mariusz zna już wasze rozmiary i obiecał mi, że będzie odkładał co ciekawsze sztuki – powiedziała Lusia, niemal rozjeżdżając rowerzystę.

– Mariusz? – spytałam z uśmiechem.

– No, ten facet ze szmateksu.

– Aha.

– No, dobrze. Znam już te twoje „aha". Byłam z nim raz w kinie.

– Tak?

– A tak. Jest całkiem miły i to wszystko – odpowiedziała krótko Lusia, ale czułam, że Mariusz bardzo się nią interesuje. – A jak tam jubiler? – spytała, nie chcąc przy dzieciach wymieniać jego nazwiska.

Żebym to ja wiedziała! Zadzwonił do mnie od razu po dotarciu do Sztokholmu, a potem jeszcze kilka razy. Jednak od tygodnia się nie odezwał, mimo iż wiedział, że planowałam wyjazd w góry. Nawet nie wiedziałam, czy już wrócił. Mówił wprawdzie, że ma pewne problemy i wszystko się nieoczekiwanie przedłuża, ale przecież mógł dać mi znać, co zamierza robić.

To przez tę niepewność czułam się taka zagubiona i zamyślona. Aby zagłuszyć myśli, codziennie organizowałam dla nas wycieczkę w góry. Wprawdzie były to wyłącznie szlaki dla emerytów i rencistów, jednak dla dzieci, nieprzyzwyczajonych do górskich wspinaczek, miały one nieprawdopodobny urok. Natomiast ja czułam narastającą obsesję na punkcie seksu. Nie byłam w stanie przyglądać się sterczącym skałom czy łagodnym górskim zboczom porośniętym ciemnymi jodłami, żeby mi się to wszystko nie kojarzyło. Może to był efekt mojego własnego poczęcia w Zakopanem? Jakieś resztki pamięci prenatalnej usiłowały zakłócić mi racjonalne myślenie.

– Czy wiecie, że w Zakopanem wasz dziadek Jan spotkał się po raz pierwszy z babcią Ewą? – dostarczyłam dzieciom porcji historii rodzinnej, ale one nie bardzo wiązały ten fakt ze swoimi osobami. Średniowiecze, druga wojna światowa czy babcia i dziadek – była to dla nich równie odległa historia. Górska wspinaczka stanowiła o wiele większą atrakcję. A jeśli jeszcze po drodze można było trafić na prawdziwą kozicę...

Po powrocie z Doliny Kościeliskiej marzyłam jedynie o orzeźwiającym prysznicu i rzuceniu się na łóżko. Dzieci jednak skutecznie zmieniły moje plany.

– Obiecałaś nam przecież, że zabierzesz nas na lody!

To prawda, obiecałam, pragnąc, żeby przestały mnie ustawicznie nagabywać o kupno różnych rzeczy. Od kiedy wiedziały, że stać nas na więcej, nie dawały mi spokoju. Po powrocie do domu trzeba je będzie tego oduczyć, obiecywałam sobie. Tymczasem pozostały nam jeszcze trzy dni naszych wakacji, naszych pierwszych wspólnych wakacji. A potem szukanie pracy... Nie, nie. Pomyślę o tym po powrocie. A o czym wolno mi myśleć? O tym, co po raz pierwszy zainteresowało mnie trzy lata temu, ale nigdy nie zostało urzeczywistnione, o tym, co próbowałam w sobie zdusić i ponownie zakryć brzydkimi okularami? Myślę o Kaju...

Kaj doprowadza mnie do szaleństwa swoimi narastającymi pieszczotami. W ostatniej chwili wycofuje się i pyta, czy tego pragnę. Tak, proszę, błagam. Dlaczego mnie tak dręczy? *Muszę być ciebie pewien.* Możesz być, zaklinam go. *Byłaś z początku taka przerażona, tam, na Helu. Nie mogłem zrozumieć, dlaczego, mimo takiego strachu, chcesz to zrobić.* Odwracam od niego wzrok. *Ten niepokój zaczął się również mnie udzielać. Nie chciałem cię skrzywdzić.* Pragnę cię, Kaj. Jeszcze jest może za wcześnie, abym ci mogła wszystko o sobie powiedzieć, ale musisz wiedzieć, że bez ciebie nigdy nie żyłabym prawdziwym życiem kobiety.

Nic takiego już nie pamiętam, mówię do niego głośno i wsłuchuję się w bicie jego serca.

– Mamo! Czy to nie Kaj tam idzie? – zapytał Mateusz.

– Pan Hanson – poprawiłam go machinalnie, pogrążona w myślach, gdy nagle prawie podskoczyłam na kawiarnianym krześle.

– Tak, to on – pisnęła podekscytowana Mirka. – Biegniemy do niego!

Zanim zdążyłam ją powstrzymać, razem z Mateuszem rzuciła się w tłum spacerujących po Krupówkach turystów.

To na pewno był Kaj. Nie było żadnych wątpliwości.

Tylko co on tu robił? A jeśli nie był sam, ale z Tamtą? Nie wytrzymałabym tego. Nie zdążyłam jednak wymyślić wszystkich czarnych scenariuszy, gdy zobaczyłam powracającą całą trójkę.

– Nelu. – Uśmiechnął się do mnie, wcale niezaskoczony moim widokiem. – Domyśliłem się, że was tu znajdę – powiedział, po czym pocałował mnie przy dzieciach prosto w usta.

– Ale, ale... skąd wiedziałeś? – jąkałam zażenowana, patrząc na spojrzenia, które między sobą wymieniały dzieci.

– Wasza gospodyni powiedziała mi, że poszliście na lody. Jak wy zdrowo wszyscy wyglądacie. Jak prawdziwi turyści – zauważył, a ja gorączkowo zaczęłam gładzić włosy. Oczywiście, zamiast miękko opadać na kark, sterczały na boki.

– Co tu robisz, Kaj? – spytałam, kiedy zdążyłam trochę ochłonąć. – Nie uwierzę, że zajmujesz się handlem.

– Przyjechałem specjalnie do was – odpowiedział szczęśliwy, że potrafi sprawić nam taką niespodziankę.

W zasadzie połączył ten wyjazd ze zrobieniem kilku interesów w Krakowie, ale przecież nie musiał tam sam jechać. Już w Sztokholmie to wymyślił, nie wiedział jednak, czy mu się to uda, i nie chciał umawiać się na próżno. Dlatego spytał mnie o nasz adres u gaździny. Czy zapomniałam? Nie, nie zapomniałam, ale coś takiego nie przyszłoby mi do głowy. No bo skąd, zważywszy, że własny ojciec Mirki i Mateusza od dwóch lat nie raczył do nich napisać choć jednej głupiej kartki.

Kaj zamieszkał w „Kasprowym", bo u naszej gaździny nie było wolnych pokoi, i miał zamiar wracać z nami do domu. Jak się zapatrujemy na powrót samochodem zamiast pociągiem? A może mama, Mistrz Kierownicy, mogłaby też poprowadzić wóz?

– O nie – zaprotestował Mateusz. – Mama się teraz już do niczego nie nadaje. Albo nic nie mówi i patrzy przed siebie, albo czyta książki. Z takim kierowcą wylądowalibyśmy w rowie.

Kaj parsknął śmiechem.

– No, to musimy coś zrobić, żeby ją ożywić.

Nie musieli niczego robić. Wraz z jego pojawieniem się nagle wyraźnie doszła moich nozdrzy woń spalin zmieszana z perfumami przechodniów i aromatem kawy. I nagle dostrzegłam intensywne kolory letnich strojów i markiz sklepowych. Ja też chciałam podskakiwać radośnie jak Mateusz i Mirka. Po prostu byłam szczęśliwa.

Kaj zabrał nas do „Kasprowego" na basen, a kiedy dzieci się wyszalały, poszliśmy na kolację. Mirce pierwszej zabrakło energii i nie doczekawszy deseru, na siedząco zasnęła. Kaj, śmiejąc się, że niósł już „znacznie cięższe sztuki z tej rodzinki", wziął ją na ręce i zaniósł do samochodu. Wstydziłam się trochę naszej nader skromnej kwatery, ale Kaj od razu zauważył, że w góralskich chatach panuje najbardziej swojska atmosfera.

– Takich „Kasprowych" jest pełno na świecie.

Usiedliśmy na łóżku, przyglądając się przez chwilę śpiącym dzieciom – Mateusz również błyskawicznie zasnął przy pierwszym kontakcie z łóżkiem – po czym Kaj sięgnął do swojej podręcznej torby i wyjął z niej butelkę wina.

– Pozostanie nam upić się rodzinnie – zauważył, stwierdzając, że warunków do innej działalności w tym małym pokoiku bez łazienki nie ma.

Przyniosłam szklanki, a Kaj nalał do nich czerwonego wina. Siedzieliśmy na łóżku oparci o ścianę i sączyliśmy trunek. Po dłuższej ciszy zauważyłam, że Kaj jest myślami zupełnie gdzie indziej.

– Czy coś się stało? – spytałam.

– Nie, nic szczególnego. To znaczy... – Chciał coś powiedzieć, ale szybko się wycofał. Chwilę milczał. – Zostałem w Sztokholmie trochę dłużej, bo musiałem się zająć Alexandrą. Stale kłóci się z matką. Nie wiem, czy nie powinienem jej stamtąd zabrać, ale Birgitta uparła się, że jej nie da. Mniejsza o to... – Nagle uśmiechnął się promiennie. – Zupełnie bym zapomniał. Poczekaj.

Schylił się i z torby wyjął zawiniątko, które po rozpakowaniu okazało się przepięknymi czarnymi czółenkami na wysokim obcasie.

– To dla ciebie, Nela. Może to zrekompensuje ci utratę tej pary butów przy naszym pierwszym spotkaniu. Mam nadzieję, że będą dobre. Wiesz, zabrałem ten twój but, który ocalał.

Jezu, a ja go szukałam po całym domu.

– Kaj! Nie mogę uwierzyć, że o tym pomyślałeś. To niemożliwe.

Chcę mu powiedzieć, że przywożąc wory słodyczy dzieciom, już przecież tyle dla nas zrobił. Jednocześnie po głowie chodzi mi myśl, że kupując mi buty, chciał, abym wyglądała po ludzku. Wiem, że elegancką kobietę poznać po butach; pamiętam również wzrok Ilony lustrujący moje znoszone sandały. Patrzę jednak na uszczęśliwioną minę Kaja i stwierdzam, że jestem absolutnie wredną świnią. Nie dość, że nie ma pojęcia o mojej działalności pseudokonspiracyjnej, to jeszcze wietrzę podstęp w każdym jego geście.

A kiedy jeszcze książę z bajki pochyla się nad odzianą w grubą wełnianą skarpetkę nogą Kopciuszka i usiłuje przymierzyć pantofelek, wszystko nagle się staje taką absolutnie nieprawdopodobną brednią, że nie pozostaje mi nic innego, jak się rozpłakać. Ostatnio to właśnie najlepiej mi wychodzi.

– Nelu, głuptasie!

Jak mu wytłumaczyć, że wszystko, co się między nami dzieje, jest zbyt intensywne jak na mój nieprzygotowany do tego mózg.

– Do tego nie potrzeba mózgu, Nela – powiedział i pocałował mnie, a potem przytulił do siebie.

– Jesteś smutny. – Mimo tego idyllicznego nastroju wyczuwałam w nim jakieś napięcie.

– Tylko ci się tak wydaje – powiedział może jednak zbyt szybko.

– Nie myśl, że chcę cię o cokolwiek wypytywać – zapewniłam go.

– Nic nie myślę. Ale może ty mi coś powiesz o sobie, Nelu. Jak to jest z tym twoim byłym mężem? – zapytał nagle.

Przełknęłam ślinę. Dobrze, chce wiedzieć, to mu powiem.

– Dokładnie to nie wiem, jak z nim teraz jest, ale dwa lata temu napisał mi, że ma HIV.

– Co? – niemal wykrzyknął Kaj.

Odpisałam mu w bardzo współczującym tonie, prosząc o nawiązanie korespondencji z dziećmi. Wiedziałam, jak dzieciakom, zwłaszcza Mateuszowi, zależało na kontakcie z ojcem. Paweł zignorował zarówno ten list, jak i następny. Jedynie teściowa wysyłała mi dwa razy do roku sążniste dydaktyczne epistoły, które nie nadawały się do czytania.

– Jak to możliwe?

Właśnie, ale Paweł, od kiedy zerwał z Sebastianem, zapomniał o rozsądku i postawił na „wielość uczuć".

– Nie martw się, Kaj. Ja nie jestem seropozytywna. Zrobiłam sobie test – powiedziałam spokojnym tonem.

Bo i od czego? Ostatni raz z Pawłem spałam dziesięć lat temu, ale Kaj nie musi wiedzieć, że zabrał się do aż tak niedoświadczonej gęsi.

– Ależ, Nela. Moja kochana. Nigdy nie pomyślałbym...

Aha! Akurat. Byłoby tylko kwestią czasu, a problem ten nie dawałby ci spokoju. A tak... sprawa była jasna.

Była jasna do tego stopnia, że Kaj zaczął mnie namiętnie całować. Ale szczęście, zmęczenie, górskie powietrze i wino sprawiły, że szybko przestałam być tego świadoma.

Rozdział VIII

Siedziałam nad rozłożonymi na stole gazetami i tępo patrzyłam na podkreślone w nich ogłoszenia o pracę. Nie byłam księgową, nie nadawałam się na sprzedawcę, o staniu się zdolnym informatykiem nie miałam nawet co marzyć. Zniechęcona sięgnęłam po zeszyt, który bynajmniej nie był moim dziennikiem. Od kilku miesięcy gromadziłam w nim z pieczołowitością archiwistki wszystkie dane o Kaju Hansonie. Kaj nie był zbyt wylewny, jeśli chodzi o informacje na swój temat, jednak podczas pobytu w Zakopanem i w drodze powrotnej dowiedziałam się o nim czegoś więcej. Były to jednak bardzo rozproszone fakty, które próbowałam teraz, mając całą noc dla siebie, posklejać.

Podczas gdy ja nigdy nie wyjechałam za granicę, Kaj spędził tam całe swoje życie. Urodził się w Johannesburgu, w kraju, który był obcy zarówno dla jego matki, Polki, jak i ojca. Ojciec Kaja, Szwed z pochodzenia, również nie miał żadnej konkretnej przynależności ojczyźnianej – był tam, gdzie wędrowały diamenty. Po kilkunastoletnim pobycie w RPA stwierdził, ze spółka jubilerska, w której pracował, mimo iż wypracowywał spore zyski, nie pała chęcią dopuszczenia go do sprawiedliwych podziałów. Rozczarowany wraz z całą rodziną opuścił Johannesburg. Następnym życiowym przystankiem stał się Amsterdam.

Kaj był najmłodszym dzieckiem. Starsze rodzeństwo, dwaj bracia i siostra, byli owocem pierwszego małżeństwa ich ojca i od dzieciństwa panowała między nimi dość ostra rywalizacja. Tym bardziej że z góry było wiadomo, iż w przyszłości będą się musieli podzielić majątkiem po ojcu. Ich role życiowe również były przesądzone. Starszy brat, Harald, miał przejąć główną firmę jako jubiler, siostra, Sigrid, musiała się zająć reklamą, a średni brat, Robert, specjalizował się w zagadnieniach handlowych.

– Dla mnie też wymyślili zajęcie. Miałem zostać projektantem biżuterii.

To może nie jest nic skomplikowanego dla kogoś, kto od dziecka chował się w pracowniach jubilerskich i zanim wysłano go do szkoły plastycznej, wiedział o fachu wszystko od podszewki.

Kaj był jednak niecierpliwy i nudziła go nauka szkolna.

Ponieważ trafił do szkoły z internatem, nagle otworzyły się przed nim wrota do pozadiamentowego świata, który po bliższym poznaniu okazał się o wiele bardziej ekscytujący niż szum szlifierek. Kiedy władze szkolne zaczęły się zastanawiać nad jego relegowaniem, do szkoły przyjechał ojciec.

– Ojciec był potwornie surowym facetem. Wszyscyśmy się go panicznie bali. Nigdy nie krzyknął, nigdy nie podniósł na nas ręki. Wystarczyło, że spojrzał spod swych krzaczastych brwi i zwrócił się do nas tym swoim chłodnym tonem, a już zamarzała krew w żyłach.

Ojciec długo przyglądał się zbuntowanemu synowi, który z pewnością swój nieuporządkowany charakter musiał zawdzięczać polskiej krwi, i stwierdził, że w stosunku do Kaja powinien zastosować inną metodę. Obiecał mu, że jeśli uzyska bardzo dobre oceny końcowe, sfinansuje mu roczny pobyt w kraju, który sam sobie wybierze. Miał nadzieję, że przez rok syn się wyszaleje i ze spokojem i precyzją zabierze się do projektowania kosztowności.

Kaj potrafił być uparty i z benedyktyńską cierpliwością zaczął ślęczeć po nocach, zakuwając, żeby wywiązać się ze swojej części umowy. Dzień po wręczeniu dyplomu wyleciał do Stanów Zjednoczonych. To był niesamowity rok. Obiecał, że mi kiedyś dokładnie o tym opowie. Przemierzył Amerykę od wybrzeża wschodniego do Kalifornii, a potem – jakby tego było mało – jeszcze z północy na południe. Ten rok skończył się niesłychanie szybko.

Kaj potrafił dotrzymywać obietnic. Ze zwieszoną głową, zakurzony i nieogolony – zameldował się w pracowni ojca prosto z lotniska. Wiadomość, którą tam usłyszał, natychmiast wprowadziła go w dobry humor. Ojciec planował otworzyć filię w Sztokholmie i chciał tam wysłać Kaja. Na początek, przez rok, miał pracować u zaprzyjaźnionego Żyda i zaznajamiać się z rynkiem.

– Poza tym tylko ty mówisz po szwedzku.

Kaj, jako wyjątek w rodzinie, był prawdziwym poliglotą. Od matki nauczył się języka polskiego, od ojca szwedzkiego, mówił też po holendersku, angielsku, a nawet po hiszpańsku.

Uszczęśliwiony, że nie musi na stałe zostać w Amsterdamie, Kaj ruszył na podbój północy. W Sztokholmie jednak szybko uznał, że praca w firmie jubilerskiej, w której mu przyszło terminować, jest śmiertelnie nudna, i zaczął rozglądać się za czymś innym. Odkrył wówczas uniwersyteckie kursy historii sztuki, a wraz z nimi Birgittę. Płomienna miłość zrodzona na północy wypaliła się szybko – zanim przyszła na świat Alexandra.

Kaj okazał się odpowiedzialny, gdyż pojawienie się dziecka uświadomiło mu, że ma rodzinę i musi ją utrzymać. Należało zabrać się do czegoś, co by przynosiło pieniądze. Wybór był jasny. Wiedział, co potrafi robić najlepiej. Filia w Sztokholmie otworzyła swoje podwoje w pierwsze urodziny Alexandry, a wraz z nimi Kaj rozpoczął otwieranie nowych kont. Końcem pasma sukcesów stał się rozwód, a wkrótce po nim śmierć ojca.

– A dlaczego zdecydowałeś się na przyjazd do Polski? – spytałam w drodze z Zakopanego.

– A, to jest bardzo skomplikowana historia. Kiedyś ci o tym opowiem... – Przerwał swoją opowieść w najbardziej interesującym dla mnie momencie. – Ale chyba dobrze się stało, że tu jestem, co? – spytał, przeciągając ręką po mojej nodze.

Ha, retoryczne pytanie.

Nagle moje układanie w myślach puzzli z życiorysu Kaja przerwał dzwonek telefonu. Było już po jedenastej w nocy.

– Nie śpisz jeszcze? – spytał Główny Bohater.

– Nie, rozmyślam o tobie – odpowiedziałam.

– Ja też o tobie myślę.

Pewnie tak, skoro dzwoni.

– Dzieci śpią?

– Nadal odsypiają te szaleństwa w Zakopanem.

Tego pobytu nie zapomnimy chyba do końca życia. Kaj zabierał nas wszędzie, gdzie tylko można: na Kasprowy Wierch, na przejażdżkę bryczką, na karuzelę, lody, a mnie, dzięki przekupieniu gaździny, dwa razy do swojego pokoju hotelowego.

– To ty lepiej też się wyśpij. Pamiętasz, że jutro nocujesz u mnie? – spytał przeciągłym tonem.

Oczywiście, że tak, bo tym akurat zajmował się równoległy tok moich myśli.

– I nie musisz się spieszyć z powrotem. Zabieram jutro dzieci do zoo, a potem pójdziemy się wykąpać – mówiła Lusia, wypędzając mnie z mojego własnego mieszkania.

– I tak rujnuję ci wieczór – próbowałam z nią rozmawiać przez zamykające się za mną zbyt prędko drzwi.

Po chwili ponownie się uchyliły i wyjrzała z nich jej jasna głowa.

– Jest świetnie. Mariusz zaczął się robić zbyt natarczywy, więc takie moje zniknięcie trochę go ostudzi.

Chciałam już coś powiedzieć, ale Lusia mi to uniemożliwiła.

– Dobrze, dobrze, wiem, o co ci chodzi. Ale ty teraz widzisz świat na różowo, więc nie jesteś wiarygodna. Idź już, bo ten facet zbyt długo czeka! – zarządziła na koniec.

Świat był rzeczywiście jakiś bardziej atrakcyjny, gdy wędrowałam z Kajem po sklepach, kupując produkty żywnościowe. Kaj powiedział, że znudziło go restauracyjne jedzenie i najlepiej byłoby, abyśmy sami przygotowali sobie kolację. Patrząc na wrzucane do koszyka puszki krewetek, tuńczyka, avocado i inne egzotyki, miałam pewne wątpliwości, czy do tego przedsięwzięcia kulinarnego wybrał sobie właściwą osobę.

– Ty poprowadzisz – powiedział, kiedy doszliśmy do zaparkowanego samochodu – a ja się schowam, żeby nikt ze znajomych nie widział, jak szaleję po mieście z tą zawrotną prędkością.

Zamachnęłam się siatką w jego stronę.

– Tak jest bezpiecznie!

Nawet Mateusz nabrał wobec mnie respektu, widząc, jak prowadzę tę ogromniastą maszynę. A że było to czterdzieści kilometrów na godzinę, to zupełnie inna sprawa.

Zanim jednak usiadłam za kierownicą, zdążyłam sobie

przypomnieć, że NIE WIEM, gdzie on mieszka, i zażądałam dokładnych wskazówek.

Już po kwadransie ujrzałam znajomy krzak rododendronu i nagle przyszło mi do głowy, że właśnie Kaj Hanson przywozi do domu swoją nową panienkę. Nie była to najsympatyczniejsza myśl. Niestety, towarzyszyła mi ona przez całą drogę na pierwsze piętro.

Jezu, toż to prawdziwy pałac!, jęknęłam w duchu, kiedy po pozostawieniu w kuchni zakupów Kaj oprowadził mnie po po mieszkaniu.

Secesyjna willa należąca wcześniej do jednej rodziny została podzielona na niezależne połowy. Na górę, do Kaja, wchodziło się wybudowaną wewnątrz klatką schodową i natrafiało prosto na oryginalny szeroki korytarz. Ze zdziwieniem dostrzegłam, że mieszkanie nie było w pełni urządzone. Jedynie kuchnia, łazienka i sypialnia wyglądały na jako tako zamieszkane. Reszta spełniała funkcje zapasowych magazynów lub graciarni. Pokój, który prawdopodobnie miał być gabinetem pana domu, był niemal w całości zastawiony kartonami. Nie mogłam się doliczyć tych wszystkich pomieszczeń. Można tu było jeździć na hulajnodze. Pomyślałam o ciasnym pokoiku Mirki i Mateusza. Ileż mieliby tutaj miejsca do zabawy!

– I co? Umeblowałaś już wszystko? – Głos Kaja nagle przerwał mi medytacje.

– Jak to? – spytałam, czerwieniąc się po same uszy, świadoma, iż rzeczywiście udało mi się zaludnić to mieszkanie.

– Wiesz, co mam na myśli – odpowiedział. – Wszystkie to robicie.

– Jakie wszystkie? – Myśl, że zostałam zaliczona do jakiejś wspólnej kategorii, była nie do zniesienia.

– Wszystkie kobiety. Macie taki wrodzony instynkt natychmiastowego zagospodarowywania domowego ogniska. Moja mama jest taka sama. Od razu wie, gdzie co powinno się znaleźć. Nela, a ty co? Chyba się nie obraziłaś na mnie?

Tak właśnie było. Zdenerwowałam się, że potrafi odgadnąć moje myśli, a poza tym zrobiło mi się smutno, gdyż wiedziałam, że na zawsze muszą one pozostać marzeniami.

– Nie masz racji. Zastanawiałam się tylko, jak ten dom wyglądał przed podziałem. A poza tym... A poza tym to ja nie jestem jakieś „wszystkie". Nie musisz się mnie obawiać, Kaj. Ja znam zasady tej gry – powiedziałam jak wyrafinowana play--girl, ale napotkałam tylko jego rozbawione spojrzenie.

– Nie sądzę, Nelu, że znasz – jego bursztynowe oczy zapaliły w środku jaśniejsze światełka – bo ta gra, tak naprawdę, utraciła już wszystkie pierwotne zasady – powiedział i zaniósł mnie do swego gigantycznego łóżka.

– Chciałabyś zobaczyć moje wyroby? – spytał nieoczekiwanie, kiedy kończyliśmy kolację, a ponieważ odpowiedź miałam wypisaną na twarzy, pociągnął mnie za rękę do gabinetu.

– Muszę tu kiedyś zrobić porządek – powiedział przepraszająco, kiedy potknęłam się o karton pełen kalendarzy. – Ale nigdy nie mam na to czasu. Zapominam o wszystkim, jeśli tego nie wpiszę do kalendarza. To dlatego mam takie zbiory. Zginąłbym bez nich.

Usiadłam przy stole, na którym porządek został błyskawicznie zaprowadzony jednym energicznym ruchem. Wówczas też po raz pierwszy zobaczyłam sejf, którego lokalizacji za tanim bohomazem (Sebastian miał rację) Kaj nawet nie próbował przede mną ukryć. Jednak od razu przestał być interesujący, gdyż nagle przede mną zaczęły się pojawiać precjoza.

– Od dawna zajmujesz się bursztynem? – spytałam, obracając w ręku owalną mleczną broszkę.

– Moja mama miała bursztynowe skrzywienie – stwierdził z pewnym sarkazmem. – Niemal zmusiła ojca do sprzedawania w sklepie bursztynowej biżuterii. Ale poważnie bursztynem zająłem się pięć lat temu.

Trudno było w to uwierzyć, patrząc na przedmioty, które w sposób niemal doskonały potrafiły wydobyć naturalną urodę bursztynu. Oplatało go głównie srebro, ale dostrzegłam również dwie broszki w oprawie złotej. Biżuteria była wyjątkowa, gdyż każda pojedyncza rzecz stanowiła małe dzieło sztuki. Byłam zaskoczona, tym bardziej że wcześniej poznałam przedziwne pomysły Wiktora, ale nie spotkałam się jeszcze nigdy z tak idealnym połączeniem wizji i perfekcyjnego wykonawstwa.

Oglądałam i słuchałam, jak Kaj opowiada. W zasadzie w Gdańsku sprzedaje masówkę, a swoje kolekcje ze względu na brak czasu wypuszcza dość rzadko, ale za nic nie zrezygnowałby z tej działalności. Gust szerokiej klienteli nie jest zawsze tym samym, o co jemu chodzi. I co ja na to, bo tak jakoś zamilkłam?

– Nie przypuszczałabym, nie myślałam... – mamrotałam pod nosem.

– Co, kochanie?

– Nie myślałam, Kaj, że jesteś w tym taki dobry – powiedziałam i rozpłakałam się, wściekła na siebie, że na początku tak źle go oceniłam, i to pod każdym względem. Teraz wiedziałam już, że nie mam się co łudzić. Mogłam się tylko zastanawiać nad tym, co on we mnie widzi.

– Nelu, jesteś niemożliwym głuptasem.

– Wiem. Ale to są takie piękne unikaty – odpowiedziałam, smarkając głośno w podaną mi chusteczkę.

– Jeszcze nigdy nie spotkałem się z taką reakcją publiczności – stwierdził z szelmowskim uśmiechem Kaj. – Całe szczęście, że nie pokazałem ci moich diamentów. Łzami za lałabyś sąsiadów.

W niedzielę koło południa Kaj zdecydował się na opuszczenie łóżka i pobiegł pod prysznic. Wówczas i ja pospiesznie poderwałam moje wyczerpane ciało, narzuciłam koszulkę i zajęłam się zaglądaniem do szuflad i szafek. Robiłam to bez przekonania, gdyż ono już dawno wyparowało. Najbardziej zainteresowały mnie kartony z kalendarzami Kaja. Już wydawało mi się, że widzę czarną obwolutę z napisem 1993, kiedy zadzwonił telefon.

– Odbierz, Nela – krzyknął z łazienki Kaj.

Podniosłam słuchawkę i usłyszałam nagle stek obelg w wykonaniu... Ilony Warskiej.

– Gdzie ty się włóczysz i dlaczego nigdy nie ma cię w domu?

– Przepraszam, ale Kaj jest w łazience – odpowiedziałam ze spokojem.

W słuchawce zapanowała nerwowa cisza, ale tylko chwilowa.

– A, to gospodyni odbiera telefony. Daj mi, kochaniutka, mojego Kaja.

Zacisnęłam usta z gniewu.

– To nie gospodyni, tylko jego kochanka – wypaliłam bez zastanowienia.

Zobaczyłam, że nagi Kaj nadbiegł z łazienki, w pośpiechu wycierając włosy. Bez słowa oddałam mu słuchawkę, po czym wróciłam do sypialni i przykryłam sobie głowę poduszką. Po dłuższej chwili ktoś mi ją zabrał.

– Kaj, czy ty masz gospodynię? – spytałam na wszelki wypadek.

– Coś ty! Czy mieszkanie na to wygląda? Za dużo jest

tu cennych rzeczy, żebym mógł kogoś wpuścić. A co, interesowałaby cię taka praca? Ciebie bym wpuścił. Musiałabyś jednak pracować o specyficznych porach, a zakres obowiązków... No cóż, podobny jak dzisiejszej nocy. Co ty na to?

Hmm... Gdybym miała środki, sama mogłabym go zatrudnić. Kaj zdążył ze mnie zdjąć już koszulkę, gdy nagle sobie przypomniał:

– Ilona i Bogdan zapraszają nas w następną sobotę do swojego domku letniskowego.

– Ale ja nie wiem... – Zaczęłam intensywnie myśleć. Wcale nie chciałam tam jechać. – Nie mogę zepsuć Lusi kolejnego weekendu.

– To zabierzemy dzieci ze sobą – zaproponował Kaj. – Nie martw się, coś wymyślimy.

– Chcesz tam jechać? – spytałam, niespokojna o to, co powie.

– Tak, chcę. Jeszcze nie widziałem tego nowego domu. Poza tym sporo zawdzięczam Bogdanowi. Bardzo mi pomógł na samym początku.

– No, to pojedziemy. Wiesz, że nie mogę ci niczego odmówić.

– Nie?! – Nagle oczy Kaja rozbłysły, a wzrok opuścił się na... hm. – A tak swoją drogą, to jestem ciekawy, coś ty takiego powiedziała Ilonie. Była tak wściekła, że musiałem trzymać słuchawkę na odległość.

To samo powinieneś zrobić ze swoim ciałem, pomyślałam z satysfakcją.

– Co będziesz teraz robił? – spytałam Kaja, kiedy po południu zawiózł mnie pod dom.

– Pojadę do firmy. Jest tyle spraw do załatwienia. Zadzwonię do ciebie wieczorem, dobrze? Poczekaj, nie odchodź jeszcze – poprosił i wziął mnie ponownie w ramiona. I całe szczęście, gdyż inaczej zabiłaby mnie gwałtownie hamująca obok nas taksówka.

– Nelu, moja słodka.

Było mi zupełnie wszystko jedno, że całuje mnie publicznie. Jednak już po chwili zmieniłam zdanie.

– Anita! – usłyszałam kobiecy głos i obróciłam się w ramionach Kaja.

Z otwartych drzwi taksówki wydobywała się właśnie... moja matka.

– Ewa – wyjąkałam przerażona.

– Dzień dobry. Jestem matką Anity – oświadczyła i podała rękę Kajowi, który natychmiast się nad nią pochylił.

– To niemożliwe, żeby pani była mamą Neli – powiedział i to wcale nie był komplement.

Przez ostatnie jedenaście lat Ewa w ogóle się nie zmieniła, a prawdę mówiąc, wyglądała teraz naprawdę elegancko. Prosta, niemal skromna, świetnie skrojona ciemnoniebieska garsonka jeszcze bardziej podkreślała niezwykły błękit jej oczu.

– Takie są niestety fakty. – Uśmiechnęła się przeuroczo do Kaja. – A z kim mam przyjemność?

– Kaj Hanson. Jestem przyjacielem Neli.

Już po chwili przyjemnie ze sobą konwersowali, dyskutując na temat Anglii, jej zabójczej pogody, beznadziejnej kuchni i wspaniałych zabytków.

– Kaj, mówiłeś, że się spieszysz – przerwałam im tę pogawędkę.

Ewa zmierzyła mnie zgorszonym wzrokiem.

– Anitko, jak możesz! Przepraszam pana za moją córkę – zwróciła się do Kaja, który natychmiast poprosił, aby mówiła do niego po imieniu. – Lepiej byś zaprosiła Kaja do domu na kawę. Chyba nie będziemy stali na ulicy?

Ku mojemu oburzeniu szalenie zajęty Kaj powędrował jak trusia na czwarte piętro. Dzieci z Lusią jeszcze nie wróciły do domu, więc pozostawiłam salonowe towarzystwo tam, gdzie jego miejsce, a sama udałam się do kuchni. Musiałam się przez chwilę zastanowić nad tym, co mogła zwiastować ta niespodziewana wizyta mojej matki.

Kiedy wniosłam kawę do pokoju, zrozumiałam, że Ewa nadal jest taka sama. Słysząc ton jej głosu przeznaczony dla interesujących mężczyzn i perlący się śmiech, miałam największą ochotę cisnąć tacę na ziemię i uciec.

– Opowiadam właśnie Kajowi, że zatrzymałam się u mojej przyjaciółki. U Anity, to znaczy... Neli, nie da się mieszkać. Widzisz sam, co ona tu narobiła. To jakaś muzealna izba czy co? Mówiłam jej, żeby zamieniła mieszkanie na większe, ale nie zrobiła tego. Pewnie już wiesz, jaka ona może być uparta.

– Ewa – jęknęłam błagalnym tonem, żeby zamilkła, ale nawet nie zareagowała.

– A co? Przecież było cię stać na zamianę. Dostałaś ten spadek po Martinie – i zaczęła wyjaśniać Kajowi całą historię, której ode mnie oczywiście nie usłyszał.

Może dobrze się złożyło. Przynajmniej nie będzie sądził, że jestem w finansowej desperacji, myślałam, tuląc do siebie serwetkę z Wikingami.

– Nela, a może twoja mama mogłaby zostać z dziećmi w najbliższy weekend? – spytał nieoczekiwanie Kaj.

Zanim zdążyłam mu uświadomić, że Ewa z założenia nie zajmuje się małymi dziećmi, usłyszałam urocze gruchanie.

– Ależ oczywiście. Nie ma najmniejszego problemu. Zostanę w Gdańsku przez najbliższe dziesięć dni i chętnie przypilnuję moje wnuczęta.

Moje wnuczęta. Których na oczy jeszcze nie widziała!

To było zbyt niesłychane. Z napięcia zaczęła mnie boleć

głowa i jedynie nerwowo przytakiwałam, jak Kaj snuł plany na najbliższy tydzień, które, ku mojej zgrozie, obejmowały również Ewę. *Oczywiście, będzie mi bardzo miło pójść z wami na kolację. Dziękuję za zaproszenie.*

– Masz przemiłą mamę – powiedział, całując mnie przy drzwiach na do widzenia.

– Anita! Jak ty się zmieniłaś – wykrzyknęła Ewa, kiedy tylko zniknął na schodach. – I co to za mężczyzna! Wreszcie mam mądrą córkę! – Spojrzała na mnie z podziwem.

Nigdy mi nie zależało na tego rodzaju podziwie z jej strony.

Rozdział IX

Przez cały następny tydzień modliłam się ciągle o to, aby jakaś nieoczekiwana katastrofa przeszkodziła nam w wyjeździe do tego domu Baby Jędzy. Najbardziej pożądana byłaby jakaś krwawa wysypka na twarzy gospodyni. Niestety, nie doczekałam się żadnych tego rodzaju krzepiących wieści, a i sam tydzień minął dość spokojnie, mimo kręcącego się po domu nieoczekiwanego gościa.

Prawdę mówiąc, Ewa zbyt wiele u mnie nie przebywała. Głównie biegała od jednej przyjaciółki do drugiej i nie narzucała się swoją obecnością. Nie miała problemów z oczarowywaniem osób, na których jej zależało, i dlatego nie powinnam być zdumiona reakcją dzieci, które zakochały się w swojej nieznanej babci od pierwszego wejrzenia. Pamiętając jednak o tym, co wyprawiała podczas spotkania z Kajem, mocno obawiałam się kolejnej konfrontacji. Okazało się, że zupełnie niepotrzebnie. Tym razem moja matka była zdystansowana, .towarzyszące nam dzieci wyjątkowo ułożone, ja milcząca, a Kaj za wszystko płacił. Byłam zaskoczona, gdy w pewnym momencie usłyszałam od Ewy:

– Anita jest bardzo dzielną osobą. Bez czyjejkolwiek pomocy potrafiła wychować dwoje dzieci, pracować i skończyć studia. Mnie nigdy nie było na to stać.

Spojrzałam na nią przerażona. Chyba nie zachorowała nagle na jakąś nieuleczalną chorobę, co wymagałoby opieki nad nią ze strony rodziny? Natrafiłam na jej niepewny uśmiech. A potem lekko poklepała mnie po ręce!

Nawet Lusi Ewa przypadła do gustu. Widziały się wprawdzie tylko przelotnie, bo podczas końcówki dyżuru Lusi, ale zdążyły wymienić kilka komentarzy na temat życia i mężczyzn i natychmiast odkryć, że mają bardzo podobne opinie. Lusia powiedziała mi wówczas, że podczas mojej nieobecności przyszedł Sebastian i bardzo się zdenerwował, że mnie nie zastał. Lusia była nim nieco zaniepokojona. *Uważaj na niego. On ma bardzo porywczy charakter, a ciebie traktuje jak swoją własność.* Zapowiedział, że przyjdzie w następną sobotę i ma nadzieję, że będę w domu.

Tymczasem czekała go niemiła niespodzianka, myślałam nieco mściwie, jadąc z Kajem do Warskich. Ciekawe, co Ewa powie na jego temat? Miałam tylko nadzieję, że Sebastian nie przedstawi jej swojej historii życia i innych bzdur, które snuły mu się stale po głowie. W każdym razie mogli się sobą zająć, a dzieci były zbyt duże i zbyt samodzielne, aby im takie towarzystwo poważnie zagroziło. Na wszelki wypadek pozostawiłam im numer telefonu komórkowego Kaja.

– Nela, nie rozmyślaj już tak, tylko skup się na drodze. Niedługo powinniśmy skręcić – powiedział Kaj.

Spojrzałam na rozłożoną na kolanach mapę. Jezioro Powierowskie, skręt na miasto, jechać prosto, Jezioro Kamienne. Z opisu wynikało, że powinniśmy pojechać najbliższą drogą wzdłuż jeziora.

– To tu! – krzyknęłam w ostatnim momencie, a Kaj mocno zahamował do skrętu.

– Ojej, to prawdziwa wiejska droga – zauważyłam.

– To ma być trochę na uboczu. Teraz jeszcze jakieś pięć minut. Na szczęście – dodał Kaj, gdyż nagle wpadliśmy na prawdziwe wertepy.

– Jesteś pewien, że mam właściwy strój? – dopytywałam się kolejny raz. Miałam pewne wątpliwości co do moich szmateksowych czarnych spodni, które choć zupełnie nowe, to jednak z modą pożegnały się definitywnie jakieś kilka lat temu.

– No pewnie, że właściwy. To ma być plenerowe przyjęcie. Ognisko, pieczony dzik i takie inne. Bardzo ładnie wyglądasz, Nelu, naprawdę – powiedział krzepiąco Kaj i pogłaskał mnie po kolanie.

Dobrze mu było tak mówić. Miał na sobie superdrogie dżinsy i wyglądał w nich nieprawdopodobnie zgrabnie.

Po chwili wjechaliśmy w alejkę, a u jej wylotu widoczny był szczyt budynku.

– No, ładna historia – gwizdnął Kaj.

Tego, co w upalnym sierpniowym słońcu ujrzeliśmy przed sobą, w żadnej mierze nie można było nazwać domkiem letniskowym. Rezydencję Warskich ustawiono w kształcie litery L. Wyższa część centralna sprawiała wrażenie głównego zamku, podczas gdy podzamcze po lewej stronie połączono z resztą przeszklonym aneksem, w którym wyraźnie można było dostrzec roślinność tropikalną.

– Wracajmy – jęknęłam.

– Chyba żartujesz. Patrz, ilu ludzi już przyjechało.

Spojrzałam na wprost przeładowany najbardziej drogimi i szpanerskimi wozami parking. Ledwie zdążyliśmy wysiąść z samochodu, gdy podbiegła do nas dobrze mi znana (spod rododendrona) długonoga blondynka w letniej sukience na ramiączkach. Wyglądało na to, że wybaczyła już Kajowi wcześniejsze nieporozumienia, bo natychmiast zawisła na jego szyi.

– Nelu, to jest Ewelina – powiedział, próbując oswobodzić się z jej uścisków.

Ewelina zaszczyciła mnie przelotnym uśmiechem i trajkotała jak najęta.

– Cudownie, że już przyjechałeś. To będzie kapitalna impreza. Ilona kazała mi cię natychmiast przyprowadzić.

– Ewelina jest najlepszą przyjaciółką Ilony. Żyć bez siebie nie mogą – objaśnił mi Kaj, a ja już niczego nie rozumiałam z tych „przyjacielskich" powiązań.

– Najpierw jednak pokażę wam, gdzie będziecie spali – powiedziała Ewelina i pociągnęła Kaja za rękę.

Wyznaczono nam lokum w parterowym budynku „podzamcza", które okazało się prawie niezależnym mieszkaniem, składającym się z dużego jasnego pokoju i łazienki. Ewelina zostawiła nam klucz i rozkazała natychmiast dołączyć do towarzystwa. Za chwilę będzie lekki posiłek.

– Cholera. Są dwa łóżka – zauważył Kaj, stawiając na podłodze nasze torby. – Musimy je natychmiast zsunąć.

Wyjrzałam przez okno i zobaczyłam przed sobą metalicznie połyskującą taflę jeziora. Kaj stanął za mną i położył mi ręce na ramionach.

– Nie martw się. Będzie fajnie – powiedział, a kiedy obróciłam się w jego stronę, pocałował mnie. Wolno przeniósł się na jedno z łóżek, a potem wsunął rękę pod moją koszulkę polo. Nadal nie mogłam pojąć, dlaczego tak silnie reaguję na każde jego dotknięcie.

– Nie przeszkadzam? – usłyszeliśmy nagle czyjś głos i odwróciliśmy się w stronę drzwi.

Ubrana w obcisłe spodnium stała nad nami, jak kat nad dobrą duszą, Ilona Warska. Jej pulchna szyja otoczona była bursztynową kolią, a każda z rąk srebrnymi bransoletami. Zapach duszących perfum Ilony tak nagle zredukował poziom tlenu w powietrzu, że zaczęłam się dusić od kaszlu.

Usiedliśmy na łóżku. Zauważyłam, że Kaj jest siny z wściekłości.

– Mogłaś chyba zapukać! – warknął do Ilony.

– Przecież dopiero weszliście – zauważyła. – Chciałam was tylko zabrać na lunch. Już prawie wszyscy są. Tylko Piotr dojedzie trochę później. I co, idziecie?

Kaj jednak nadal nie był zadowolony.

– Poza tym chciałbym wiedzieć, co tu jest grane. Powiedziałaś, że mają być ubrania na ognisko, a tutaj co się dzieje? Jakiś festiwal w Cannes czy co?

Ilona roześmiała się przy akompaniamencie trzepotu rzęs.

– No wiesz, Kaj... Oczywiście, że będzie potrzebne ubranie na ognisko. Ale wiesz, jak ludzie podchodzą do naszych przyjęć. Co ja zrobię, że się tak ubrali. – Zmierzyła teraz pogardliwym wzrokiem moje spodnie. – Ale przecież Anieli nie przeszkadza nieodpowiedni strój. Sam mówiłeś, że ma w sobie naturalne piękno – zwróciła się do Kaja, który słysząc te słowa, okropnie poczerwieniał.

– Uważaj, Ilona.

Zostało to powiedziane cicho, ale na Ilonie zrobiło natychmiast wrażenie. Jej twarz nagle znieruchomiała.

– Przepraszam za nieporozumienie. Proszę, chodźcie już. Wszyscy czekają.

Kaj ruszył przodem, a Ilona, czekając na moje wyjście, rzuciła po cichu:

– Jeśli źle się czujesz, to mogę ci pożyczyć coś z własnych ciuchów.

Starając się nie rozmyślać nad tym, co on jej opowiadał na mój temat, minęłam Ilonę w milczeniu i dołączyłam do Kaja.

Goście zabierali się już do nakładania na talerze przeróżnych kolorowych dań, porozkładanych na stołach w cieniu parasoli słonecznych.

– Kaj!

Jego wejście wywołało poruszenie wśród damskiego towa
rzystwa, które błyskawicznie nas rozdzieliło.

– Dzień dobry, Nelu.

Odwróciłam się i natrafiłam na ciepły uśmiech Bogdana
Warskiego. Oprócz Kaja był jedynym mężczyzną w dżinsach.

– Prawdziwy cyrk – powiedział i pocałował mnie w policzek. – To miała być skromna impreza dla kilkorga przyjaciół – westchnął. – Napijesz się wina?

Skinęłam głową. Wolałam już wino zamiast tego manew-
rowania talerzem w powietrzu. Wprawdzie nieopodal dostrzegłam ustawione stoliki z krzesłami, ale nie wiedziałam,
czy powinnam oddalać się od Kaja. Bogdan jednak rozwiązał
mój dylemat.

– Porwę ci Kaja na chwilę – powiedział, podając mi kieliszek. – Chcę, żeby porozmawiał z paroma osobami.

Posiedziałam kilka minut przy stoliku, sącząc wolno białe wino i przyglądając się całemu towarzystwu. Po dolicze-
niu się pięćdziesięciu osób zobaczyłam, że Kaj daje mi znaki. Rozmawiał właśnie z jasnowłosym mężczyzną koło czter-
dziestki.

– To jest Piotr, a to moja Nela – przedstawił nas, po czym
powrócił do rozmowy. – To jest naprawdę świetny rok. Mamy
sporo zamówień ze Stanów, bo Ameryka oszalała na punkcie
bursztynu po projekcji *Parku Jurajskiego*, ale oczywiście, jeśli
warunki byłyby korzystne, to moglibyśmy...

– Nie chcę wam przeszkadzać – powiedział Piotr – ale
może moglibyśmy gdzieś usiąść i porozmawiać.

– Jasne – odpowiedział Kaj i zwrócił się do mnie. – Nelu,
wybaczysz mi? Za chwilę pójdziemy się wykąpać, dobrze?

Czekając na Kaja, zdążyłam porozglądać się trochę po rezydencji Warskich i stwierdzić, że oprócz budynków mieszkal-
nych posiadała kryty basen, korty i stajnię na kilkanaście

koni. Najbardziej w stajni zaskoczyło mnie urządzenie nazwane „solarium".

– Czy konie też się mogą opalać? – zapytałam stajennego.

– To nie na opalanie, tylko na rozgrzewanie mięśni. Ale to pomysł pani Ilony. Ona zrobi wszystko dla ogierów – odpowiedział i zaśmiał się z własnego dowcipu. – Tu konie mają lepiej od ludzi. Widzi pani tę złotą mozaikę na ścianie?

Aha, była. Od drzwi wejściowych aż do końca stajni, jakieś pięćdziesiąt metrów.

– To z Hiszpanii. Jedna taka kompozycja kosztuje pięćset złotych – uświadomił mnie z drwiną stajenny, szczotkując sierść czarnego jak smoła ogiera o spojrzeniu seryjnego mordercy.

– Jezu! – wyrwało mi się.

– No właśnie. A wie pani, ile te konie są warte?

Ponieważ uznałam, że stajenny jest przyjazną duszą, zadałam pytanie:

– A pan Bogdan to czym się zajmuje?

Stajenny wywrócił oczami.

– Nie wie pani? To jest biznesmen. On ma spółek więcej niż tutaj koni. Ale to dobry człowiek. Ma wielkie serce i wszystkim się przejmuje. Ludzie za niego to by w ogień poszli.

– A pani Ilona?

– No cóż, nie ma róży bez kolców – mruknął tylko pod nosem i odwrócił się ode mnie.

Kiedy wyszłam ze stajni, okazało się, że zgromadzone na dziedzińcu towarzystwo już się rozpierzchło, a od strony jeziora słychać było podniecone krzyki.

Szłam w kierunku pokoju, aby się przebrać w kostium, gdy nagle zobaczyłam, jak zdenerwowana Ilona ciągnie gdzieś za sobą Ewelinę. Instynktownie ruszyłam za nimi. Weszły do aneksu od strony dziedzińca, natomiast ja przemknęłam w kierunku naszego pokoju. Licząc na to, że nie poszły w głąb budynku i zatrzymały się w aneksie, uchyliłam lekko drzwi z korytarza. Nie pomyliłam się. Stały obok jakiejś palmowatej rośliny.

– Po co mnie tu ciągniesz? Wszyscy poszli się kąpać – skarżyła się Ewelina.

– Po to, że masz coś zrobić z tą niedojdą, z którą przywlókł się Kaj.

– Czego się wściekasz? Przecież musiał z nią przyjechać. Sama tego chciałaś. To był twój pomysł, żeby Kaj znalazł jakąś dziewczynę z zewnątrz. Miał się z nią wszędzie afiszować, żeby nie było podejrzeń – mówiła spokojnie Ewelina.

– Ale on ją posuwa – syknęła Ilona. – Tego nie było w ustaleniach.

Ewelina wybuchła śmiechem.

– Znasz przecież Kaja. Pewnie nie mógł się powstrzymać.

– Przestań, Ewelina. To jest wyłącznie twoja wina.

– A niby czemu?

– Temu – warknęła Ilona. – To ty miałaś obstawiać Kaja, ale tobie zachciało się czegoś więcej.

Ewelina była bardzo rozbawiona.

– No, wiesz. To taka z ciebie przyjaciółka? Nie należało mi zdradzać takich pikantnych szczegółów, tobym nie nabrała na niego ochoty.

– Ewelina!

– No co? Rzeczywiście miałaś rację. Robi to bosko. Zwłaszcza od tyłu.

– Zupełnie nie rozumiem, dlaczego ja się z tobą jeszcze zadaję. Dlaczego sypiasz ze wszystkimi moimi facetami?

– Nie ze wszystkimi – zaprotestowała nagle Ewelina.

– Nie?

– Nie. Pozostał jeszcze Wielki Inkwizytor.

Nagle zapadła cisza, a potem dosłyszałam głos Ilony:

– Zabiję cię, jeśli ruszysz Bogdana.

A potem w palmiarni słychać było już tylko histeryczny śmiech Eweliny.

Na nogach z waty doszłam do naszego pokoju i bezszelestnie przekręciłam klucz w zamku. Jezu, jeśli Lusia była eks--prostytutką, to te dwie są prawdziwymi dziwkami!

Nerwowo szukałam wzrokiem szafy, w którą mogłabym się wcisnąć, gdy nagle do pokoju wpadł Kaj. Jeszcze ociekał wodą po kąpieli.

– Wszędzie cię szukam. Gdzie tak długo byłaś?

Zanim zdążyłam zaprotestować, pociągnął mnie nad jezioro.

Wróciliśmy dopiero po siódmej, kiedy zaczęło się robić chłodno. Na plaży nie miałam ani chwili spokoju, aby zastanowić się nad podsłuchaną rozmową. Czy powinnam skonfrontować ją z Kajem? Moją zafrasowaną minę odczytywał jako urazę za zbyt długie zostawienie mnie samopas i teraz usilnie starał się nadrabiać zaniedbanie. Nie dał się nawet odciągnąć ode mnie Ewelinie, która namawiała go na przejażdżkę kajakiem.

Po kilkugodzinnym plażowaniu towarzystwo mocno wygłodniało i widok obracanego na rożnie dzika wywołał entuzjazm.

– Chciałabym z tobą porozmawiać, Kaj – poprosiłam, kiedy weszliśmy do pokoju.

– Kochanie, może trochę później. Muszę jeszcze skończyć rozmowę z Piotrem. Szykuje się doskonały interes. – Kaj był w wyśmienitym humorze. – Jeśli wyjdzie, to kupię ci coś niesamowitego.

– Mówiłam, że nie chcę nic od ciebie – burknęłam nieco niegrzecznie.

– Wiem, wiem, moja ambitna dziewczynko. Ciągle zapominam, że ciebie interesują wyłącznie dary w naturze.

Tego już było za wiele. I choć Kaj powiedział to w bardzo żartobliwym tonie, uderzyłam w płacz.

– Nelu, nie płacz! Co ja takiego powiedziałem? – Nagle się zastanowił. – A może Ilona powiedziała ci coś niemiłego?

– Nie. – Zwróciłam się do poduszki.

– Nie zwracaj na nią uwagi, dobrze? Ilona jest bardzo specyficzną osobą, obdarzoną dwoma talentami. Jeden z nich to umiejętność pisania programów komputerowych. Może na to nie wygląda, ale jest bardzo zdolnym informatykiem.

Nie zamierzałam się dopytywać, na czym polega jej drugi talent, i poprawiwszy makijaż, poszłam z Kajem.

Właśnie odbywało się oddzielanie mięsa dzika od jego biednych kości. Piwo lało się strumieniem, a towarzystwo, tym razem poprzebierane w spodnie, stawało się coraz bardziej swawolne.

– Ilona. Robi się zimno. Jak my przetrzymamy tę noc? – skarżyła się jedna z niewiast.

– Spokojnie. Za chwilę będzie gorąco. A na osoby wyjątkowo wyziębione czeka sauna.

– Sauna?

– Tak, jest włączona. Pójdziemy tam później, prawda, Kaj? – Lekko przejechała ręką po jego ramieniu.

– Z tobą, Ilona, byłoby mi tam za gorąco – odpowiedział Kaj i zgromadzeni wybuchnęli śmiechem.

Ilona spojrzała na niego swoim wymownym spojrzeniem i odeszła do innych gości.

Do mnie przyczepił się pan Rysio. Jeden z takich, którzy mają zdanie na każdy temat i tylko ono jest jedynie słuszne. Niezależnie od tego, jaki temat był poruszany, Rysio natychmiast wyskakiwał z własnym nieproszonym komentarzem, po czym kierował rozmowę na sprawy interesujące jego, czyli handel butami. Wkrótce wszyscy postanowili się go pozbyć, a ponieważ ja, pogrążona we własnych myślach, stanowiłam wdzięcznego słuchacza jego monologu, przyczepił się do mnie jak guma do żucia do obcasów.

– U nas naprawdę liczą się tylko buty włoskie i hiszpańskie. Ale mój pomysł...

Kaj zaplanował to wszystko z Iloną. Była jego kochanką, a jednocześnie żoną jego przyjaciela, z którym łączyły go interesy. Aby nie budzić podejrzeń, zaangażowali Ewelinę jako dziewczynę Kaja. Kiedy ona zaczęła robić się namolna, stwierdzili, że trzeba rozejrzeć się za kimś innym. I wówczas Aniela, nieopierzony James Bond, prowadząc swoje tajemne gry, nagle stała się sama ofiarą takowej.

– Kupiłabyś chińskie buty?
– Jeśli byłyby to tenisówki, to tak...

Aniela była z „innej półki” i nie groziło tu podejrzenie zmowy. Poza tym była taka chętna i nie wysuwała żadnych roszczeń. Nie było trudno zamącić jej w głowie, żeby natychmiast nie zapomniała o swoich zamierzeniach. *Nie, nie Sebastian, Kaj jest zupełnie niewinny.*

A jakie mamy dowody? Tak, Wysoki Sądzie. List od Ilony znaleziony w biurku, w którym była mowa o ich wspólnym planie. Własne zapiski Anieli „spod rododendronu” i na koniec rozmowa tych dwóch... Werdykt nasuwał się sam. „Magiczna pałeczka” mogła od jutra wracać do swojej pani.

– Ale pomyśl, jakie to daje rewelacyjne możliwości!
Nie byłam już w stanie wysłuchiwać pana Rysia i pod-

niosłam się z krzesła. Zauważyłam, że Kaj rozmawia z Eweliną i nie wydaje się z tego powodu nieszczęśliwy.

– Pójdę włożyć sweter – wyjaśniłam, dopijając piwo, i pomknęłam w stronę domu, po drodze wyrzucając do kosza tackę po dziku. Dziwne, w zasadzie nie powinnam mieć apetytu, ale ten dzik rozpływał się wprost w ustach.

Odważnie postanowiłam tym razem zwiedzić „zamek". Jeszcze nigdy w życiu nie oglądałam żadnych rezydencji. To jest, Anita, twoje życiowe doświadczenie, mówiłam sobie, czując, jak mnie zaczynają szczypać oczy.

Weszłam prosto do ogromnego salonu w kolorze ciemnozielonym, zastawionego w dużej części skórzanymi meblami, i trafiłam na Wielkiego Inkwizytora. Stał pośrodku pokoju i przypatrywał się powieszonemu nad kominkiem obrazowi olejnemu. Trochę mnie zdziwiło, że wydając tak duże przyjęcie, trzyma się cały czas jakby na uboczu.

– I jak ci się podoba ten obraz? – zapytał, kiedy się do niego zbliżyłam.

Spojrzałam w górę, patrząc na abstrakcyjną kompozycję w kolorze wymiocin, i roześmiałam się.

– To przecież wczesny Sebastian.

– Sebastian? A tak! To jego. Znasz go?

– Trochę – odpowiedziałam wymijająco. – Znał mojego byłego męża. A pan go zna?

– Trochę dla mnie pracował. – Zawahał się przez chwilę. – Ale dlaczego ty do mnie mówisz pan. Chyba nie jestem taki stary, co?

– Nie, nie... skąd. – Zaczerwieniłam się nagle po czubek głowy. – Przepraszam cię, Bogdan. A obraz – dodałam szybko – wydaje mi się, że Sebastian maluje już dużo lepsze, ale... – rozejrzałam się dokoła – kolorem pasuje do tego wnętrza.

– Tak mi się też wydawało. Ilona nie powinna go więc stąd wyrzucić. Widzisz, to ona urządzała ten dom.

Pozostawiłam to bez komentarza. Warski przez chwilę mi się przyglądał.

– Mamy zatem wspólnych znajomych.

– Na to wygląda.

– Wydaje mi się, że cię już wcześniej widziałem.

To niesamowite, bo ja też cały czas miałam takie odczucie.

– Czy nie używasz też imienia Anita?

– Tak.

– No to jasne. Opiekowałaś się moją sparaliżowaną ciotką.

– Panią Krysią?

– No właśnie. Tak nagle przestałaś do niej przychodzić, a ona cały czas cię wspomina.

Ja też ją miło wspominałam. Była przeuroczą starszą panią. Rzeczywiście kilka razy minęłam się w drzwiach z jej siostrzeńcem, o którym zawsze tak ciepło się wyrażała. Więc to był on. Bogdan Warski.

Z wypiekami na twarzy wypytywałam Bogdana o jego ciotkę. Tak, chętnie ją znów odwiedzę. Zrezygnowałam wówczas z tej pracy, bo znalazłam inną, poza tym kończyłam studia. To był gorący okres.

– Ona się bardzo ucieszy na twój widok. Od tamtej pory nie znalazła nikogo, kto by ci dorównał. Chętnie wziąłbym ją do swojego domu, jak widzisz, mam ku temu dobre warunki, ale niestety...

Nagle w salonie pojawiła się Ilona i widząc mnie na kanapie z Bogdanem, wyraźnie skrzywiła twarz.

– Nigdzie nie mogłam cię znaleźć – oświadczyła z pretensją w głosie.

– Ucinamy sobie z Nelą pogawędkę i okazało się, że mamy wspólnych znajomych.

– Tak? – Ilona była wyraźnie zdumiona, że może mnie coś łączyć z jej mężem.

– Pamiętasz tę Anitę, o której zawsze opowiada ciocia Krysia? To jest właśnie Nela. Pracowała u niej kilka lat temu.

Ilona otworzyła szeroko usta i za sekundę rozbłysła w olśniewającym uśmiechu.

– A! Już wiem! To ta sprzątaczka. A to świetna historia. Muszę wszystko opowiedzieć Kajowi.

– Nie! – wykrzyknęłam, podrywając się z kanapy.

Bogdan złapał mnie za rękę.

– Nie daj się sprowokować – powiedział, patrząc mi prosto w oczy, ale mu się wyrwałam i pobiegłam za Iloną.

Było już dość ciemno, ale ustawiony obok rożna podest do tańca oraz barek oświetlone były małymi lampkami choinkowymi.

Rozejrzałam się wokół, lecz ani wśród tańczących, ani wśród pijących nie dostrzegłam nigdzie Kaja.

– Naprawdę nie kupiłabyś chińskich butów? – Drogę zastąpił mi pijany jak bela Rysio.

– Nie. Sprowadź ryż. Dużo ryżu! – krzyknęłam mu do ucha i pobiegłam przed siebie.

Zobaczyłam ich za stajnią. Widać było, że rozmawiali ze sobą, tylko że jej ramiona zawieszone były na jego szyi, natomiast jego ręce spoczywały na jej pośladkach. A teraz gładziła go po twarzy. Uciekłam, nie chcąc oglądać dalszego ciągu. Zanim pomyślałam, co mam robić, rozpoczęłam Wielką Ucieczkę drogą prowadzącą z rezydencji.

Byłam na siebie wściekła, że wcześniej nie opuściłam tego piekielnego miejsca. Powinna była mi wystarczyć ta rozmowa w oranżerii. Na co liczyłam? Jaka byłam głupia! Hola, hola. Może jednak nie do końca. Może niepotrzebnie miałam skrupuły, że zrobiłam odciski domowych kluczy Kaja. Powinnam sobie teraz przypomnieć, że przecież nie planowałam żadnego love story. To miał być wyłącznie wątek kryminalny. Więc po co teraz leję łzy jak skończona idiotka. Wiem już, kto on zacz, i muszę doprowadzić sprawę do końca. Może wystarczą mi jego zapiski z 1993 roku. Obiecałam Sebastianowi. Nie rycz, idiotko! Byłam teraz zła na siebie. Odechce ci się, Kaj, takich numerów! Spróbowałbyś zrobić coś takiego carycy Katarzynie czy też Elżbiecie I. Twoją obciętą głowę i coś jeszcze przyniesiono by jej na tacy na śniadanie. One wiedziały, co robić z niewiernymi kochankami.

Nagle światło jadącego od rezydencji samochodu sprawiło, że rzuciłam się w przydrożne krzaki. Samochód zahamował kilka metrów przede mną. Wysiedli z niego Bogdan Warski i Piotr, klient Kaja. Zamienili ze sobą kilka słów, po czym otworzyli bagażnik. Uniosłam ciekawie głowę, ale dostrzegłam w nim tylko jakieś kartony. Po chwili Piotr ponownie wsiadł do samochodu, a Bogdan wrócił do rezydencji na piechotę. Nie wiem, co we mnie wstąpiło, żeby nie ujawniać przed nim mojej obecności. Chyba głupio tak znienacka wyleźć z krzaków? Poza tym wiedziałam, że mam rozmazany makijaż. Leżałam w krzakach do chwili, gdy zniknął za zakrętem. Podniosłam się wówczas z ziemi i podjęłam decyzję. Zamierzałam wracać do Warskich. Kaj miał to, na co zasłużył – romans ze sprzątaczką.

Nie potrafiłam już iść zwykłą, wydeptaną drogą i skręciłam nad jezioro. Taki szybki spacer może trochę uspokoi nerwy. Nie dany mi był jednak spokój. Przedzierając się przez krzaki, niemal wpadłam na Ewelinę, którą na ziemi żywiołowo obracał miłośnik chińskich pantofli, Rysio. Miałam szczerą nadzieję, że żadne proszki nie spiorą śladów trawy z jej przykrótkiej kiecki.

Zamiast się uspokajać, coraz silniej pragnęłam zemsty.

Najlepiej za pomocą broni palnej. Żegnaj, spokojna, dobra Anielo. Dosyć już wchodzenia mi na głowę. Przebrała się miarka. Witaj, żądna krwi Furio!

Nagle w ciemnościach znowu na kogoś wpadłam.

– Nela! To ty? – usłyszałam głos Bogdana, który włączył latarkę i skierował światło na siebie.

Zobaczyłam, że zmienił dżinsy na dwuczęściowy roboczy kombinezon i długie gumiaki. W ręku trzymał wiadro i wędkę.

– Niestety, tylko ja – mruknęłam pod nosem i chciałam iść dalej.

– Widzę, że znudziła cię impreza. Mnie też i już się zabieram.

– Dokąd?

– Na rybki, Nelu. To najlepszy relaks na świecie.

Odwracałam się już do odejścia, gdy nagle coś mi wpadło do głowy.

– A mogę pójść z tobą?

– Jeśli się nie znudzisz – odpowiedział, ale z jego głosu wyczułam, że jest zadowolony.

Nuda. Nie ma takiego pojęcia w słowniku osoby, która przez trzy lata była „salową" w muzeum i hafciarką od urodzenia. Łowienie ryb przy tym to zapewne ekscytująca przygoda.

– No to chodź. Mam nawet dwie wędki.

Pomost rybacki Bogdana znajdował się około kilometra od domu. Nie słychać tam było przyjęciowego gwaru, jedynie od czasu do czasu ciszę znad jeziora przerywały dzikie okrzyki.

– Ale się urżnęli – zauważył Bogdan. – Tylko dlaczego muszą to robić na mój koszt?

Podziwiałam jego filozoficzny spokój, kiedy rozkładał swój stołek rybacki i wyciągał sprzęt. Nad jeziorem w świetle księżyca było dość jasno. Ze wstrętem obserwowałam, jak Bogdan wciąga robaka na haczyk.

– Kaj może się niepokoić, że cię nie ma – zauważył, zarzucając wędkę.

– Nie wiem – odpowiedziałam i zamilkłam.

Akurat się niepokoi. Zapewne siedzi z Ilonką w saunie. Miałam nadzieję, że zepsuje się im termostat i ugotują się żywcem.

– Chcesz spróbować? – spytał Bogdan i podał mi drugą wędkę. – Patrz na spławik, czy nie bierze, ale oczywiście poczujesz również szarpnięcie.

OK. Jeśli tylko on będzie nabijał na stal te nieszczęsne drobne stworzenia, to ostatecznie mogłam trzymać wędkę. Poza tym takie siedzenie z kijem w wodzie rzeczywiście uspokajało.

– Nie powinnaś być zła na Kaja – odezwał się nagle Bogdan.

– A jestem?

– Pewnie, że jesteś – zaśmiał się. – Ilona próbuje nim manipulować, ale on się nie da. Widzisz, Kaj jest mocno zagubiony w tej naszej rzeczywistości. Przyjechał tu parę lat temu i choć biegle mówi po polsku, nie wszystko rozumie. Z kobietami też mu się nie układa.

Jezu, jeśli za chwilę usłyszę, że Bogdan dla dobrego samopoczucia przyjaciela podnajmuje mu żonę, to rzucę się z tego pomostu do wody.

– Dlaczego? – spytałam szeptem. – Dlaczego mu się nie układa?

– Bo zanim poznał ciebie, spotykał same niewłaściwe.

– A ja co, jestem niby ta właściwa. – Zaśmiałam się lekko.

– Nie staraj się być cyniczna. Wiem o tobie bardzo dużo od ciotki Krystyny i wiem, że się bardzo od nich różnisz.

– Zauważyłam to dzisiaj. Jako jedyna miałam na sobie stare spodnie.

– I widzisz, jak ci się przydały. – Zaśmiał się, patrząc na moje dyndające nogi.

Siedzieliśmy dłuższy czas w ciszy, a ryby nie brały. Zaczynało się robić zimno.

– Masz, napij się. – Bogdan podsunął mi pod nos piersiówkę.

– Co to? – Prawie się zakrztusiłam, próbując.

– To bardzo dobra whisky, single malt, moja ulubiona na ryby.

– Mogę jeszcze spróbować? – poprosiłam.

Tym razem rozmyślając o krwawej carycy Katarzynie, delikatnie rozprowadziłam trunek po języku. To było całkiem niezłe.

– Ilona też cię zdenerwowała – zauważył nagle Bogdan.

– Kiedy oświadczyła, że powie Kajowi, że byłam sprzątaczką, to...

Bogdan odwrócił się w moją stronę i delikatnie pogładził mnie po policzku. Spojrzałam mu w oczy, a on się uśmiechnął, marszcząc przy tym nos.

– Przecież to nic takiego, nawet jeśli byłaś sprzątaczką. Nieraz to sam robiłem. Kiedyś w Niemczech szorowałem nawet klozety, i co z tego. Myślisz, że Kaj całe życie szlifował diamenty? Niech ci kiedyś opowie o swoich pracach w Ameryce.

– Ja wiem, ale ona tak to powiedziała...

– Nelu, bardzo mi przykro, ale ona taka już jest. Można się mnie zapytać, czy to wiedziałem, kiedy się z nią dziesięć lat temu ożeniłem. No więc nie wiedziałem – wychylił kolejny łyk z piersiówki – nie wiedziałem. Poza tym człowiek w młodości zwraca uwagę na jedne sprawy, a o drugich w swej naiwności nie myśli. „Młodości czar" – zanucił.

– Nie boisz się, że wystraszysz ryby? – spytałam.

– A myślisz, że tu są?

– A kto ma wiedzieć, ja tu nie mieszkam – odpowiedziałam, po czym wspólnie odśpiewaliśmy *Morskie opowieści*.

Było mi coraz weselej. A może Kaj nie był taki zły? Może już skończył z Iloną, a ona nadal go prześladowała? Szkoda jednak, że nie poczekałam przy stajni na dalszy ciąg wydarzeń. Wtedy wiedziałabym na pewno.

– Jest super! – powiedziałam, lekko zaciągając. – Łowienie ryb stanie się pasją mego życia. Dotychczas jedynie haftowałam – przyznałam się Bogdanowi – ale to zajęcie dobre tylko dla bab.

– Słusznie, Nela, słusznie. Musisz się zabrać do czegoś męskiego – zaśmiewał się Bogdan, kołysząc się na stołku. – Bardzo mi się podobasz, wiesz?

– Ty mi też. – Zauważyłam, że mam dziwnie ściągnięte szczęki.

Caryco Katarzyno, na pal ich wszystkich!

– Naprawdę?

– Jasne.

Wymachiwałam teraz wędką beztrosko i ciągnęłam ją po wodzie.

– Powinniśmy zatem uciec. – Bogdan wstał ze stołka, który dziwnym trafem nagle znalazł się w wodzie. – Nieważne. Uciekamy od nich! – zarządził i ruszył w moim kierunku, aby mnie porwać w ramiona.

Byłam gotowa na wszystko, lecz nagle zobaczyłam, że z moim spławikiem dzieje się coś dziwnego.

– Bogdan, ryba bierze! – wrzasnęłam.

– Nela, spokojnie, spokojnie, trzymaj ją. Jak poczujesz, że się nadziała, to ją ciągnij.

– Skąd mam to wiedzieć? – Byłam mocno podekscytowana, czując na końcu wędki coś ciężkiego.

– Ciągnij!

– Bogdan, to wieloryb! Pomóż.

Zanim jednak dotknął mojej wędki, udało mi się unieść rybę nad powierzchnię wody. Może nie był to wieloryb, ale w każdym razie gigantyczna ryba!

– To szczupak! Ogromny szczupak! Nela, nie puszczaj. Jestem zbyt pijany, żeby ci pomóc.

– Łap ją! – wrzasnęłam, wrzucając rybę w ramiona Bogdana. Ale mój zamach był tak gwałtowny, że zaczęłam tracić równowagę. Krawędź pomostu niebezpiecznie się zbliżyła. – Ratunku! – zdążyłam krzyknąć, zanim z wielkim pluskiem zapadłam się w ciemne wody Jeziora Kamiennego.

„Hej ho, hej ho, do lasu by się szło". Gromkie głosy złączone w duecie budziły ze snu uśpione ptaki. Nagły błysk światła przeszył mrok lasu.

– Tu jesteście!

Bogdan odwdzięczył się światłem naszej latarki.

– A wy tu!

Przed nami stała Ilona z Kajem.

– No, ładna historia – powiedziała Ilona, kręcąc głową z niesmakiem.

– Co się stało Neli? Jest cała mokra – zauważył Kaj.

– Spadła z pomostu – wyjaśnił Bogdan.

– To i tak masz szczęście. Przy mnie od razu skręciła sobie nogę – powiedział Kaj i zbliżył się do mnie. – Pewnie jest ci zimno.

Byłam ubrana w górę kombinezonu Bogdana, a w żołądku buzowała mi single malt w połączeniu z piwem i winem. Nie było tak źle.

– Patrzcie, jaką Nela złapała rybę – oświadczył Bogdan.

Była większa niż wiadro i strasznie żywotna. Kiedy Bogdanowi udało się wyciągnąć mnie z wody, skrócił jej męki konania kilkoma uderzeniami o pomost.

– Naprawdę sama ją złowiłaś? – podziwiał mój wyczyn Kaj.

– Mogliście powiedzieć, że macie nas dosyć i idziecie na ryby. Wszędzie was szukaliśmy. Jest już druga godzina.

Ilona była coraz bardziej wściekła, szczególnie kiedy Kaj objął mnie ramieniem i pocałował.

– Martwiłem się o ciebie.

– A nam było tak fajnie – zachichotałam.

– W dodatku są kompletnie pijani. Wionie od nich na odległość. – Ilona się skrzywiła.

– Wcale nie pijani, tylko podchmieleni – powiedział Bogdan.

– Wcale nie podchmieleni, tylko pijani... zwycięstwem nad rybą o nazwie... Jak ta ryba się nazywała? Szprotka czy co? – Nie mogłam sobie przypomnieć. Coś na „sz".

Kaj był rozbawiony i ciągnął mnie w stronę „podzamcza".

Ilona szła przodem, a za nią posłusznie dreptał Bogdan.

– Poczekaj. To twoje! – Zdjęłam górę od jego kombinezonu.

– Dopiero teraz się rozbierasz. A ja, dziewczyno, czekałem na to przez tyle godzin – wymamrotał Bogdan i złapał mnie w ramiona, a potem pocałował w usta. – Musimy się znowu umówić, dobrze? – poprosił, odtrącając ręką próbującą nam przeszkadzać Ilonę. – Obiecasz mi?

Polegaj na mnie jak na Zawiszy. Nie, chwileczkę, ja byłam przecież carycą Katarzyną.

– Ja muszę do łazienki – oświadczyłam Kajowi, jak tylko weszliśmy do pokoju.

Nagle zaczęłam szczękać z zimna zębami i aby się rozgrzać, nalałam pełną wannę gorącej wody. Wskoczyłam do niej, parząc sobie skórę na pupie.

– Ojej, ojej!

– Nela!

A on co, stał tam pod łazienką? Caryca Katarzyna, mruczałam do siebie zadowolona, a Kaj walił w drzwi.

– Źle się czujesz?

– Nie, nie, wspaniale – rzuciłam na odczepnego, licząc, że przestanie forsować dzielącą mnie od niego przeszkodę.

Po blisko półgodzinie wynurzyłam się z łazienkowych czeluści rozgrzana, rumiana, pachnąca i ubrana w przygotowaną wcześniej piżamę, a pod drzwiami od razu natknęłam się na Kaja. Czy on tu stał cały czas?

– A to co? – Wskazał na moją szarą flanelową piżamę.

– To jest mój strój wycieczkowo-nocny – odpowiedziałam beztrosko i wskoczyłam do stojącego przy ścianie łóżka.

– Ty jesteś niesamowita. Jedzie na weekend z kochankiem, a na noc zabiera ze sobą coś tak aseksualnego.

– Trudno – odpowiedziałam, nadal czując działanie whisky – ale za to jest ciepła i milutka.

Za plecami słyszałam jakiś szelest i domyśliłam się, że to Kaj bije rekord świata w szybkości rozbierania się. Po chwili coś ciężkiego opadło mi na piersi.

– Rzeczywiście jest bardzo milutka. Można się do niej tulić – szepnął.

– Miałam rację – wymamrotałam sennym głosem i bezwiednie dotknęłam włosów Kaja.

Natychmiast jego twarz pochyliła się nade mną.

– Nela, moja Nela. Tak się o ciebie niepokoiłem. Nawet nie masz pojęcia jak bardzo.

Mruknęłam coś dla niego niezrozumiałego.

– Ilona powiedziała mi, że prawdopodobnie wyjechałaś z Piotrem.

– Ale nie wyjechałam.

Kaj gładził mi teraz policzek.

– Pomyślałem, że jak ty wyjechałaś, to nic tu po mnie, ale wówczas Ewelina wspomniała, że widziała, jak szłaś z Bogdanem nad jezioro.

Podniosłam lekko rękę i dotknęłam jego brwi, w sennym umyśle zastanawiając się nad podzielnością uwagi Eweliny.

– Jesteś bardzo śpiąca?

– Tak, Kaj. Już nie żyję.

Przytulił do mnie twarz i przycisnął usta do mojej skroni.

– Moja mała Nel. Bardzo cię kocham.

– Ja ciebie też, Kaj – odpowiedziałam automatycznie, jednocześnie zdając sobie sprawę z tego, że to jest prawda. Podejrzewałam, że coś już musiało zostać zapoczątkowane w chwili, kiedy po raz pierwszy „wymieniliśmy" spojrzenie przez moją lornetkę. Kochałam tego drania od samego początku. Byłam tego już pewna.

– Kocham cię, Kaj, wiesz? – powtórzyłam, nadal mocno zdziwiona, a jeszcze bardziej tym, że Kaj ma oczy pełne łez.

– Nie wiedziałem, że to jeszcze jest możliwe – powiedział. – I takie silne.

I to jak! Przytuliłam się mocno do jego nagich ramion. No cóż, żegnaj, caryco Katarzyno!

Nagle Kaj sobie coś przypomniał i zerwał się z łóżka, po czym zaczął barykadować drzwi wejściowe.

– To tak na wszelki wypadek, gdyby Ilonie się przypomniało, że nie podlała tu kwiatków!

Rozdział X

Szłam energicznym krokiem w stronę Wrzeszcza. Nawet awaria tramwajów nie była w stanie powstrzymać mnie przed realizacją mojego zamierzenia. Tak, tego dnia postanowiłam wreszcie znaleźć pracę i byłam przekonana, że mi się to uda. Przepełniała mnie euforia i energia, a stan ten utrzymywał się od dwóch dni, czyli od powrotu z letniej rezydencji Warskich. Kaj mnie kochał. Przecież nie musiał mi tego mówić! Gdybym była dla niego jedynie maskaradą wobec Bogdana, nie potrzebowałby wyznawać mi miłości. A jednak to powiedział, a ja całą swoją intuicją i zmysłami czułam, że jest to prawda. Ktoś mnie wreszcie znów kochał, a ja sama... Byłam w nim nieprzytomnie zakochana. Jakież dziecinne i niedojrzałe wydawało mi się teraz moje uczucie do Wiktora. Byłam nim ogromnie zafascynowana jako moim mentorem życiowym, ale nie można tego było nazwać miłością. Teraz przeżywałam pełne upojenie, zarówno psychiczne, jak i fizyczne.

Po krótkim, kilkugodzinnym śnie w pawilonie Ilony obudziłam się tak szczęśliwa, że nie byłam w stanie już zasnąć. Zauważyłam, że Kaj również nie śpi, tylko mi się badawczo przygląda.

– I co widzisz? – spytałam, pocierając palcami jego podbródek.

– Zastanawiam się, jak to się stało, że tak wpadłem. Pewnie dlatego, że rzeczywiście wpadłem na ciebie. Pomyśl, jaki to niesamowity przypadek.

Skierowałam wzrok ku ciemności sufitu. Może naprawdę to był przypadek, że akurat musiałam się w nim zakochać. Co o nim na początku myślałam? Perwersyjny sadysta, złodziej... morderca. A tu raptem miłość, jak w starych filmach.

– Boję się tego – zauważyłam, kiedy przygarnął mnie do siebie.

– Nie musisz się już o nic bać. Wszystkie twoje strachy już minęły.

Pomyślałam wówczas o „ukochanej Ilonie" i nie byłam tego taka pewna. Poza tym – czy byłam dla Kaja wystarczająco ładna?

– Nelu!

– Tak?

– Co byś powiedziała, gdybyśmy się stąd wymknęli, zanim pozostali się obudzą, i pojechali do mnie?

– Zrobiłbyś to? – Zdumiona uniosłam się na łóżku.

Jeśli gotów był na taki krok, to nie powinnam mieć już żadnych wątpliwości.

Mijając kolejny przystanek tramwajowy, uśmiechałam się do siebie, myśląc o minie Ilony, jaką musiała mieć, kiedy następnego dnia nasze „gniazdko" było puste, a na nią czekała kartka z podziękowaniem i dość lakonicznymi przeprosinami ze strony Kaja.

Kocham Kaja. Miałam teraz wrażenie, że nie ma dla mnie rzeczy nieosiągalnych. Jeśli Kaj mnie kocha, to z pewnością jeszcze wszystko jest możliwe. Dlatego też tym razem nie odrzuciłam gazety z ogłoszeniem: „Osobę kreatywną, z wyższym wykształceniem, prawem jazdy, znajomością angielskiego, obsługi komputera zatrudni agencja reklamowa". Tym razem wymóg kreatywności mnie nie przeraził, gdyż byłam wprost przepełniona różnymi pomysłami na każdy temat. To tak, jakby wszystko kumulowało się we mnie przez lata, stale natrafiając na niewidzialną tamę, a teraz kilka słów Kaja uruchomiło mechanizm uwalniający i cała energia zaczęła rozchodzić się dokoła.

Mam nadzieję, że nie rozejdzie się zupełnie, dopóki nie porozmawiam w sprawie pracy, pomyślałam, wdrapując się na drugie piętro budynku, w którym znajdowała się agencja. INTERMEDIA – powitał mnie napis na drzwiach. Zdecydowanym ruchem nacisnęłam na klamkę i weszłam do środka.

Zastałam opustoszałe pomieszczenie, które wyglądało na zagracony sekretariat. Ładna historia, czyżby tymczasem zdążyli splajtować, pomyślałam, rozglądając się za jakimiś znakami prowadzonej tu działalności. Nagle zza niedomkniętych drzwi prowadzących do innego pomieszczenia dosłyszałam stłumione głosy. Podeszłam bliżej i zerknęłam przez szparę.

W sąsiedniej sali odbywało się właśnie zebranie. Kilka osób siedziało wokół okrągłego stołu ze smętnie zwieszonymi głowami. Miałam wrażenie, że obserwuję stypę, i nie bardzo wiedziałam, czy mogę im w tych kontemplacjach przeszkodzić. W końcu siedząca od strony okna okołoczterdziestoletnia kobieta przerwała przedłużającą się ciszę.

– Czy wobec tego mam przekazać klientowi, że nie jesteśmy w stanie niczego wymyślić i że nie mamy żadnego dobrego sloganu na „EB” po angielsku?

– Be, be – mruknął ubrany na czarno młody osobnik.

– Extraordinary Bad – dodał łysy jak kolano gość.

– Mam już tego dosyć. – Kobieta spod okna uderzyła z całych sił w stół. – Jak wy się zachowujecie! Czy nie zdajecie sobie sprawy z tego, co to zamówienie oznacza? Dadzą je innej, zagranicznej firmie!

– To nie fair, Alicja. Za dużo od nas żądasz. Nie jesteśmy od wymyślania angielskich haseł – wtrąciła się śliczna blondynka.

– Właśnie – przytaknęli pozostali i ponownie pogrążyli się w kontemplacji.

Otworzyłam szerzej drzwi.

– EB or not to be!

Słowa te zelektryzowały ponure towarzystwo.

– Dobre!

– Niezłe!

– Świetne! A na billboardzie jakiś znany polski odtwórca Hamleta trzymający w rękach zaparowaną od chłodu...

– Kto to powiedział? – krzyknęła nagle Alicja.

Wsunęłam się do środka.

– To ja.

Spojrzenia wszystkich spoczęły na mnie i nieco osłabiły mój nagły tupet.

– Kim jesteś, tajemnicza wybawicielko? – zapytał Czarny.

– Nela Lisiecka – chrząknęłam. – Przyszłam w sprawie pracy.

– Jaki jest twój znak zodiaku? – bez chwili wahania spytała Alicja.

– Panna – odpowiedziałam nieco zdziwiona.

Alicja uśmiechnęła się szeroko.

– OK. Masz tę pracę. Panny to najbardziej sumienni pracownicy, a tego właśnie najbardziej potrzebuję. Mam już dosyć leni i nygusów – dodała, rzucając wymowne spojrzenie na zgromadzone towarzystwo. – Możecie sobie już iść. Ja porozmawiam z Nelą.

Patrząc na natychmiastowy, przy akompaniamencie szurania krzesłami, odwrót pracowników agencji, zorientowałam się, że nie poruszyłam jeszcze sprawy zarobków.

– A ile byś chciała?

– Dwa tysiące pięćset – powiedziałam, idąc na całość.

Alicja złapała się za serce.

– Nie mogę zejść niżej – uparłam się, wiedząc jednak, że przesadziłam.

– Ale gdybym zaproponowała ci premię... – zaczęła negocjować Alicja.

Wyszłam z agencji z obietnicą stawienia się do pracy w najbliższy poniedziałek. Chciało mi się krzyczeć z radości i śmiać. Najbardziej chyba z Alicji, która przyjęła mnie ze względu na znak zodiaku. Przecież gdyby nie wypadek mojego ojca, urodziłabym się jako Skorpion! Odkrywałam w sobie coraz więcej cech tego znaku.

Postanowiłam pojechać do Kaja, aby się pochwalić swoim sukcesem. Żałowałam, że Ewa już wyjechała. Mogłabym zaskoczyć ją czymś więcej niż tylko znalezieniem sobie odpowiedniego kochanka! Przed wyjazdem odstawiła scenę czułego pożegnania wnucząt. Byłam wściekła na dzieci, że rozpłakały się rzewnymi łzami. Nawet pozujący na twardziela Mateusz. Muszę się dokładnie zorientować, co ona z nimi robiła przez ten ostatni weekend, kiedy byłam z Kajem u Warskich. Dotąd nie miałam na to czasu. Trzeba było zrobić zakupy szkolne, przejrzeć garderobę dzieci, ugotować obiad, poprasować pościel i... myśleć o Kaju.

Klucząc przez chwilę po korytarzu, dotarłam w końcu do sekretariatu Kaja. Nie zdążyłam zamknąć za sobą drzwi, gdy poczułam, że ktoś pchnął je z zewnątrz.

– Nela! Ty tutaj?! – Bogdan Warski miał nieprawdopodobnie miły uśmiech.

– Pan Warski! – Wiola, sekretarka, stanęła przed nim prawie na baczność. Ignorując mnie zupełnie, wydęła lekko swe

umalowane obłędnie czerwoną szminką usta i powiedziała: –
Szef jest w pracowni i tworzy. Zaraz go zawołam.

– Nie, nie. – Bogdan machnął ręką. – Sami go znajdziemy.

– Oczywiście – odpowiedziała pokornie Wiola. – Czy zrobić panu coś do picia?

Ja nadal byłam dla niej powietrzem.

– Nie, dziękuję. – Spojrzał na mnie. – Dasz się wyciągnąć
na piwo, Nelu?

– Nie wiem, co Kaj... – zaczęłam.

– Jego też wyciągniemy, jeżeli inspiracja mu pozwoli.

Bogdan doskonale znał drogę do pracowni Kaja. Znajdowała się w najdalszej części korytarza, oddzielona od pomieszczeń produkcyjnych przeszklonym przepierzeniem.

– Patrz, artysta w akcji – powiedział Bogdan, a jego prawa
ręka objęła mnie lekko w talii.

Twarz Kaja była niesłychanie skupiona. Trzymał właśnie
w ręku kawałek srebra, który zginał cęgami, a potem zaczął
lutować. Kiedy po chwili wrzucił go, żeby ostygł, do miseczki
z wodą, Bogdan zastukał w szybę. Kaj podniósł głowę i od-
niosłam wrażenie, że nie jest zachwycony naszą obecnością,
gdyż nagle zmarszczył czoło. Ręką wskazał, żebyśmy weszli
do środka.

– Co za niespodzianka! – wycedził, kiedy się do niego
zbliżyliśmy.

– Spotkałam Bogdana w sekretariacie – powiedziałam.

– Ach tak? – Nagle uśmiechnął się, przyciągnął mnie do
siebie i pocałował.

– Nie wiedziałam, że jesteś zajęty – zauważyłam przepraszająco.

– Nie, już nie jestem. Potem skończę – mruknął Kaj i przywitał się z Bogdanem.

Pochyliłam się nad leżącym w misce przedmiotem, który przypominał rozgwiazdę.

– Jakie ładne! – zauważył Bogdan.

– Nie liczy się, czy ładne, czy brzydkie. Ważne, żeby miało charakter – powiedział Kaj i spojrzał na mnie.

Czy on miał na myśli również mnie? Błyskawicznie zastanowiłam się, czy chciałabym być ładna, czy z charakterem, i natychmiast wybrałam jednak to pierwsze.

– Mieliśmy wyjść na piwo – powiedział Bogdan do mnie. – Masz czas, Kaj?

Na wysokim czole Kaja znowu pojawiły się zmarszczki.

– Dosłownie pół godziny. Potem muszę dopilnować wysyłki.

Wpadliśmy zatem do najbliższego ogródka piwnego przy Długiej, a Kaj rozpoczął mowę dziękczynną dotyczącą ostatniej imprezy w rezydencji.

– Szkoda, że tak szybko wyjechaliście – zauważył Bogdan – bo Ilona przygotowała na następny dzień mnóstwo atrakcji. Wprawdzie mnie one ominęły, bo obudziłem się dopiero po południu, ale donieśli mi, że było bardzo miło. A jak ty się czułaś po swoim debiucie wędkarskim, Nelu?

– Wspaniale. – Zerknęłam na Kaja, który zainteresowany był jednak bardziej otaczającymi nas gołębiami. – Zimna kąpiel zdusiła moje upojenie alkoholowe w zarodku.

Kiedy zamilkłam, nastała cisza. Tak, teraz wyraźnie już czuć było dystans Kaja w stosunku do Bogdana. Nagle poczułam się niewyżyta konwersacyjnie.

– Kaj, powiedz mi, dlaczego nie ma w Gdańsku żadnego warsztatu bursztyniarskiego, który mogliby zwiedzać turyści i oglądać, jak się pracuje z bursztynem, dowiedzieć się trochę o jego historii, a potem ewentualnie zrobić zakupy. Przecież mieszkamy w samej stolicy bursztynu, a czy ktoś z młodzieży wie, że w siedemnastym wieku co dwunasty pracujący gdańszczanin był bursztynnikiem?

– No właśnie – dodał Bogdan – w Amsterdamie są otwarte dla turystów szlifiernie diamentów, w Szkocji destylarnie whisky...

– Tak, a w Szwecji huty szkła i co z tego? – wtrącił mało grzecznie Kaj. – Kto to miałby zrobić i za czyje pieniądze? Przecież tu wszyscy się ze sobą jedynie kłócą i przez zawiść nie wymyślą niczego konstruktywnego. Ale pomysł jest niezły, Nelu.

– Nela ma bardzo dobre pomysły – powiedział Bogdan.

– Mówiłaś, że szukasz pracy. Nie zechciałabyś pracować u mnie?

– O nie, Nela będzie pracować u mnie. Miałem ci o tym powiedzieć...

Patrzyłam na obu nieco rozbawiona. Co za dzień! Spadał na mnie prawdziwy deszcz ofert.

– Nic z tego, mili panowie. Właśnie otrzymałam pracę w agencji reklamowej.

– To pewnie jakieś grosze – mruknął Bogdan.

– Dwa tysiące i dwadzieścia procent premii – oznajmiłam i dostrzegłam, że wzbudziło to ich szacunek.

– Zupełnie nieźle, ale jeśli myślałabyś kiedykolwiek o zmianie pracy... – Bogdan sięgnął do kieszeni i wyjął z niej futerał z wizytówkami – to daj mi znać. Poza tym dostaniesz na pamiątkę swojego wypchanego szczupaka. To był nieprawdopodobny okaz!

Chwilę później pożegnał się i odszedł, kołysząc się lekko na swych chudych nogach. Kaj popatrzył za nim w zamyśleniu, po czym wbił wzrok w swój plastikowy kubek z niedopitym piwem.

– Nie zadzwonisz do niego? – zapytał, kierując na mnie intensywne spojrzenie. Nie żartował.

– Ale, ja... – zaczęłam.

– Mam nadzieję, że nie zdążyłaś już zrobić jakiegoś głupstwa – wszedł mi w słowo.

O czym on mówił? Może o tym, że kiedy Bogdan wyciągnął mnie z wody, przez kilka dobrych minut całowaliśmy się na pomoście. Nie powinnam o tym myśleć, bo się zaczerwienię. No, już za późno...

– Co ty masz na myśli? – wyjąkałam ze spuszczonymi oczami.

Kaj złapał mnie za rękę i pocałował ją.

– Nieważne, skarbie. Proszę cię tylko, żebyś się z nim nie kontaktowała.

Pewnie nie chciał, żebym dowiedziała się czegoś o nim i Ilonie, ale to oznaczałoby przecież, że Bogdan o wszystkim wie. Nie bardzo rozumiałam, o co mu chodzi.

– Myślałam, że on jest twoim przyjacielem – zauważyłam, patrząc na zwieszoną głowę Kaja.

– To nie o niego chodzi. Widzisz, Ilona jest szalenie o niego zazdrosna.

No, tak. Usłyszałam o tym z jej własnych ust. Jeśli ruszysz Bogdana... Wprawdzie nie było to skierowane do mnie, ale oczami wyobraźni widziałam już siebie z zabetonowanymi nogami wrzucaną do morza z sopockiego molo.

– O czym ty, Kaj, mówisz? – Teraz zrobiłam się czerwona ze złości. – Co ty sobie wyobrażasz? Na miłość boską, przecież on jest żonaty.

– Nie wiem – bąknął cichym głosem – ale ty mu się spodobałaś.

Siedział tak z naburmuszoną twarzą i przypominał mi Mateusza.

– Oj, Kaj, głuptasie. Z ciebie prawdziwe dziecko. Czy nie rozumiesz, że cię kocham?

Natychmiast się rozchmurzył i nachylił się w moją stronę, żeby mnie pocałować.

– Nie mówmy już o tym. Zostaniesz dzisiaj u mnie na noc?

Spojrzałam na niego smutnym, tęsknym wzrokiem.

– Nie mogę... Nie miałabym z kim zostawić dzieci. Poza tym muszę je przygotować do szkoły.

Kaj zaklął pod nosem. Widziałam, że jest zawiedziony. Z pewnością wkrótce zobaczy, iż ma niewielki pożytek z kochanki posiadającej dwójkę małych dzieci, i to będzie koniec. Za chwilę jednak pogładził mnie po policzku.

– Wobec tego zabiorę was wszystkich jutro. Dzieci trzeba będzie czymś wykończyć, a potem zamknąć w pokoju na klucz, żeby nam nie przeszkadzały.

– Mówisz poważnie? Zabrałbyś nas wszystkich do siebie?

– Oczywiście. Bardzo lubię twoje dzieci, wiesz. Mam nadzieję, że Alexandra również ci się spodoba, choć to cholernie trudny egzemplarz – powiedział i pocałował mnie w usta.

– Kocham cię, Kaj.

– Mam nadzieję, że mówisz to serio, bo ja jestem poważny jak nigdy dotąd.

Hmm... i co to wszystko ma znaczyć, zastanawiałam się, przygotowując dzieciom obiad. Oczywiście nie posoliłam ziemniaków.

– Paskudztwo. – Mateusz kłuł widelcem po talerzu.

– Możesz jeszcze teraz posolić. – Podałam mu solniczkę, ale nadął się i odwrócił ode mnie.

– Proszę cię, zachowuj się odpowiednio. – Chciałam im powiedzieć o zaproszeniu przez Kaja, ale Mateusz tak mnie zdenerwował, że straciłam ochotę. Jedynym jego komentarzem na wieść, że znalazłam sobie nową pracę, było: „Mam nadzieję, że teraz kupisz samochód. U mnie w klasie wszystkie dzieciaki mają". Jeżeli do tej pory Mateusz akceptował w jakiś sposób nasze dotychczasowe ubóstwo, to od czasu spadku i rozpieszczania przez Lusię i Kaja wszystkie hamulce nagle się poluzowały. Chciał teraz więcej i więcej.

– Nie będę tego jadł!

– Wobec tego idź do swojego pokoju i nie wychodź.

– Nie będziesz mi rozkazywać! – rozdarł się jedenastolatek, a ja musiałam się powstrzymać, żeby nie zrzucić mu na głowę zawartości talerza. Po chwili się zmitygował i powiedział: – Idę i wcale nie zamierzam wychodzić.

W tym momencie zadzwonił dzwonek do drzwi.

Lusia. Zaaferowana zaczęłam jej natychmiast streszczać najnowszą historię mojego życia, czyli pobyt u Warskich.

– Czym się ten Bogdan zajmuje? – wypytywała, podczas gdy ja energicznie zmywałam naczynia.

– Do końca nie ustaliłam. Ogólnie pojętym handlem, który przynosi mu krocie. Z jubilerstwem też ma jakieś powiązania, gdyż tak trafił na Kaja, czy też odwrotnie.

Odwróciłam się teraz w stronę Lusi i spostrzegłam to, co wcześniej umknęło mej uwadze. Lusia wyglądała tak, jakby nie spała od tygodnia. Miała podkrążone, załzawione oczy i nierówno nałożony makijaż.

– Co się stało? – Kucnęłam natychmiast przy niej.

Od razu się rozpłakała.

– Mariusz mi się oświadczył.

– Naprawdę?

– Tak. A ja byłam na tyle głupia, żeby mu wszystko o sobie opowiedzieć.

Twarz Mariusza tężała w miarę opowieści, a kiedy Lusia skończyła, nie był w stanie się odezwać. „Teraz wiesz już wszystko", zakończyła. Mariusz chrząknął i odwrócił od niej wzrok. „Chyba sama rozumiesz, że to wszystko zmienia". „Czyli nie kochasz mnie, choć mi o tym mówiłeś godzinę temu". Wtedy zerwał się z fotela i zaczął na nią krzyczeć, że to wszystko przez nią, że wprowadziła go w błąd, że zakochał się na fałszywych przesłankach. „Czy uważasz zatem, że powinnam nosić na czole napis – była kurwa?". Tak, teraz to sam widział. Dała temu dobitne świadectwo. Żadna kobieta nie zachowuje się ani nie wyraża w ten sposób. Lusia nadal obraca się w okolicach rynsztoka i nic tego nie zmieni. Nie byłby w stanie ożenić się z kobietą, która zrobiła majątek na cudzołóstwie. „A gdybym przekazała go jakiejś charytatywnej organizacji, to mógłbyś?" Popatrzył na nią dzikim wzrokiem i wybiegł z jej mieszkania.

– To było w niedzielę i, jak się domyślasz, nie odezwał się do tej pory.

– A ty go kochasz? – spytałam.

– Właśnie zaczęłam się zakochiwać i wiedziałam, że dalej muszę już grać czysto. Dlatego mu to powiedziałam. – Szloch wstrząsał jej ramionami.

– Ale może to wcale nie koniec. Może on się zastanowi i wszystko przemyśli – przekonywałam ją i siebie.

Lusia pokręciła głową.

– Nie, to koniec. Najgorsze, że w to wszystko uwierzyłam jak skończona idiotka. Powinnam wiedzieć, że już nigdy nie będę mogła ułożyć sobie życia jak normalna osoba.

– Ależ, Lusia... – próbowałam ją przekonywać, ale znowu zadzwonił dzwonek. Podchodząc do drzwi, pomyślałam, że w ostatnim czasie, jak nigdy dotąd, prowadzę bardzo intensywne życie towarzyskie.

– No, wreszcie można cię zastać – mruknął Sebastian, który oparty o ścianę czekał na otwarcie drzwi.

Chciałam go pocałować, ale mnie zignorował i wszedł do środka.

– I jak tam zbieranie dowodów niewinności?

W tym momencie w przedpokoju pojawiła się Lusia.

– Pójdę już.

– O nie, musisz zostać – zaprotestowałam.

Nie miałam wcale ochoty na pozostanie z Sebastianem sam na sam. A on zaczął się uważnie przyglądać mojej przyjaciółce.

– Coś się stało? – Zawsze miał niezwykły radar do wyczuwania nastrojów u innych.

Lusia zamrugała parę razy i ponownie wypuściła z siebie fontannę łez. Sebastian natychmiast do niej podszedł i objął ją ramieniem.

– Z pewnością kolejny zawód miłosny? – Gładził jej włosy, a Lusia stopniowo się uspokajała.

Postanowiłam zostawić ich samych i wymknęłam się do kuchni, przygotować kawę. Kiedy po dłuższej chwili przyniosłam ją do pokoju, oboje siedzieli na moim łóżku i rozmawiali. Zrozumiałam, że Lusia zdążyła sporo o sobie powiedzieć Sebastianowi, gdyż usłyszałam, jak Pirat mówi:

– Sam wiem, jak ciężko odkupić swoje wcześniejsze błędy. Nawet jeśli już myślisz, że wszystko jest w porządku, to ludzie nie są w stanie wybaczyć ci twojej przeszłości. Niezależnie, co byś dla nich w życiu zrobił. – Mówiąc to, patrzył prosto na mnie zmrużonymi z gniewu oczami.

– To chyba nie o mnie? – spytałam.

– Oczywiście, że również o tobie. – Wypuścił teraz Lusię z objęć. – Nigdy nie zapomnisz mi mojej przeszłości. Wolisz zadawać się z najbardziej podejrzanymi typami niż mi zaufać.

– Przestań, Pirat. Proszę cię.

– Mogę przestać, ale sama się przekonasz, jak to się skończy.

Najprawdopodobniej miał rację, ale to było takie cudowne, kiedy trwało.

– Przestań się tak przy mnie rozmarzać, bo tego nie wytrzymam.

– Przestańcie się kłócić, dobra! – przywołała nas do porządku Lusia, która teraz gwałtownie poprawiała makijaż.

– Masz rację. – Sebastian przytulił ją. – Przyszedłem, aby zaprosić na otwarcie mojej galerii Anitę, ale ty, Lusia, musisz również koniecznie przyjść.

– Naprawdę, Sebastian? To jest prawda? – Do tej pory podejrzewałam, że Pirat trochę fantazjuje w tej sprawie.

– Jak najprawdziwsza. Zaproszenia już są w druku. Otwarcie pod koniec października.

Nowy temat całkowicie nas pochłonął i zaczęliśmy wymyślać listę osób, które Sebastian powinien zaprosić. Były to tak zwariowane pomysły, że nawet Lusia, zapomniawszy na chwilę o swoim nieszczęściu, uśmiechała się blado. W pewnym momencie stanęła przed nami Mirka.

– Mamo! Mateusz prosi o nocnik, skoro nie może opuścić pokoju – oświadczyła.

Rozdział XI

– Zgadnij, skąd dzwonię? – usłyszałam w słuchawce.

– To już wróciłeś? – ucieszyłam się na zapas.

– No, prawie. Jestem na lotnisku w Rębiechowie.

Niemal podskoczyłam przy telefonie z radości. Wrócił ze Sztokholmu wcześniej o całe trzy dni.

– Myślisz, że udałoby ci się wymknąć do mnie na dzisiejszą noc? Muszę koniecznie z tobą porozmawiać.

– Postaram się, postaram się, Kaj.

Odłożyłam słuchawkę i natychmiast zadzwoniłam do Lusi. Było mi bardzo niezręcznie znowu prosić ją o opiekę nad dziećmi, ale na wstępie sama o to zapytała. Samotne sobotnie wieczory po zerwaniu z Mariuszem stały się dla niej nie do zniesienia. Wolała już towarzystwo moich dzieci niż pustkę swojego mieszkania. Mariusz, zgodnie z przewidywaniami Lusi, nadal nie odzywał się do niej, a ja nie wiedziałam już, jak ją mam pocieszać. Załamała się zupełnie i nawet straciła zainteresowanie swoim sklepem, z którego przecież do tej pory była taka dumna.

Zamyślona zajrzałam do szafy, gdzie wisiała brzoskwiniowa garsonka, której Kaj jeszcze nie widział. To było takie wspaniałe uczucie, móc sobie kupić coś ekscytującego z własnej pensji. Nie zamierzałam jednak szaleć finansowo i obiecałam sobie w przyszłości jak najwięcej oszczędzać, aby bez skorzystania z pozostałości spadku pojechać z dziećmi zimą w góry. Mateusz tak przecież marzył o nartach. Do tej pory było to zupełnie niemożliwe, ale teraz przy takiej pracy...

Na razie byłam z niej bardzo zadowolona. Kiedy oprócz wykonywania zwykłych obowiązków, udało mi się uporządkować sekretariat, cały zespół traktował mnie jak Herkulesa. Zaprzyjaźniłam się szczególnie z Czarnym, który miał na imię Daniel i był grafikiem. Czarny kolor nie wynikał jednak z jego satanistycznych zainteresowań, tylko z żałoby po dziewczynie, która rzuciła go dla jego najlepszego kumpla. Stracił zupełnie wiarę w płeć żeńską i zwierzał mi się z tego ochoczo, uważając zapewne, że osoby w moim wieku nie można uznawać już za kobietę. Pracowaliśmy wspólnie nad zamówieniami reklamowymi firmy cukierniczej i aby dobrze wejść w temat, objadaliśmy się pachnącymi kremówkami i torcikami tiramisu do mdłości. Zaczęłam mieć nawet pewne wątpliwości, czy uda mi się zmieścić w nową garsonkę.

– Idziesz do Kaja? – spytał Mateusz, widząc, że się kryguję przed lustrem.

– Tak, ale trochę później. Do was przyjdzie ciocia Lusia.

– To nas nie zaprasza? – Mateusz był zawiedziony.

– Tym razem nie. Chce porozmawiać tylko ze mną.

– To spytaj go, kiedy nas znowu zaprosi. Możesz powiedzieć, że za te zadania, które mnie nauczył rozwiązywać, dostałem szóstkę.

O, to tym się zajmowali za zamkniętymi przede mną drzwiami! Poza tym pierwszy raz słyszę, żeby Mateusz dostał szóstkę z matematyki.

– Powinniśmy zamieszkać wszyscy z Kajem – rzucił niespodziewaną uwagę Mateusz. – Wydaje mi się, że on by tego chciał.

Momentalnie oburzyłam się na niego.

– Proszę cię, nie mów tak. Pan Hanson jest po prostu moim przyjacielem i to wszystko. Podobnie jak Sebastian czy ciocia Lusia.

– Tak, tylko że u nich nie zostajesz na noc – zauważył.

I co ja mam mu powiedzieć? Że nocami ćwiczymy się w pieczeniu ciast czy w grze w ping-ponga? Do tej pory go nie uświadomiłam w sprawach seksu, sama czując się niezbyt mocna w tej dziedzinie, ale domyślałam się, że na podwórku zyskał już sporą wiedzę, gdyż w ogóle nie zadawał mi pytań. Powinnam jednak wkrótce przeprowadzić z nim rozmowę. A może Kaj? Nie, nie mogłam mu tego zaproponować, bo mógłby zacząć podejrzewać, że mam w stosunku do niego jakieś matrymonialne plany. Zauważyłam jego przeczulenie na tym punkcie. Pewnie niejedna już chciała zaciągnąć go przed ołtarz.

– Porozmawiamy o tym później – powiedziałam do Mateusza.

– Później? A ty w ogóle z nami rozmawiasz?

Nie miałam ochoty wdawać się z nim w spory słowne i kiedy tylko pojawiła się Lusia, czym prędzej się ulotniłam. Na dworze, mimo iż to połowa października, było dość chłodno i pożałowałam, że nie włożyłam czegoś cieplejszego. Zajrzałam do portmonetki i stwierdziłam, że powinno mi starczyć pieniędzy na przejazd taksówką. W samochodzie była odpowiednia temperatura i przestałam się trząść, a po kwadransie wylądowałam już w ciepłych objęciach Kaja.

– Nelu, jak ty ślicznie wyglądasz. Jesteś coraz ładniejsza! – wykrzyknął zdziwiony.

– Chyba rzeczywiście się stęskniłeś, skoro tak mówisz – powiedziałam i przytuliłam się do jego ramion.

– I to jak!

Weszliśmy do pokoju spełniającego funkcję salonu, gdzie

przywitał mnie widok nakrytego do kolacji stołu, który oświetlały świece. Ciekawa jestem, czy są ludzie, na których taki widok nie robi wrażenia? Ten stół, dobiegające w tle piosenki Armstronga, staranny wygląd Kaja – wszystko wskazywało na to, że zadał sobie mnóstwo trudu. Z tęsknoty?

– Nie wiedziałam, że jesteś taki dobry z matematyki – powiedziałam, biorąc od Kaja kieliszek z białym winem. – Mateusz po raz pierwszy zaskoczył swoją nauczycielkę.

– Naprawdę?

Posadził mnie przy stole i zaczął serwować potrawy, które wprawdzie nie były dziełem jego rąk, ale on sam je wybierał.

Zaczął opowiadać o tym, że matematyki nauczył się dopiero przy swojej córce. Żeby nie straciła dla niego szacunku, spędził kilka dobrych tygodni na zgłębianiu programu szkolnego i konsultując się ze swoimi, bardziej w tym temacie oblatanymi kolegami. Przyniosło to jednak wyniki.

– Koniecznie musisz poznać Alexandrę – powiedział. – Wkrótce będzie okazja. Przyjedzie na Gwiazdkę. Moja matka również. Jeszcze nigdy nie spędzałem świąt w Polsce.

– Na pewno będzie się wam podobać. – Zaczęłam nagle odczuwać dziwne mrowienie w okolicach karku.

– Nam wszystkim – zaakcentował. – Razem spędzimy te święta.

Teraz z kolei szczypały mnie oczy.

– Może twoja mama też będzie mogła przyjechać?

Lepiej nawet nie wspominać, bo na pewno to zrobi.

– Widzę, że planujesz imprezę w dużym gronie.

– Tylko w gronie rodzinnym – powiedział Kaj i wziął mnie za rękę. – Widzisz, Nelu, chciałbym, żebyśmy byli jedną rodziną. Bardzo przywiązałem się do twoich dzieci i mam nadzieję, że one mnie też polubiły. Alexandrę również da się przekonać, to tylko kwestia cierpliwości i czasu.

– Do czego? Co masz na myśli, Kaj? – spytałam, czując przyspieszone bicie serca.

Kaj trzymał moją rękę w swoich dłoniach i uśmiechał się do mnie bursztynowymi oczami.

– To chyba jasne. Chcę, żebyś za mnie wyszła.

– Ja... twoją żoną?!

To był chyba jakiś przykry dowcip. On nie mógł mówić poważnie. Przecież Kaj mógł przebierać między dziesiątkami znacznie ładniejszych i mądrzejszych ode mnie kobiet. To poza tym niemożliwe, żeby chciał brać sobie na głowę dwójkę małoletnich dzieci.

– Nela, co cię tak zamurowało? Naprawdę jesteś tym zaskoczona? Przecież ostrzegałem, że traktuję cię bardzo serio. Na święta chyba nie zdążymy, ale co powiedziałabyś na ślub w karnawale?

Nadal nie byłam w stanie wydusić z siebie ani słowa.

– Wiem, że masz uraz na punkcie małżeństwa. Moje pierwsze też nie wyszło. Jesteśmy jednak doświadczonymi ludźmi. Wiemy już, czego chcemy od życia, i jestem pewien, że nam się uda. Nie wiem, skąd to przekonanie, ale miałem je już na początku naszej znajomości, nawet kiedy byłaś dla mnie taka okropna.

– Naprawdę byłam? – udało mi się wyjąkać.

– Milcząca i traktująca mnie z wyższością. To było wyzwanie.

Hm, to naprawdę dziwne, jak człowiek może być odbierany przez innych. Ja traktowałam go z wyższością?

– Wiesz już o mnie sporo. Jestem zapominalskim bałaganiarzem. Czasem praca mnie całkowicie pochłania, ale...

– Kaj! – Teraz ja złapałam jego ręce i je ucałowałam.

– To wyjdziesz za mnie? Bo inaczej przedstawię ci historię wszystkich moich chorób zakaźnych.

– Pewnie, że wyjdę, głuptasie.

Pocałowaliśmy się przez stół, ale było to niewygodne, więc wstaliśmy z krzeseł, a kiedy tylko nasze ciała przywarły do siebie, wiedzieliśmy, że nie skończy się na pocałunku.

Kiedy Kaj położył się przy mnie na łóżku, pomyślałam, że to nie może być prawda. To, że mnie kocha, było już nieprawdopodobne, ale jeszcze bardziej to, że chciał się ze mną ożenić. Był taki czuły i delikatny, mimo że – jak zauważyłam, obserwując go w pracy – w interesach potrafił być zdecydowany i bezkompromisowy.

– Nelu, a co byś powiedziała, gdybyśmy mieli dziecko?

Mimo iż na wieść o ciąży w obu wcześniejszych przypadkach zareagowałam histerycznym płaczem, teraz po tych słowach wydawało mi się, że dziecko Kaja byłoby dla mnie ogromnym szczęściem. Nasze wspólne dziecko. To cudowna myśl. Przez sekundę miałam wrażenie, że tulę do swej piersi maleństwo o bursztynowych oczach.

– Bardzo bym chciała – jęknęłam cicho i zobaczyłam, jak Kaj strąca ze stolika prezerwatywy.

– Kocham cię, najdroższy. – Przyciągnęłam go do siebie, pragnąc, aby jak najszybciej wszedł we mnie.

– Poczekaj. Zapomniałem o czymś. – Zerwał się z łóżka i wybiegł nagi z pokoju. Zanim zdążyłam usiąść, był już z powrotem i ujął moją rękę. Po chwili coś mi wsunął na palec.

– To pierścionek zaręczynowy. Pamiątka rodzinna – powiedział, po czym osunął się na moje piersi.

Próbowałam zbliżyć rękę do twarzy.

– Potem zobaczysz – oświadczył i zsunął się do moich ud.

Cały ogień przesunął się w strefę „trójkąta bermudzkiego", jak to nazywał Kaj. Doszczętnie roztapiałam się pod jego ustami.

– Nikt tak cię jeszcze nie kochał jak ja! – wykrzyknęłam.

– Wiem – powiedział Kaj, który nagle znalazł się przy mojej twarzy i jednym zdecydowanym pchnięciem wgłębił się we mnie, uruchamiając przy tym miriady świateł.

Obudziło mnie przyspieszone bicie serca i przepełniony pęcherz. Kaj spał na brzuchu, trzymając się obu rękami mego ciała. Delikatnie oswobodziłam się z jego objęć. Spał bardzo mocno, oddychając przez lekko otwarte usta, i niczego oczywiście nie poczuł. Przesunęłam ręką po jego pokrytym jasnym zarostem torsie i zatrzymałam ją na sercu. Biło równo, spokojnie, Moje Serce. Pocałowałam opaloną skórę i niechętnie wstałam, aby w ciemności przejść do łazienki. Między nogami czułam wilgoć i zastanawiałam się, czy właśnie w tym momencie nie odbywa się zapłodnienie. W poprzednich przypadkach stało się to natychmiast, więc czemu tym razem miałoby być inaczej. Ale przecież tym razem wszystko było inaczej, bo ja kochałam Kaja. Chłopiec czy dziewczynka, spytałam swego odbicia w lustrze, a usta odpowiedziały „chłopiec", bo przecież córkę już miał. Ostrożnie się myjąc, pogłaskałam podbrzusze, nie chcąc zakłócać zachodzącego tam z pewnością cudu. Moje i Kaja dziecko. Ja żoną Kaja. Ślub w karnawale. Czy ja będę mogła zasnąć? Z pewnością nie. Musi jeszcze upłynąć sporo czasu, aby te sensacje mogły do mnie dotrzeć.

Lekko zmarznięta, narzuciłam na siebie szlafrok Kaja i ponownie błądząc w ciemnościach, udałam się do kuchni, żeby zaparzyć sobie herbatę. Czułam się rześka, wyspana i podśpiewywałam w myślach na cześć dziecka, które z pewnością właśnie się poczynało. Wiktor. Mógłby mieć na imię Wiktor. Podstawiłam pusty dzbanek pod kran i nagle zobaczyłam na swojej ręce obcy przedmiot. Mój pierścionek zaręczynowy. Zapomniałam natychmiast o wodzie i podeszłam do okna.

Spojrzałam na pierścionek i odebrało mi dech. Czym prędzej zdjęłam go z palca i przybliżyłam do oczu. Tym razem odebrało mi siłę w nogach. Osunęłam się na taboret, odnotowując przy tym cechy charakterystyczne tego cacka: Obrączka ładnie wyprofilowana, carga z wąskiej srebrnej blaszki, a całość pierścionka ozdobiona ornamentyką w kształcie winorośli. Oczko zaś...

Kaj Hanson

Oczkiem pierścionka był mleczny bursztyn. W jego lewej części znajdował się naturalny otwór, w który artysta wstawił jasnozielony kamień, chryzopraz.

– To mój dawny wzór. Uważam, że nadal jest niezły. Podobałoby ci się coś w podobnym stylu? – powiedział Wiktor.

– Jest przepiękny. – Byłam taka podekscytowana, że z trudem zmusiłam się, aby spojrzeć na pierścionek.

– Zrobię ci coś podobnego, ale sto razy piękniejszego.

– Tylko błagam cię, Wiktor, nie zaczynaj tego teraz, bo zapomnisz, że się umówiliśmy.

– Nigdy, maleńka – powiedział i pocałował mnie we włosy.

Pospiesznie chwyciłam torebkę i zbiegłam po schodach. Pędząc z impetem, niemalże staranowałam wchodzącego do góry mężczyznę. Złapaliśmy się wzajemnie, żeby nie upaść.

– Kobieto, uważaj! Jeszcze kogoś uszkodzisz – powiedział jasnowłosy nieznajomy, wypuszczając mnie z ramion.

Wydawało mi się, że widziałam go już kiedyś u Wiktora. To chyba ten cudzoziemiec, o którym wspominał. Po polsku jednak mówił bardzo dobrze, chociaż z lekkim obcym akcentem.

– Przepraszam pana, ale jestem taka szczęśliwa! – wykrzyknęłam, chcąc się dzielić mym stanem ze wszystkimi wokół.

– Można jedynie zazdrościć – powiedział blondyn i uśmiechnął się do mnie. – Powodzenia!

– Dziękuję! – odkrzyknęłam, prawie natychmiast wybiegając z budynku.

W głowie dokonywałam błyskawicznego przeglądu czekających mnie czynności. Wpierw powinnam zrobić na hali jakieś szybkie zakupy. Wiktor z pewnością będzie głodny. Dobrze wiedziałam, że bardzo rzadko jada ciepłe posiłki. Zanim jednak doszłam do pierwszego straganu, przypomniałam sobie o Sebastianie. Koniecznie muszę mu powiedzieć, że sprawa z Wiktorem jest pomyślnie zakończona.

– Wychodzę za niego – rzuciłam podekscytowana w słuchawkę.

Po drugiej stronie panowała złowieszcza cisza.

– Pirat, jesteś tam? Wiem, uważasz, że Wiktor jest za stary dla mnie, ale wcale tak nie jest. Zawsze potrafiłam lepiej się porozumieć ze starszymi.

– Czyli ze mną nie potrafisz? – spytał w końcu.

– Sebastian, ty zawsze wszystko sprowadzasz do siebie.

– A rób sobie co chcesz, tylko potem nie szukaj u mnie pomocy – warknął mój przyjaciel.

– Nie gniewaj się, Pirat, ale tak się cieszę. Wszystko się ułożyło. I w miłości, i w finansach.

Sebastian westchnął ciężko.

– Obyś się nie myliła. Czuję, że puści te pieniądze, zanim się u ciebie pojawi.

Chodziłam pośród straganów, ale euforia jakby opadła. Dlaczego Sebastian musiał być taki okrutny, by mi to wszystko mówić? Przecież jako mój przyjaciel powinien być trochę bardziej oględny w słowach. Czy rzeczywiście Wiktor mógł

218

znowu zacząć grać? Powiedział przecież, że już nigdy tego nie zrobi. Ale tyle pieniędzy naraz... Mówił, że ma być tego jeszcze więcej. Może lepiej, abym sprawdziła. W zamyśleniu, dźwigając pełne siatki, zawróciłam w stronę pracowni.

Na klatce schodowej ponownie natknęłam się na jasnowłosego mężczyznę. Już otworzyłam usta, aby do niego żartobliwie zagadać na temat naszych „korytarzowych” spotkań, gdy spostrzegłam, że jest bardzo wzburzony. Jasne włosy opadały mu na czoło, a dłonie zaciskał w pięści. Widziałam, jak nerwowo pracują mu szczęki. Bez przeprosin przecisnął się koło mnie do drzwi. Kiedy wyjrzałam za nim, zobaczyłam, że biegnie. Czy podczas mojej nieobecności doszło tu do jakiejś awantury z Wiktorem? Pospiesznie pobiegłam na górę. Drzwi były zamknięte na zasuwę od wewnątrz.

– Anitko, moja malutka. Nie mogę teraz otworzyć. Przyjdę do ciebie wieczorem, to ci wyjaśnię – usłyszałam zmieniony głos Wiktora.

Co za pech, że akurat tego dnia Wiktor musiał się wdać w jakąś awanturę. Czy ten obcokrajowiec mógł być naszym klientem? Kilka osób z zagranicy zalegało nam wprawdzie z płatnościami, ale nie przypominałam sobie żadnego pasującego do tej sytuacji zamówienia.

– Czy przyjdą goście? – pytała podekscytowana Mirka, patrząc, jak wałkuję ciasto.

– Przyjdzie mój szef, pan Wiktor. Pamiętasz go?

Może bardziej lody kupione w cukierni na Długiej, ale wystarczyło to za znak rozpoznawczy. Mirka pokiwała głową.

Zrazy wołowe były już gotowe, ziemniaki czekały na postawienie na ogniu, na stole królowały apetyczne kremówki, a nadal nie było śladu Wiktora. O godzinie ósmej zeszłam do sąsiadki i zadzwoniłam do pracowni. Po usłyszeniu dwudziestego wolnego sygnału poddałam się. Nasuwał się jeden oczywisty wniosek. Wiktor dostał forsę i poszedł grać. Powinnam wiedzieć, że to się tak skończy. Hazard jest jak alkoholizm. Na nic się zdadzą zaklęcia i obietnice. Nałóg stale powraca. Dzieci dawno już spały, a ja siedziałam osowiała w fotelu. Nagle przyszło mi do głowy, że być może Wiktor zaszedł do swojej córki Moniki, którą chciał uprzedzić o swojej życiowej decyzji, i jak zwykle zapomniał o upływającym czasie. Z pewnością mogła to być bardzo trudna i przykra rozmowa. Byłam pewna, że Monika będzie wściekła z powodu planów ojca. Do tej pory była jego oczkiem w głowie, dla którego dał się pokornie wynieść ze swego trzypokojowego mieszkania. Wygodne lokum należało się przecież młodej damie; on sam mógł koczować w swojej izdebce w pracowni. No i oczywiście trzeba było ją finansowo wspierać. Musiała przecież studiować już siódmy rok, a z czegoś trzeba żyć. Stokrotnie przepraszając panią Balińską za kolejne najście, dzwoniłam tym razem do Moniki.

– Przepraszam, że niepokoję o tej porze. Mówi Anita Lisiecka – powiedziałam i w tym momencie usłyszałam w słuchawce przeraźliwy szloch.

– Anito! Co za nieszczęście! Co za nieszczęście! – powtarzała jak obłąkana, a moja pojemność płuc gwałtownie się zmniejszyła.

– Co takiego? Mów!

– Tata nie żyje.

– Jak to? To niemożliwe.

– Sąsiedzi zauważyli otwarte drzwi, weszli do środka i...

– Na miłość boską, mów! – krzyknęłam i przygryzałam wargi do krwi.

– Powiesił się. Mój tata nie żyje. Co ja teraz zrobię?

Wiktor zostawił kartkę z jednym słowem: „Przepraszam".

Słowo to adresowane było do Moniki. Mnie nie pozostało żadne wyjaśnienie poza tysiącem wątpliwości, które w miarę upływu dni stale narastały. Byłam już teraz przekonana, że niezależnie od presji, pod jaką Wiktor się znalazł – policja tłumaczyła ją ogromnymi zaciągniętymi długami – z pewnością przed odejściem poświęciłby mi parę słów. Nikt nie oświadcza się po to, aby w kilka godzin później popełnić samobójstwo. Poza tym Wiktor zawsze sprzeciwiał się rozwiązywaniu problemów życiowych przez odebranie sobie życia. Trzeba mieć jaja i walczyć. Stopniowo na poparcie swojej tezy znajdowałam coraz więcej argumentów. Przede wszystkim przy Wiktorze nie znaleziono żadnych pieniędzy, które wcześniej przecież miał. Zakupiony bursztyn również się ulotnił. Policja tłumaczyła to możliwością kradzieży. Ktoś mógł skorzystać z okazji i wejść przez uchylone drzwi. Nie widząc Wiktora, który powiesił się w swojej kanciapie, ochoczo zajął się leżącą prawie na wierzchu forsą. Ale dlaczego drzwi nie były zamknięte, skoro poprzednio Wiktor zamknął je nawet na zasuwę? Znikło coś jeszcze. Coś, co nie leżało na wierzchu, a co sama ostrożnie schowałam do kasetki. Coś, co było w pracowni, zanim pojawił się tam nieznajomy jasnowłosy mężczyzna.

Obrączka ładnie wyprofilowana, carga z wąskiej srebrnej blaszki, a całość pierścionka ozdobiona ornamentyką w kształcie winorośli. Oczko zaś...

Trzymałam pierścionek w ręku i czułam wzbierające mdłości. Jeśli Kaj go miał, to oznaczało tylko jedno. Nie, niemożliwe, nie może oznaczać! To jest poszlaka, ale nadal nie mam pewności. Z całej siły ściskając pierścionek w ręku, pomknęłam w stronę gabinetu Kaja. Było mi gorąco i brakowało tlenu, a szlafrok Kaja parzył mnie jak szata Dejaniry. Zrzuciłam go z siebie i zaczęłam rozglądać się za kartonami ze słynnymi kalendarzami. Zapaliłam boczne światło, żeby ułatwić sobie poszukiwania, i już po kilku minutach znalazłam swoją zdobycz.

To były dość duże i ciężkie kalendarze, takie, w jakich zapisuje się niemal każdą minutę. Ręce mi drżały, kiedy pospiesznie przerzucałam tomiska o ciemnobrązowych okładkach. Jest! Znalazłam 1993 rok. Teraz wystarczyło przekartkować kalendarz i odszukać marzec. Patrzyłam na każdy dzień, kartki lepiły się do siebie, druk tańczył przed oczami. I nagle: Wiktor Nokian – spotkanie o 16. I zapiski po angielsku! Warsztat maleńki, ale wzornictwo bardzo interesujące. Robić wrażenie kupca! Kilka dni później. Rozmowa z Wiktorem. Dług 10 000 zł. Nie wiadomo ile jeszcze. *Something has to be done about him*. Coś trzeba z nim zrobić, przetłumaczyłam w myślach, przyciskając rękę do drżących warg. No i zrobił! Zabił Wiktora! Mój Kaj! O coś musieli się pokłócić, kiedy Kaj tak nagle wybiegł wzburzony z budynku. Później zapewne do niego wrócił...

Czuję, jak nadal zbiera mi się na mdłości. Zasłaniam ręką usta, żeby nie zwymiotować. Przed oczami stają mi nasze sceny łóżkowe. Kaj, taki czuły i delikatny... Mordercą. Nie! Ból fizyczny zgina mnie wpół i opieram się o biurko. Zaczyna mi się odbijać i mam pełne usta goryczy. To niemożliwe! Przecież już po przeczytaniu listu od Ilony powinnam się domyślić, kim on jest. Podwójnym graczem, oszukującym swego przyjaciela, MNIE!

Nagle mój wzrok spoczął na przekrzywionym obrazie, za którym znajdował się sejf. Podeszłam bliżej i zobaczyłam, że jest otwarty... Widocznie Kaj wyciągnął pierścionek i w pośpiechu nie zdążył go zamknąć. Nie był na klucze, tylko na przekręcany kod. Ostrożnie przyciągnęłam drzwiczki do siebie.

Dwa pudełeczka, które po otwarciu okazały się pełne diamentów, odsunęłam na bok. Nie wiem, czego szukałam, ale z pewnością chodziło mi o kolejne dowody na potwierdzenie tego, że to Kaj zabił Wiktora. Wprawdzie znajdowałam się teraz w takim stanie, że nie uwierzyłabym w jego winę, nawet gdyby mi o tym sam powiedział, jednak gdy moja ręka dotknęła chłodnego metalowego przedmiotu, nie byłam tego już taka pewna.

– Można wiedzieć, czym się zajmujesz? – usłyszałam nagle lodowaty głos.

Obróciłam się w stronę pokoju i zobaczyłam stojącego przy drzwiach Kaja. Musiał tu przyjść prosto z łóżka, bo był zupełnie nagi.

Moja ręka bezwiednie zacisnęła się na metalowym przedmiocie.

– Nie podchodź do mnie!

Widziałam po twarzy Kaja, że nie bardzo rozumie tę sytuację, ale dopiero widok pistoletu uświadomił mu moje prawdziwe intencje.

– Nela! Czyś ty zwariowała? Ten pistolet jest nabity. Odłóż go w tej chwili.

Zaczął się do mnie zbliżać.

– Jeśli podejdziesz bliżej, wystrzelę – zagroziłam – i nie będę się nawet zastanawiać. Zasłużyłeś na to, Hanson. Myślałeś, że ujdzie ci to na sucho, że już nikt nie będzie pamiętał Wiktora, co?

– Wiktora? – Hanson zatrzymał się w pół kroku i dotknął podbródka.

Widziałam, że jest zdezorientowany.

– Nokiana. Tego samego, którego zabiłeś ponad trzy lata temu.

– Wiktora Nokiana? – powtórzył Hanson. – Co ty wiesz o Wiktorze?

– Wystarczająco dużo, żeby od początku domyślać się, kto go zabił – mówiłam, czując, jak szczękają mi zęby. Muszę wziąć się w garść! – Wiedziałam, że jesteś moim głównym tropem, którym należało iść. Trochę to trwało, ale w końcu udało mi się znaleźć dowody. Siadaj na krześle, a ja dzwonię na policję.

Hanson nadal patrzył na mnie z niedowierzaniem i nagle zorientowałam się, że jestem naga i on również. Nie było to przyjemne uczucie. Jak Adam i Ewa po ugryzieniu jabłka w Edenie poczuliśmy wstyd i jednocześnie rzuciliśmy się na szlafrok kąpielowy. Dostałam go pierwsza, dzięki uzbrojeniu, a Hanson owinął się jakąś kapą.

– Nelu, nic z tego nie rozumiem. Co ty pleciesz? Co za dowody? I skąd na miłość boską znałaś Wiktora?

Sięgnęłam do kieszeni szlafroka i wyjęłam pierścionek.

– To jest ten dowód. Ten pierścionek jest własnością Wiktora, przedmiotem, który zniknął w dniu jego śmierci.

Hanson ciągle próbował się do mnie zbliżyć, ale odstraszało go moje wymachiwanie pistoletem.

– Ja ci to, Nelu, wytłumaczę, ale najpierw ty mi powiedz, skąd wiesz o tym pierścionku.

Nagle opuściły mnie wszystkie siły, a z oczu popłynęły łzy.

– Miałam dostać podobny. Zaręczynowy. Gdybyś nie zabił Wiktora, zostałabym jego żoną – dokończyłam cicho, odłożyłam pistolet i rzuciłam się z płaczem na kanapę. Było mi wszystko jedno, czy Hanson mnie zabije, czy nie. Po takim szoku chciałam umrzeć. Dlaczego zakochałam się w przestępcy? A Sebastian mnie cały czas ostrzegał.

– Jezu! To ty byłaś tą dziewczyną – szepnął Hanson, a jego ręka objęła moje ramię.

– Zostaw mnie, morderco! – Odwróciłam się od niego, zwijając się w kłębek. Nie przeżyję tego, to pewne.

– Czy to znaczy, że nasze spotkanie nie było przypadkowe? – zapytał, próbując zbliżyć moją twarz do swojej. Jego ręce nadal pachniały moimi perfumami.

Nie mogę, to zbyt okrutne.

– Oczywiście, że nie było. Śledziłam cię od paru miesięcy, ale nie byłam w stanie niczego odkryć i dlatego musiałam cię poznać osobiście.

Twarz Hansona wyglądała jak po spotkaniu z wygłodniałym Drakulą.

– Czyli że to wszystko fikcja. To nasze spotkanie, wyjazd na Hel, wyznania. Wszystko to zaplanowałaś.

Z oczu trysnęła mi kolejna fontanna.

– Jesteś głupi i niczego nie rozumiesz. Wiktor po babci był najważniejszą osobą w moim życiu. Obiecałam sobie, że go pomszczę. To nie może być tak, że niewinna osoba może zostać bezkarnie zamordowana. Sprawca musi za to zapłacić!

– Tak bardzo go kochałaś?

Jeszcze do niedawna uważałam przecież, że miłością było dopiero to, co przeżywałam z Kajem, ale nie zamierzałam podbudowywać jego męskiego ego. Zdecydowałam się nic nie mówić. Hanson również milczał. I co teraz? Nie da mi zadzwonić na policję, a ja i tak nie będę mogła go zastrzelić, bo kiedy minęło mi pierwsze wzburzenie, poczułam się strasznie słaba i bezbronna. Nagle jednak Hansonowi coś się przypomniało i rzucił się na mnie.

– Masz mi powiedzieć, słyszysz? Kochałaś Wiktora, tak? Jak długo z nim sypiałaś? Potrafił ci dogodzić? Czy posuwał cię także w pracowni?

Hanson zaciskał ręce na mojej szyi i wystarczyłby jeden mocniejszy ruch, a wkrótce spotkałabym się z Wiktorem.

– Ja... ja z nim nigdy nie spałam – odparłam z rezygnacją, lecz w nagłym porywie sprzeciwu wykrzyknęłam – ale chciałam to zrobić! Tego dnia, kiedy go zamordowałeś, Wiktor miał spędzić ze mną noc.

Hanson zwolnił nagle uścisk i objął moje ramiona.

– Nie szarp się, Nela, i posłuchaj. Ja nie zabiłem Wiktora. Mogę ci to przysiąc. Nie mógłbym przecież zabić własnego ojca.

– Co?

– To, co mówię. Wiktor Nokian był moim ojcem.

– Nie wierzę, to niemożliwe – mówił Kaj do matki, która przemawiała do niego z nieprawdopodobnym spokojem. Jej twarz w ogóle nie odzwierciedlała wagi dochodzących do niego słów.

– Uspokój się. Taka jest prawda. Może więc zrozumiesz, że nie powinieneś się teraz z nimi awanturować. Po prostu nie masz do tego prawa.

– Czy... czy oni o tym wiedzieli? A ojciec... tata też wiedział? – Kaj sięgnął po paczkę papierosów matki.

– Nie, nikt nie wiedział. Ojciec też nie. Był wspaniałym człowiekiem i nie zasłużył na to, żeby wiedzieć. Poza tym był twoim prawdziwym ojcem. To, że fizycznie począł cię inny mężczyzna...

Jakie to wszystko było ohydne. Nagle okazywało się, że całe jego życie oparte było na kłamstwie. Najpierw zdradziła go Birgitta, i to w chwili, kiedy najmniej się tego spodziewał. Trafiła go w najczulszy punkt, a kiedy już doszedł trochę do siebie i ponownie zaczął ufnie patrzeć na ludzi, dopadła go ta straszna wieść o tragicznym wypadku ojca.

Kto mógł się spodziewać, że Karl Hanson zginie na przejściu dla pieszych przejechany przez pijanego motocyklistę. Kaj jeszcze nie otrząsnął się po pogrzebie, kiedy nagle zauważył, że jego starsze rodzeństwo wszystko już sobie skrzętnie zaplanowało. I to do tego stopnia, iż w rodzinnej firmie pozbawiło go jakiejkolwiek poważnej funkcji. *Jesteś jeszcze za młody. Spróbuj zrobić coś ze Wschodem, a potem zobaczymy.* To nie była tylko opinia starszego brata, Haralda. Również matka, jego własna matka stanęła po stronie pozostałych. Teraz już wiedział dlaczego.

Kaj zaciągnął się dymem papierosa i żałował, że nie jest to joint. Zwykły tytoń nie miał mocy, która mogłaby go uspokoić. Nie po takiej wieści.

– A ten człowiek, ten, z którym... – Nie wiedział, jak to ma powiedzieć, no bo w jaki sposób rozmawiać o tych rzeczach z własną matką.

– On też o niczym nie wiedział. Uznałam, że tak jest najlepiej.

Świetnie. Uznała, że tak jest najlepiej, i przez tyle lat żyła w kłamstwie, oszukując na dodatek wszystkich dokoła.

– Nic nie rozumiesz, Kaj – powiedziała piękna jasnowłosa kobieta, o której nikt nie mógłby powiedzieć, że niedawno skończyła pięćdziesiątkę.

– Chciałbym, żebyś mi to wytłumaczyła – poprosił, patrząc, jak matka cały czas okręca na palcu swój stary pierścionek. Pierścionek z bursztynem, z którym nigdy się nie rozstawała.

Maria spotkała się z Wiktorem na jakiejś robotniczej praktyce studentów szkół plastycznych i niemal od razu poczuła do niego silny pociąg fizyczny. Był jej równolatkiem, ale wydawał jej się szalenie doświadczony w „tych" sprawach. Kochali się tak intensywnie, jakby następnego dnia miała wybuchnąć wojna. Wojna nie wybuchła, ale praktyka się skończyła i przyszedł moment rozstania. Maria mieszkała w Warszawie, a Wiktor w Gdańsku. Przez cały czas czekała na jakieś słowo czy gest z jego strony, który by mógł świadczyć o jego poważnych zamiarach, ale Wiktor był szalony i pełen przeróżnych wizji, a powaga znajdowała się na końcu listy jego priorytetów. Po rozstaniu pisali do siebie listy, to znaczy pisała Maria, bo Wiktor po dwóch przesyłkach zupełnie zamilkł.

I wówczas pojawił się Karl. Przyjechał do Warszawy z Afryki, z zadaniem ściągnięcia do RPA pewnego żydowskiego małżeństwa lekarzy. Dzięki temu, że był jubilerem, miał przeróżnych znajomych również w Warszawie i to przez nich trafił do ojca Marii, który prowadził warsztat złotniczy. Karl odbywał swoje rozmowy, załatwiał przeróżne interesy, ale ciągle przyglądał się Marii. Miała wówczas niespełna dwadzieścia lat, on zbliżał się do trzydziestu pięciu, ale kiedy razem oglądali wzory jej biżuterii, wcale nie odczuwali tej różnicy. Na Karlu można było polegać. Kulturalny, dystyngowany, pełen szacunku. Nie to, co ten narwany Wiktor. Ale kiedy Karl się oświadczył, Maria w pierwszym odruchu zdecydowała się pojechać do Gdańska. Musiała jeszcze raz się upewnić, że wychodząc za niego, podejmie najsensowniejszą decyzję w swoim życiu. Nie chciała mieć później jakichkolwiek wątpliwości.

Zniknęły one prawie natychmiast po spotkaniu z Wiktorem, który spóźnił się na spotkanie z nią prawie godzinę. Ale potem, kiedy kochali się w jego ciasnej kwaterze, Maria nie była już tego tak pewna. Postanowiła powiedzieć mu prawdę.

– Wiesz, ktoś mi się oświadczył – ledwo słyszalne słowa odbijały się od jego zarośniętej piersi. Myślała, że jej nie słyszy, ale po dłuższej chwili Wiktor westchnął i podniósł się na wąskim łóżku.

– Jakiś w porządku facet? – zapytał.

– Bardzo, bardzo w porządku – odparła, odczuwając nagle wyrzuty sumienia w stosunku do Karla. Okryła piersi wypłowiałym kocem. Tak sypiał Wiktor.

– To wyjdź za niego. Widzisz sama, że ja ci nic nie mogę zaproponować. Poza tym czuję, że nie nadaję się na męża. Przynajmniej jeszcze nie teraz.

Wiktor podniósł się z łóżka i podszedł do stolika, na którym przechowywał swoje narzędzia pracy.

– Masz. To dla ciebie. – Podał jej jakiś drobny przedmiot.

– To będzie mój prezent ślubny.

W prezencie przekazał jej jednak więcej niż pierścionek. W dniu ślubu z Karlem Maria wiedziała już, że spodziewa się dziecka.

Kaj był zapatrzony w najdalszą, pokrytą drobnym wzorkiem ścianę.

– Wiedziałem tylko, że nazywa się Wiktor Nokian, prawdopodobnie mieszka w Gdańsku i jest artystą plastykiem.

Przez głowę przelatywały mi tabuny myśli. To było kłamstwo. Kaj nie mógł być synem Wiktora. Obróciłam twarz w jego stronę i ujrzałam jego profil, a poza tym inne rzeczy, na które do tej pory nie zwracałam uwagi. Gdyby Wiktor nie miał brody... Jezu! Kaj był jego jasnowłosym powieleniem.

– Trochę to trwało, zanim udało mi się go namierzyć i rozeznać w jego interesach. Chciałem wiedzieć, jakim jest człowiekiem, zanim z nim porozmawiam. Matka błagała mnie, żebym niczego mu nie wyjawiał, ale uważałem, że w tej sytuacji nie ma prawa do stawiania mi jakichkolwiek żądań. Po raz pierwszy przyszedłem do pracowni, udając potencjalnego klienta. Natychmiast mnie zafascynował, kiedy zaczął opowiadać o swojej pracy i wyciągać kartki z wzorami. – Nagle przerwał. – Jezu, Nela, przecież ja cię tam widziałem! Przecież to ty przynosiłaś te stare papiery!

Kaj przyciskał skronie i zaczynał dopiero wszystko powoli kojarzyć.

– Na kilka dni przed... przed jego śmiercią, kiedy do niego zaszedłem, nie było tam nikogo. Ani pracowników, ani kobiety, która była jego asystentką. – Spojrzał teraz na mnie z pogardą. – Wiktor powiedział wówczas, że nie jest w stanie zrealizować naszego zamówienia, bo jest finansowo spłukany i ma zamiar zlikwidować działalność. Dłużnicy deptali mu już po piętach. Spytałem wówczas, o jaką kwotę chodzi. To było dużo, ale nie za dużo, aby pomóc własnemu ojcu.

Wiktor był skonsternowany, słysząc propozycję pożyczki z ust tego nieznajomego mężczyzny. Był pewien, że to kolejna finansowa pułapka na niego. Nikt bezinteresownie nie pożycza tyle forsy. I wówczas Kaj wyciągnął pierścionek. Nie przypuszczał, że Wiktor będzie w stanie go rozpoznać. Pomylił się. *Skąd to masz? Mów prawdę.* Kiedy powiedział, nie spodziewał się nawet, że stary aż tak się rozklei. *Mój syn, mój syn*, powtarzał, nie zważając na cieknące po brodzie łzy. Kaj również nie mógł opanować wzruszenia. Przesiedzieli razem całą noc i pili wódkę. Nad ranem Wiktor zgodził się przyjąć pieniądze.

– Sądziłem, że wszystko się ułoży. Wprawdzie nie będę w stanie nigdy myśleć o Wiktorze jako o ojcu, ale mogłem się z nim zaprzyjaźnić. Mieliśmy tyle wspólnych doświadczeń... Dwa dni później spotkałem się z kimś, kto powiedział mi, że Nokian jest hazardzistą i przepuszcza całą zarobioną forsę. Nie uwierzyłem w to. Byłem pewien, że Wiktor przyznałby mi się do tego. Tego dnia, kiedy... – Zamilkł na chwilę, wracając myślami do przeszłości. – A on był sobą zachwycony. Świergotał jak nakręcony. Kiedy wspomniałem o hazardzie, machnął tylko ręką, twierdząc, że to już przeszłość. Tego dnia miał zamiar zacząć nowe życie. Ponieważ jestem jego pierworodnym, więc mogę się o tym również dowiedzieć pierwszy. Miał zamiar się ożenić.

– To niemożliwe, Wiktor. Z kim?

– Widziałeś ją. To moja prawa ręka.

Kaj przełknął ślinę.

– Przecież to taka młoda dziewczyna.

– Wiem, ale jej mój wiek nie przeszkadza. Jest wspaniała. Z pewnością sam ją polubisz, jak się lepiej poznacie. No cóż, będziesz miał młodszą od siebie macochę.

Kaj teraz z jawną odrazą patrzył na tego chutliwego starca. Był zupełnie nieodpowiedzialny. Wystarczył przypływ gotówki, żeby znowu zaczął szaleć.

– Robię teraz dla niej pierścionek. Będzie podobny do tego Marii.

– Gdzie jest pierścionek mojej matki?

– Słuchaj, Kaj, chyba nie masz mi tego za złe, że chcę ułożyć sobie życie?

– Wiem, że nic już sobie nie ułożysz. Słyszałem niejedno o tobie. I powiem ci prawdę. Gardzę tobą i wstydzę się, że moje geny mają cokolwiek wspólnego z twoimi. Ale to czysty biologiczny przypadek.

– Wówczas Wiktor rzucił we mnie pieniędzmi, mówiąc, żebym je sobie zabrał, i cisnął mi pod nogi pierścionek. Miałem się wynieść i nigdy nie pokazywać mu się na oczy. Wyzywał mnie strasznie w kilku językach.

Coś wiedziałam o tych wyzwiskach Wiktora. Potrafił być głupi i okrutny, kiedy wpadł w szał.

– Wybiegłem wówczas z pracowni i nigdy tam nie wróciłem. Dopiero po kilku dniach dowiedziałem się o jego śmierci.

Zamilkł i widać było, że ponownie to wszystko przeżywa. Potem spojrzał na mnie. Siedziałam w kącie kanapy, otulona jego szlafrokiem, i patrzyłam na niego wielkimi ze zdumienia oczami. Nagle się do mnie przysunął.

– To takie dziwne – powiedział.

– Co?

Niespodziewanie jego ręka rozsunęła szlafrok.

– To, że mam podobny gust jak Wiktor. Powiedz: którego wolisz?

Chyba zwariował! Widziałam, że jest podniecony i odrzuca kapę. I ja miałam uwierzyć w te niepotwierdzone słowa? Równie dobrze ja sama mogłam powiedzieć, że jestem córką Wiktora. A gdyby nawet mówił prawdę, co to oznaczało? Jedynie to, że sam go pchnął do samobójstwa, mówiąc mu te okropności. Z zazdrości! Mógł zazdrościć ojcu, że chce ponownie ułożyć sobie życie, że jest szczęśliwy. Faeton wykradł rydwan Heliosa. Mój wzrok prześwietlał Hansona jak promienie rentgena. Zniknęła jego przyjemna powierzchowność, pozostał kościec składający się z kłamstwa, oszustwa i zazdrości.

– Nie dotykaj mnie! – krzyknęłam i pobiegłam do sypialni. Pospiesznie wdziewałam na siebie ubranie. – Nie wierzę ci!

Twarz Hansona obserwującego moje czynności stężała.

– Dobrze. To w takim razie porozmawiaj z Moniką.

– Z Moniką?

– Tak, to moja przyrodnia siostra – odpowiedział Hanson, wychodząc z sypialni.

Nie pokazał się, kiedy wychodziłam z mieszkania.

Rozdział XII

– Przepraszam, bardzo przepraszam, że przeszkodziłam, ale muszę wiedzieć – powiedziałam i wlepiłam błagalny wzrok w Monikę.

Przyjęła mnie dopiero po trzech dniach intensywnego wydzwaniania do niej. Najpierw wyjeżdżała w niedzielę na wieś, potem umówiona była z kosmetyczką, z kolei teraz wyprawiała za granicę męża. Udało mi się zabukować u niej termin pomiędzy odlotem samolotu a zebraniem charytatywnym kobiet działających na rzecz sierot.

W ciągu trzech lat wiele się zmieniło w życiu Moniki. Wkrótce po śmierci Wiktora wyszła za mąż za prezesa dużego przedsiębiorstwa i zamieniła trzypokojowe mieszkanie na willę na Kamiennej Górze. Studia również udało jej się skończyć, a do tego urodzić synka, którym w tej chwili zajmowała się mieszkająca razem z nimi niania.

– Bardzo się, Anita, zmieniłaś. Nie poznałabym cię na ulicy – powiedziała, podając mi szklankę soku. – To mówisz, że znasz Kaja. – Uśmiechnęła się do siebie, sącząc powoli martini.

– No tak, i rozumiesz, że trudno mi uwierzyć w to wszystko. Powiedział, że ty mi to wyjaśnisz.

– Ja mam wyjaśnić?! – Monika zaśmiała się głośno, trochę jakby wymuszonym śmiechem. – Czy on oszalał? To jemu zależało na utrzymywaniu ścisłej tajemnicy... – Kręciła z niedowierzaniem głową. – Zupełnie go nie rozumiem. – Spojrzała na mnie z błyskiem zainteresowania w oku. – A z ciebie, Anita, to niezły numer! To, że w końcu okręciłaś sobie mojego starego wokół palca, to jedna sprawa. Wiadomo, starsi faceci i ich sekretarki. Ale Kaj!

Krew uderzyła mi do głowy. Raptownie podniosłam się z fotela, ale zatrzymała mnie ręka Moniki.

– Nie unoś się, tylko posłuchaj do końca. Ja się jedynie zastanawiam nad ukrytymi mechanizmami. Nie gniewaj się, Anita, ale chyba po latach zrozumiałaś, że zupełnie nie pasowałaś do mojego nieobliczalnego ojca. Ja z kolei rozumiem, że takie spokojne osoby jak ty może fascynować nieprzewidywalna psychika, ale należy mieć jednak jakieś odruchy obronne. A teraz Kaj. No dobrze, mój przyrodni brat Kaj. Przy bliższym poznaniu jest identyczny jak jego tatuś. Zadać się z nim to jak podpisać na siebie wyrok. On jest tak samo płytki emocjonalnie jak Wiktor. Trzeba było widzieć jego wcześniejsze zbiory z kolekcji.

Nie musiała mi przypominać. Sama widziałam dwa okazy i zupełnie mi to wystarczało. Jednak przy takim ataku na Kaja niespodziewanie dla siebie wzięłam go w obronę.

– Ale on mi się oświadczył.

– Oświadczył? O święty Boże. Tak z pierścionkiem i te rzeczy?

Triumfująco spojrzałam na Monikę.

– Właśnie. I dlatego pojawiła się kwestia pierścionka.

W końcu mocno zadziwiona Monika zaczęła opowiadać. Poznała go krótko przed śmiercią ojca. Przyprowadził go Wiktor, pragnąc, by się jak najszybciej spotkali, gdyż chciał namówić Kaja, aby dopomógł w załatwieniu Monice jakiegoś zagranicznego stażu, o czym marzyła. Zawsze ją beznadziejnie rozpieszczał. W dniu, kiedy się pokłócili – ona nic nie wiedziała o planach matrymonialnych ojca – i Wiktor wyrzucił Kaja z pracowni wraz z pieniędzmi, Hanson natychmiast przyjechał do niej. Dał jej pieniądze, prosząc, aby przekazała je ojcu, gdyż on ma zamiar wyjechać do Stanów. Wkrótce po jego wyjściu Monika zadzwoniła do pracowni i rozmawiała z Wiktorem – zatem wówczas jeszcze żył – i powiedziała mu o pieniądzach.

– Jak się teraz nad tym zastanawiam, to ojciec rzeczywiście miał jakiś odmieniony głos. Powiedział, że „mam trzymać to, co dostałam, i język za zębami również".

– Czyli te pieniądze nigdy nie zniknęły? – spytałam z rezygnacją.

– No, nie. Ja je miałam. A potem – nagle się zarumieniła – Kaj powiedział, że mogę je sobie zatrzymać. Chciał mi trochę pomóc, wiesz. Wtedy jeszcze ciągle studiowałam...

Rozejrzałam się po salonie wypełnionym antykami.

– I nie powiedziałaś policji?

– A po co? Żeby wszystko się wydało! Trzymałam język za zębami. Zastanów się sama, Anita. Ojciec był winien komuś forsę. Pewnie jakimś typom spod ciemnej gwiazdy, skoro przerżnął wszystko w kasynie. Nie chciałam, aby się do mnie zgłosił jakiś egzekutor. Ale patrząc filozoficznie, robiąc to, uratowałam Kajowi tyłek. Ciekawe, co by powiedziało jego rodzeństwo, gdyby się wydała sprawa ojcostwa Wiktora. Cały majątek po Hansonie odpłynąłby w siną dal, a zubożały rycerz utraciłby podstawowy atut u swych zmieniających się jak w kalejdoskopie luksusowych panienek. Wydaje mu się, że jest artystą, a tłucze zwykłą tandetę.

Odstawiłam szklankę z sokiem, który smakował, jakby był spreparowany przez Lukrecję Borgię. Przez te dowody prawdziwego siostrzanego uczucia czułam taką słabość w nogach, że nie wiedziałam, jak o własnych siłach dojdę do kolejki elektrycznej. Chciałam się jednak jeszcze upewnić.

– Ale to nie Kaj...?

– Nie, nie on. – Monika była tym wyraźnie zawiedziona. – On miał nawet fioła na punkcie śmierci Wiktora podobnie jak ty. Uważał, że ktoś ojca załatwił. Ale chyba mu to ostatnio przeszło.

Ponieważ nadal było mi bardzo słabo, poprosiłam Monikę o zamówienie taksówki. Kiedy wstałam z fotela, zobaczyłam na półce nad kominkiem znajomy druk.

– Wybierasz się na otwarcie tej galerii? – spytałam.

– O, tak – odparła żywo Monika – i mam nadzieję, że uda mi się coś tam sprzedać. Ostatnio namalowałam kilka niezłych obrazów. Jestem umówiona z kierownikiem galerii na następny tydzień.

– Z Sebastianem?

Tym razem wstrząsnęłam nią do głębi.

– Ty znasz Sebastiana?

– To mój przyjaciel i również nie znosi tandety – powiedziałam i czym prędzej wyszłam, bo właśnie podjechała taksówka.

W samochodzie jad zaczął się powoli ze mnie ulatniać, a wszystkie myśli nabierały wyraźniejszych kształtów. Pomyślałam jednak, że nie uspokoi mnie powrót do domu. Musiałam najpierw porozmawiać z Kajem. Gdy wysiadałam z taksówki, z ulgą zauważyłam stojące na podwórku volvo. Gdyby go nie było, zamierzałam czekać na jego powrót.

– To ja, Nela – powiedziałam do domofonu.

– Mam tylko chwilę czasu. Jestem zajęty – powitał mnie obcy znajomy głos. – Jestem umówiony na spotkanie – powiedział, kiedy wdrapałam się na piętro.

Ciekawe! Ubrany w luźne szare spodnie i czarną bawełnianą bluzę!

– Rozmawiałam z Moniką.

– I co? – Patrzył nerwowo na zegarek.

Wzruszyłam ramionami. Nie poprosił nawet, abym zdjęła płaszcz. Zdeterminowana powiesiłam go na wieszaku.

– Powiedziałem ci, że nie mam czasu.

– Chciałam cię przeprosić za to wszystko. To jest takie niewiarygodne. Nadal nie mogę w to wszystko uwierzyć.

Zbliżyłam się do niego, ale on czym prędzej się oddalił. Szłam za nim do gabinetu, nie dając się zbić z tropu.

– Kaj, proszę cię, wybacz mi.

– Ty chyba żartujesz. – Teraz odwrócił się do mnie obcą twarzą. – Śledziłaś mnie, jak sama mówiłaś, przez kilka miesięcy. Gdy mnie poznałaś, uważałaś, że masz do czynienia z mordercą. Będąc ze mną w łóżku, sądziłaś, że zabiłem ci narzeczonego, a teraz co, przepraszam? Ja chyba czegoś nie rozumiem.

– Kaj, jak poszłam z tobą do łóżka, to byłam już przekonana, że jesteś niewinny.

– Aha – warknął. – A sobotni popis z machaniem bronią to w obronie mej niewinności, co?

– Proszę cię, nie przypominaj mi, to nie było tak. Wszystko ci wyjaśnię. Naprawdę robiłam to w dobrej wierze i... zakochałam się w tobie.

– Po prostu się zakochałaś! Czysta kpina! To los ze mnie zadrwił i być może sobie na to nawet zasłużyłem. Myślałem, głupi, że po raz pierwszy w życiu spotkałem taką kobietę, krystalicznie czystą, uczciwą, wierną, kochającą, którą będę kochał i szanował aż do śmierci. Tylko że ona w mgnieniu oka zamieniła się w potwora.

Wiedziałam, że ma rację, i zarazem jej nie miał. Musiałam go przekonać. Jak ze smutkiem stwierdziłam w ciągu minionych trzech dni, Kaj był całym moim życiem. Zaczęłam się bronić, choć wiedziałam, jak słaba jestem w potyczkach słownych.

– Skoro zaczęliśmy o uczciwości, to może mi powiesz, czy ty naprawdę przypadkiem zainteresowałeś się mną i czy nie stała za tym obietnica złożona niejakiej Ilonie Warskiej?

Cios był trafny i Kaj zbladł. Dorzuciłam do tego cały repertuar faktów i moich podejrzeń.

– Nie myśl, że jestem taka głupia, żeby się nie domyślać, że to nie do mnie przyjechałeś do Zakopanego. Służyłam ci za doskonały pretekst!

Tę ostatnią uwagę rzuciłam tak sobie i nawet nie przypuszczałam, że trafiłam w dziesiątkę. Kajowi nerwowo chodziły szczęki.

– To prawda, że przyjechałem do Krakowa na spotkanie z Iloną, ale chciałem jej tylko wyjaśnić, że między nami definitywnie koniec.

– Ha. Cudowne. Żeby o tym porozmawiać, trzeba było jechać na drugi koniec Polski.

– Ona uważała, że Bogdan się wszystkiego domyśla.

– Pewnie, że się domyśla! – niemal krzyczałam. – Ale was olewa, ot co! Mówisz mi o uczciwości, a Bogdan jest podobno twoim przyjacielem.

– Niczego nie wie, a z tą przyjaźnią to jest różnie – powiedział jakby do siebie Kaj. – A ty przestań zwalać winę na mnie. To był tylko pomysł Ilony, jeszcze zanim cię poznałem. Kiedy cię ze mną zobaczyła, uważała, że po prostu go realizuję. Nie mogę odpowiadać za to, co się roi w jej głowie.

Tak, Ilona Warska była jego kochanką i zaangażowała go bardziej, niż chciałby się do tego przyznać. Do tej pory tylko takiego typu związki z kobietami wchodziły w rachubę. Zabawa i seks.

– Nie spałem z żadną kobietą, od kiedy się z tobą związałem. Natomiast tobie się dziwię, że mogłaś to robić ze mną, podejrzewając mnie o zdradę.

– Dziwisz się? Dlaczego? Bo cię kochałam i wydawało mi się, że mimo wszystko ty mnie też kochasz.

Kaj zamilkł, a ja, ponieważ nie spadały na mnie teraz gromy słów, bezpiecznie przemknęłam w stronę jego ramion. Muszę go dotknąć, a będzie znowu mój i całe zło zniknie.

– Kaj, proszę cię... – Wtuliłam się w jego szyję i wspięłam na palce, aby pocałować go w usta. Obejmowałam go z całych sił, więc nie mógł mi uciec.

Najpierw odwracał głowę, ale potem...

– Jezu, Nelu.

Jego wargi były na moich. Rozsunęłam je językiem i zmusiłam do odpowiedzi. Chciałam włożyć w ten pocałunek całą swoją pasję i miłość do niego. Kaj stopniowo zaczął topnieć. Pospiesznie podniosłam jego bluzę i dotknęłam nagiego torsu, który pokryłam szybkimi pocałunkami. Proszę, Moje Serce, bij znowu dla mnie. W końcu ręka Kaja, jakby bezwiednie, wślizgnęła się pod górę mojej garsonki i zaczęliśmy się całować jak szaleni. Rzuciliśmy się na stojącą z brzegu kanapę, a ja rozpięłam mu pasek u spodni, zauważając, szczęśliwa, że tak bardzo mnie pragnie. Ja pragnęłam go do obłędu. Chciałam się z nim połączyć i zostać już tak na wieki. Wtedy bylibyśmy bezpieczni przed otaczającym nas złem i kłamstwami. Na zawsze razem.

Osunęłam się w dół i wzięłam go w usta. Kaj jakby załkał, a ja prześcigałam się w pomysłach, jak mu dogodzić. Mój dotyk i pocałunki nadal silnie na niego działały.

– Kaj, zawsze chciałeś wiedzieć, czy cię pragnę. Nie jest to oczywiste? – spytałam i nagle czar prysł.

Kaj spojrzał na mnie, jakby się wyrwał z głębokiego snu.

– Ja chyba zupełnie zwariowałem. Co ja robię?

– Kochamy się – wystękałam nieco oszołomiona.

Nagle zadzwonił dzwonek od domofonu. Kaj wyswobodził się z moich objęć.

– Błagam cię, nie otwieraj!

Pospiesznie podciągał spodnie i szedł w kierunku drzwi, a ja w ubraniu w nieładzie, z którym nie zamierzałam nic robić, za nim. Z rozpaczą zobaczyłam, że przyciska guzik uwalniający drzwi.

– Ty idziesz do domu – rozkazał władczym tonem.

Nie było żadnych wątpliwości, kto jest jego ojcem.

– Kaj, proszę cię, musimy porozmawiać. Zrozumiesz mnie.

– Nie! – Odwrócił się do mnie i zobaczyłam zaczerwienioną z gniewu twarz. – Ja wszystko rozumiem. I odpowiem ci krótko. Nie mógłbym być z kobietą, która od samego początku mnie oszukiwała. Której nigdy w życiu bym nie poznał, gdyby nie jej kłamstwa. Słuchaj, Nela, Anita, czy Bóg wie, jak masz naprawdę na imię, cały nasz związek został oparty na fałszu i zdradzie. A teraz żegnaj. – Ręką sięgnął po mój wiszący płaszcz.

– Kaj, ja cię tak straszliwie kocham – powiedziałam już zupełnie bezradnie.

Ktoś zastukał do drzwi. Kaj chciał otworzyć, ale raptownie jeszcze raz odwrócił się do mnie. Patrzyła na mnie twarz kata.

– Kochasz? To żart, prawda? Ty nie masz pojęcia, co to jest miłość. Przecież ty nawet nie kochasz swoich dzieci. – Opuścił topór i uśmiechnął się wzgardliwie.

Ręka ofiary sama się uniosła i patrzyłam z niedowierzaniem, jak wycelowała w jego policzek. Po chwili wróciła do właścicielki, a na policzku widniał duży czerwony ślad.

Za moimi plecami ktoś usilnie próbował nam o sobie przypomnieć.

– Kaj, przepraszam, nie...

Zdecydowany ruch pchnął drzwi do środka.

– Dobry wieczór. Chyba nie przeszkadzam. – Do mieszkania ładowała się uśmiechnięta Ewelina. Minispódnica, duży dekolt i wysokie na dziesięć centymetrów szpile.

– Oczywiście, że nie – odparł Kaj. – Przecież byliśmy umówieni. Nela właśnie wychodziła.

Ewelina obrzuciła rozbawionym spojrzeniem mój strój.

– To się nazywa prawdziwa zmiana warty! – powiedziała, a ja bez słowa przemknęłam obok niej na korytarz.

Teraz już wiedziałam, co Kaj Hanson mówi kobietom, żeby go spoliczkowały.

Rozdział XIII

Nadeszła niedziela, a ja wciąż nie miałam ochoty podnieść się z łóżka. To znaczy do końca nie była to prawda. Podnosiłam się. Chodziłam nawet do pracy, robiłam zakupy, gotowałam i znowu się kładłam. Nie miałam ochoty na rozmowy z kimkolwiek, nawet z Lusią, miałam jedynie ochotę umrzeć. Dzieci po wtorkowej awanturze zostawiły mnie w spokoju. Jedynie Mirka od czasu do czasu rzucała mi zranione spojrzenia. Powinnam inaczej załatwić tę sprawę z Mateuszem, ale nie potrafiłam. Kaj miał rację. Nie nadawałam się na matkę.

Kiedy we wtorkowy wieczór wróciłam spłakana do domu, oboje patrzyli na mnie zszokowani. Pierwszy doszedł do siebie Mateusz.

– Pokłóciłaś się z Kajem? – spytał najpierw ostrożnie.

– To nie twoja sprawa. – Chciałam jak najszybciej wejść do łazienki i zmyć z siebie ohydę ostatnich godzin. – I proszę cię, abyś w przyszłości o nim nie wspominał.

– Jak to nie wspominał? Przecież on się ze mną umówił na ten pokaz samochodowy w przyszłym tygodniu – dopominał się Mateusz.

– Nie będzie żadnego pokazu. I Hansona też już nie będzie.

– Dlaczego? Coś mu powiedziała?

– Powiedziałam już, że to nie twoja sprawa, tylko moja. Zrobiłeś lekcje na jutro?

Mateusz stanął przede mną w rozkroku i patrzył wściekłym wzrokiem.

– Tylko to cię obchodzi. Odrobione lekcje, prawda? A ja chcę się znowu spotkać z Kajem.

– Przestań, Mateusz! Nie będzie już żadnego Kaja.

– To świetnie! Ojca nie ma, Kaja też nie, a ja ci powiem dlaczego. To wszystko przez ciebie. Oni cię po prostu nie lubią, wiesz? I ja też. Nie cierpię cię!

– Mateusz! – krzyknęłam.

Obrócił się na pięcie i wybiegł z rykiem do pokoju dziecięcego, trzaskając z całej siły drzwiami.

– Mateusz! – Chciałam iść za nim, ale Mirka mnie zatrzymała.

– Mamo! On się martwi, bo naopowiadał wszystkim swoim kolegom, że będzie miał nowego tatę. Że on jest bardzo bogaty i ma świetny wóz. I zabierze nas wszystkich na wakacje za granicę. Teraz będą się z niego wyśmiewać.

– Prze...przecież ja wam nie mówiłam, że mam zamiar za niego wyjść za mąż. – Spojrzałam na Mirkę z rozpaczą.

– Tak, ale myśmy tego tak bardzo chcieli. Zwłaszcza Mateusz. Ja też. – Spuściła głowę. – Zuzia ma przecież nową mamę. Ja też chciałam mieć tatę.

– Jezu! – powiedziałam tylko, rzucając się na łóżko i pozostając w nim.

Od tej pory odzywaliśmy się do siebie półsłówkami, a Mateusz miał stale zaczerwienione oczy.

Któregoś dnia zadzwonił dzwonek u drzwi, a ja oczywiście przez kilka sekund myślałam, że to Kaj. Gdy zasypiałam, stale śniło mi się to samo. Kaj się niespodziewanie pojawia i przeprasza mnie za wszystko. Mówi, że mnie rozumie i nigdy już mnie nie zostawi. Całuje mnie, a ja się budzę w koszmarnej rzeczywistości.

– Babcia! – usłyszałam wybuch radości u drzwi.

Tego jeszcze mi brakowało. Może powinnam połknąć jakąś tabletkę nasenną. Tylko skąd ją wziąć?

W korytarzu słyszę rozmowy prowadzone szeptem. Z pewnością dzieci ochoczo nadają na swoją wyrodną matkę. Odwracam się do ściany i niespodziewanie zasypiam.

Obudziłam się po godzinie i zobaczyłam stojącą przy łóżku Ewę. Przyniosła mi herbatę i kanapki.

– Słyszałam, że źle się czujesz, więc chyba dobrze się złożyło, że przyjechałam. Zajmę się dziećmi, zanim dojdziesz do siebie.

Patrzyłam na nią zdumiona.

– Wymyśliliśmy z dziećmi, że będę spała na łóżku Mirki, a Mateusz w śpiworze na podłodze. Właśnie mu go przywiozłam, więc koniecznie chce go wypróbować. Nie przejmuj się niczym. Po prostu musisz się dobrze wyspać. Aha, dzwoniła twoja Lusia. Powiedziałam jej, że później do niej zadzwonisz – oznajmiła i nie czekając na moją odpowiedź, opuściła pokój.

Bez dopytywania się i wypytywania o cokolwiek. Boże, przynajmniej jeden problem z głowy!

Słyszałam, jak Ewa zabiera dzieci na spacer, potem krzątała się po kuchni i przygotowała dla nas wszystkich obiad, a jeszcze później opowiadała bajki. Skąd ona znała bajki? Nie pamiętam, czy kiedykolwiek od niej jakąś słyszałam.

Rozbolał mnie brzuch i poszłam do łazienki, a tam okazało się, że nie będę miała dziecka Kaja. Dopiero wówczas się rozpłakałam. Siedziałam na sedesie i płakałam, że nic już nigdy mnie z nim nie połączy, płakałam, że jestem taką idiotką, żeby w takiej sytuacji chcieć jeszcze jednego dziecka, skoro nie mogę sobie dać rady z pozostałą dwójką, płakałam, że zawsze wszystkie moje plany potrafią nieoczekiwanie lec w gruzach, płakałam... no już nawet nie wiedziałam dlaczego.

Wyszłam z łazienki po godzinie i z korytarza dostrzegłam, że w pokoju dziecinnym przygotowane były już posłania, a Ewa nadal zabawiała dzieci. Nagle dosłyszałam fragment rozmowy.

– To nie wiesz, co to jest wesz? – śmiała się Ewa. – Jak to ten świat się szybko zmienia. Kiedy ja chodziłam do szkoły, nasza pani co tydzień sprawdzała nam włosy. Wesz to takie małe złośliwe stworzonko, które najbardziej lubi tam mieszkać i bardzo szybko się rozmnaża. Pamiętam, jak wasza mama, kiedy jeszcze mieszkałyśmy na wsi, dostała wszy od swojej koleżanki.

Nagle moje osłabienie wyparowało. Momentalnie pojawiłam się w pokoju dzieci. Na mój widok wszyscy ze zdumieniem podnieśli głowy.

– Dlaczego, Ewa, tak mówisz? Dlaczego mówisz im nieprawdę? To przecież nie tak było. Chyba dobrze wiesz, że dostałam wszy, będąc pod twoją opieką.

Ewa spojrzała szybko na dzieci i odwróciła się w moją stronę.

– Czy możemy o tym porozmawiać trochę później? Dzieci teraz przygotowują się do spania.

Zauważyłam ich niechętne spojrzenia w moją stronę i poddałam się. Zniknęłam w czeluściach mojego pokoju i nałożyłam sobie na głowę poduszkę z Chrztem Polski. Nie mogłam jednak zasnąć, a myśli natrętnie wracały do Kaja. Gdybym tak gwałtownie nie zareagowała na widok pierścionka, z czasem poznałabym prawdę i nadal bylibyśmy ze sobą, gdyż on z kolei nigdy by się nie dowiedział, że nasze spotkanie było zaplanowane. Chociaż z pewnością nie zamierzałam skręcić kostki!

Nagle drzwi do mojego pokoju cicho się otworzyły.

– Śpisz, Anita? – zapytała Ewa.

Nie odezwałam się.

– Wiem, że jesteś w kiepskim stanie, ale sądzę, że powinnyśmy porozmawiać. Nie chciałabym, abyś powtórzyła w stosunku do dzieci moje własne błędy.

– O czym ty mówisz? – Uniosłam się na łóżku.

Przez lata byłam spokojna i uległa w stosunku do niej, ale parę tygodni temu skończyłam już trzydzieści trzy lata i powinnam nauczyć się postępować z ludźmi.

Ewa rozsiadła się w fotelu przy łóżku i powiedziała:

– Nagle sama to jasno zrozumiałam, kiedy zaprotestowałaś w sprawie wszy. Pamiętasz, jak to z tobą było?

– Jak mam pamiętać? Byłam przecież mała. Babcia mi o tym opowiadała.

– To ja też ci mogę opowiedzieć. Dostałaś wszy na wsi, od swojej koleżanki. I to był główny powód, dla którego zabrałam cię od babci, mimo że nie miałam żadnych warunków do wychowywania dziecka. Helena ciągle mi to uświadamiała i dlatego poddałam się i oddałam jej ciebie. A potem... ten ciągły emocjonalny szantaż, że chcę zabierać chore dziecko, dawanie mi pieniędzy, które oczywiście były potrzebne, i powtarzanie, że musisz być stale pod opieką okulisty. Te twoje straszne okulary...

Usiadłam teraz na łóżku zupełnie przerażona, słysząc wzmiankę o okularach. Jak ktoś mógł na to pozwolić? *Przecież to zbrodnia*, słyszałam głos okulisty. O jakiej rzeczywistości ona mówiła? Stopniowo zaczęła ona nabierać zupełnie konkretnych kształtów.

– Najbardziej kochałam twojego ojca. Kiedy go poznałam, był taki wesoły, pełen energii i pomysłów.

Gdy jednak Ewa przyjechała na wieś, okazało się, że przy matce Janek zachowuje się zupełnie inaczej. Nie mogła tego zrozumieć. Ale czego można się było spodziewać po osiemnastoletniej dziewczynie, która nagle zupełnie zmieniła środowisko. Bardzo brakowało jej tej wcześniejszej wesołości Janka, była jednak pewna, że po narodzinach dziecka powróci. Przecież ona, Ewa, będzie znowu ładna i szczupła. To pewnie o to mu chodziło, prawda? A potem wysłała go po tę nieszczęsną czekoladę.

– Helena postanowiła, żebym nigdy o tym nie zapomniała.

To nie były jednak zarzuty stawiane wprost, z którymi można by dyskutować. Nie, to było stwarzanie atmosfery nieustannych wyrzutów sumienia. Śmierć Janka, narodziny niekochanego dziecka...

– To jest kwestia kodowania. Zrozumiałam to dopiero po wielu latach.

Kobiety różnie reagują po porodzie i nie jest prawdą, że wszystkie wpadają w samiczy zachwyt nad swym dzieckiem. Kiedy jednak ktoś stale mówi osiemnastoletniej dziewczynie, że jest nienormalna, bo się nie cieszy z karmienia piersią i obsługi noworodka, to po pewnym czasie zaczyna w to sama wierzyć. Tak, nie była materiałem na matkę. Dziecko ją męczyło, nie miała do niego cierpliwości, chciała się bawić, a nie tkwić kołkiem na wsi, gdzie każdy z mieszkańców wiedział, że to ona doprowadziła swego męża do śmierci.

– W końcu machnęłam ręką. Wiedziałam, że jestem inna, i pewnie dlatego musiałam się inaczej zachowywać.

Czuła to za każdym razem, kiedy próbowała mnie wziąć na ręce, a ja odwracałam głowę za babcią. Było to takie upokarzające, że własne dziecko reaguje w ten sposób na matkę. Potem przestała próbować. Tak, była winna, ale miała wtedy dwadzieścia lat.

– A potem byli faceci, którzy mieli mi zapewnić bezpieczeństwo życiowe. Czysta kpina!

Do każdego z nich Ewa podchodziła ze stuprocentowym

przekonaniem, że tym razem to będzie to! Kiedy nie było, wiedziała, że przyczyną fiaska jest ona sama. Przecież to ona była ta odmienna i zła. Gdyby nie jej wina...

– Jakie to dziwne, że tak szybko można wyczuć nieczyste sumienie innej osoby.

Mężczyźni jej życia błyskawicznie stwierdzali, że w stosunku do niej mogą sobie na wiele pozwolić. Odchodziła od nich, kiedy jej upokorzenie sięgało zenitu i kiedy nie było już wyboru.

– W końcu Martin okazał się porządnym facetem – musiałam jednak wtrącić.

– Nie całkiem. Tyle że miał bardzo duży dom, więc nie wchodziliśmy sobie w drogę – odpowiedziała.

– Ale pamiętał o mnie w testamencie – postanowiłam bronić przynajmniej potwierdzonych faktów. Tak mi się wydawało.

– W testamencie? Martin? – Ewa przez chwilę była zdezorientowana i poczerwieniała. – No dobrze, ja nie będę tworzyć fałszywych mitów. To nie Martin przepisał ci te pieniądze.

Otworzyłam buzię ze zdziwienia.

– To były pieniądze ode mnie. Widzisz, gdyby nie ten idiota twój mąż, nigdy nie wzięłabym od ciebie tych pieniędzy za mieszkanie.

– Ale wzięłaś! A ja przez to nie dostawałam potem od niego alimentów. Prawie umarlibyśmy z głodu! Nie miałam nawet na ubezpieczenia szkolne dla dzieci. – Nie mogłam słuchać tych wszystkich majaczeń mojej matki z takim spokojem. Musiałam złapać ją na jawnym kłamstwie.

– Wysłuchaj mnie, Anita. Mieszkanie cały czas było zapisane na Helenę. Gdybyście je przejęli po ślubie, Paweł zostałby, jako twój mąż, jego współwłaścicielem.

Paweł nie podobał się jej od pierwszej chwili, a jeszcze

bardziej jego pazerna matka. Mnie uznała za idiotkę, ale czego można się spodziewać po osobie, która do tej pory żyła w sztucznej rzeczywistości stworzonej przez jej babcię. Zniszczyłam wszystkie plany Ewy związane z naszym wspólnym wyjazdem do Anglii. Tak bardzo na to liczyła. Wydawało jej się, że będziemy mogły zacząć wszystko od nowa. Mimo to postanowiła mnie zabezpieczyć za pomocą pieniędzy, które wyciągnęła od Lisieckiej.

– Widzisz, okazało się, że miałam rację.

– I co z tego? Paweł nie płacił mi alimentów. Nie miałam z czego żyć. I co mi było z tego zabezpieczenia?

– A dlaczego o tym nigdy nie napisałaś? Tylko te napuszone kartki i zdjęcia dzieci w odświętnych strojach. Dlaczego napisałaś mi o rozwodzie z Pawłem dopiero w tym roku? I dlaczego o sytuacji mojej córki dowiedziałam się przypadkiem od obcych ludzi?

– Bo ty nigdy nie pisałaś, a ja nie chciałam się przyznać, że miałaś rację co do Pawła – zaszlochałam.

– A ty byłaś wobec mnie wyniosła i odpychająca. Miałaś na mój temat wyrobione zdanie. Wydawało mi się, że nigdy nie będę w stanie tego zmienić, że nigdy mnie nie pokochasz.

Dopiero teraz zauważyłam, że po policzkach Ewy cały czas płyną łzy.

– Gdy widzę, jak ty się zachowujesz w stosunku do swoich dzieci, jasno dostrzegam podobieństwo. Ty cały czas czujesz się inna, bo uważasz, że ja cię nigdy nie kochałam.

To prawda. Myślałam, że mnie nie kocha, ale będąc miła, uległa i dobra, pragnęłam to sobie zrekompensować sympatią innych. Cały czas czułam się jednak zagrożona i niepewna swego. Bałam się, że wszyscy mnie zawiodą podobnie jak własna matka. I jeśli tylko trochę się zaangażowałam, zawsze to robili.

– Mamo, czy pamiętasz, jak kupiłaś mi kiedyś taką jasnowłosą lalkę?

– Tak, pamiętam, bo kosztowała pół mojej pensji – otarła szybko ręką łzę z policzka – ale myślałam, że choć przez chwilę się mną zainteresujesz.

– Uważałam, że ty jesteś od niej ładniejsza... ale, ale ja się bałam do ciebie podchodzić, bo zawsze tak szybko znikałaś, a ja nie chciałam potem płakać...

– Anita, moja kochana!

Jednocześnie zerwałyśmy się z miejsc.

Siedziałyśmy potem na moim łóżku, rozmawiając i obejmując się jeszcze przez wiele godzin.

Patrzyłam na smukłą sylwetkę Sebastiana otoczonego mnóstwem gości i byłam z niego bardzo dumna. Nareszcie udało mu się zrealizować swoje marzenia. Oprócz tego, że zaczął w końcu sprzedawać obrazy, był teraz również kierownikiem tego niezwykłego miejsca. Z okazji otwarcia galerii ściął ciemne kędziory i włożył modny garnitur, a ja ze smutkiem stwierdziłam, że wolę jego wizerunek pirata niż biznesmena. Mimo iż zajęty rozmową, cały czas kontrolował, czym się z Lusią zajmujemy, i co chwila posyłał w naszym kierunku pocałunki. Z satysfakcją zaobserwowałam, że widziała to Monika i skręcała się ze złości, gdyż od dłuższego czasu nie mogła się do niego dopchać. Na nic się zdawała złota bluzka z dekoltem do pasa. Czułam, że za chwilę przybiegnie do mnie z prośbą o pomoc, więc odwróciłam się w stronę bufetu.

Nie miałam wcale ochoty uczestniczyć w tak dużej imprezie, ale Lusia zmusiła mnie, tłumacząc, że nie mogę zawieść Sebastiana. Jeszcze kilka tygodni wcześniej byłam pewna, że będzie tu ze mną Kaj. Dziś rozglądałam się czujnie dokoła, mając płonną nadzieję, że być może jakimś cudem przyjdzie.

A jak mnie zobaczy, to natychmiast pojmie, jaki był głupi i okropny. Cały czas żyłam tą wizją. Było tu przecież tylu ludzi z różnych środowisk, a Kaj nie znał Sebastiana, aby obawiać się, że mnie tutaj spotka.

Jednak tego wieczoru ja i Lusia nie byłyśmy pozbawione towarzysza płci męskiej. Był nim Daniel, który ucieszył się z mojego zaproszenia i zgodził być naszą obstawą. Po zerwaniu z Kajem, gdy pojawiłam się w pracy ubrana na czarno, Daniel uniósł oczy ze zdziwienia.

– Nienawidzę mężczyzn – powiedziałam. – Usiądź trochę dalej ode mnie.

– A ja nienawidzę kobiet – warknął Daniel i nagle się zastanowił. – Słuchaj, to idealny układ. Moglibyśmy być świetną parą.

Popatrzyłam na lekki trądzik na jego twarzy i zauważyłam:

– Mogę cię jeszcze adoptować.

Nie przypuszczałam, że się na mnie obrazi. Jednak zaproszenie było doskonałym środkiem odobrażającym i teraz Daniel przemierzał galerię, żywo interesując się jej obiektami i publicznością.

– Zdaje się, że nie pójdzie z nami na piwo – zauważyła Lusia, która w ostatnim czasie musiała schudnąć jakieś dziesięć kilo.

Ja, jak dotąd, schudłam cztery. Byłyśmy zatem teraz szczupło-interesujące i dlatego wcześniej umówiłyśmy się, że przedłużymy ten wieczór w jakiejś knajpie.

– Ja chyba też nie pójdę. Mama jutro wyjeżdża do Anglii i chciałabym jeszcze trochę z nią pobyć.

– Odkrywasz ją zupełnie na nowo, prawda?

– Nawet nie przypuszczałam, że to możliwe. W sumie to nawet fajna osoba. W każdym razie jestem ostatnio przekonana, że nie ma prawdy obiektywnej. Są tylko odbicia lusterek różnych oczu.

– Przestań mówić tak dziwnie, dobrze? Może napijemy się wina? – zaproponowała Lusia, a ponieważ kiwnęłam głową, zaczęła się przeciskać w stronę stołów.

– Dobry wieczór, Nelu – usłyszałam za plecami znajomy głos.

– Bogdan! Ty tutaj! – ucieszyłam się w nadziei, że... – Jesteś sam?

– Tak wypadło – odparł i uśmiechnął się.

Nie wiedziałam, co powiedzieć, i milczałam, czekając na powrót Lusi, ale ona utknęła gdzieś na końcu sali w towarzystwie Daniela i jego nowych kumpli.

– Słyszałem, że nie jesteś już z Kajem – powiedział Bogdan i lekko dotknął mojej ręki.

Minęło zaledwie dziesięć dni, a pół Gdańska już o tym wiedziało. No cóż, Ewelina zapewne z wielką satysfakcją odgrywała rolę posłańca. Jak na skrzydłach poleciała do Ilony, która, o czym byłam przekonana, skwitowała to stwierdzeniem: *Wiedziałam od początku, że z tą sprzątaczką to długo nie potrwa.*

– Czy w gazetach o tym też napisali? – spytałam jadowicie.

Bogdan ujął moją dłoń w swoje długie ręce.

– Nie gniewaj się na mnie. Myślisz, że lepiej byłoby, żebym udawał, że nic nie wiem?

Pokręciłam głową, a w oku zakręciła mi się łza.

– Jest ci okropnie?

Skinęłam głową i zniknęłam w jego objęciu.

– Nie martw się, to kiedyś minie. Ale wyglądasz bardzo ładnie.

Kiedy mnie wypuścił, byłam jakoś dziwnie spokojna.

Bogdan uważnie mi się przyglądał. Zaczął coś mówić, ale nagle przerwał.

– Co, co chciałeś powiedzieć?

– Mam tego twojego szczupaka i pomyślałem sobie, że może mógłbym do ciebie zadzwonić w przyszłym tygodniu, ale to chyba nie jest najlepszy pomysł, co?

Był wyraźnie zażenowany. Dotknęłam lekko jego policzka.

– Masz rację, Bogdan. To nie byłby najlepszy pomysł.

Spuścił na chwilę wzrok, po chwili jednak spojrzał mi prosto w oczy.

– Ale to będzie dobry pomysł. Za jakiś czas. Tymczasem muszę pozałatwiać trochę swoich spraw i wówczas się odezwę. Wtedy zobaczymy. Dobrze, Nela, zobaczymy?

– Zobaczymy – odpowiedziałam.

Bogdan Warski zniknął w tłumie.

Do mnie zaś w końcu podszedł Sebastian. On również wiedział już o zerwaniu z Kajem, jednak ani Pirat, ani Lusia nie mieli pojęcia, że Kaj jest synem Wiktora. Ja nigdy nie zdradzę tego sekretu. Sebastian oznajmił, że kiedy minie mu nawał pracy, ma zamiar zacząć mnie pocieszać. Powinnam się już szykować.

– O kurczę, a ty skąd go znasz, Anita?

– Kogo? Bogdana? To przyjaciel Kaja.

– Przyjaciel? – Sebastian uniósł brwi. – Ciekawa sprawa! No i jak ci się, mój skarbic, podoba? – zmienił szybko temat.

Pytał pewnie tylko z próżności, bo wiadomo było, że jest cudownie. Niezbyt duże pomieszczenie kojarzyło mi się z eleganckim pudełkiem, z bombonierką. Odpowiednio wyeksponowane obrazy, poza tym światło wyłącznie świec i lamp naftowych, wszystko to nadawało galerii Sebastiana urok tajemniczości. No i oczywiście te zgrabne długonogie hostessy kręcące się dokoła.

– Czy wiesz, że ponad połowa obrazów jest już sprzedana?

– Gratulacje. Wiedziałam, że tak będzie. Jakieś twoje?

– Dwa. – Zęby Sebastiana rozbłysły w pirackim uśmiechu. – A widziałaś biżuterię?

Dość małe stoisko, a i kolekcja trochę zbyt awangardowa jak na mój gust.

– Nie chciałabyś ze mną pracować, Anita? Zająć się tymi ozdóbkami? No, widzę, że nie chcesz. Wiem dlaczego. Bo nie ma tu nic Hansona, co? No dobrze, już w życiu nie wymówię tego nazwiska. Nie uciekajcie jeszcze, dobrze? Pójdziemy na kolację.

Wyjaśniłam Sebastianowi, że to jest jego wieczór i nami nie ma się co przejmować. Jeszcze wszystko porządnie uczcimy, niech go głowa już o to nie boli.

– No to lecę – powiedział Sebastian. – Widzę, że jeden z szefów już się ulotnił, więc muszę popracować nad drugim.

– A kto jest twoim szefem, Sebastian?

Machnął tylko ręką i zniknął w tłumie. Po chwili zobaczyłam, że rozmawia z mężczyzną, którego twarz była mi znana. Przypomniałam sobie. To był ten facet zainteresowany bursztynami, z którym Kaj rozmawiał u Warskich. Co za zbieg okoliczności! Czy to on był szefem Sebastiana? A kim był ten drugi... czy też kimś, kogo znałam?

– Kaj już się do mnie nie odezwie, prawda? – pytałam Lusię, kiedy jechałyśmy do domu taksówką.

Lusia nie odpowiedziała.

– Nie musisz przede mną kłamać – zauważyłam.

– No, dobrze – westchnęła Lusia. – Jeśli nie zrobił tego do tej pory, to wydaje mi się, że już nic z tego. To był z pewnością zbyt duży cios dla jego dumy.

Też tak przypuszczałam. To, że celowo zwabiłam go w swoje sidła, a nie on pierwszy dopadł zdobyczy.

Ból rozstania najgorszy był nad ranem, kiedy kończyła się

zbawienna ochrona snu. Budziłam się przed piątą i nie byłam w stanie już zasnąć. Pragnęłam natychmiast do niego jechać i upokarzać się, błagając o przebaczenie. Chciałam dzwonić, żeby choć usłyszeć jego zaspany głos. Oczywiście niczego takiego nie zrobiłam. Czekałam na dzwonek budzika. Myłam się, ubierałam, odprowadzałam dzieci, szłam do pracy... I tak już będzie zawsze. Dzień za dniem. Bez Kaja.

– Wiesz – po dłuższej ciszy odezwała się Lusia. – Gdyby Mariusz wrócił do mnie w pierwszym miesiącu, to przyjęłabym go z otwartymi ramionami, ale jeśliby pojawił się teraz... To coś już we mnie umarło.

Miałam nadzieję, że moje „coś" również zostanie wkrótce złożone do grobu.

– Powiedz mi, co sprawiało, że uważałaś się za odmienną. Czy chodziło o twoje śpiewanie? – pytałam Ewę, dolewając wina do jej kieliszka.

Miałyśmy zamiar „zanietrzeźwić" się w ten ostatni wspólny wieczór. Następnego dnia, w sobotę, mogłyśmy pospać trochę dłużej, a potem razem z dziećmi wybieraliśmy się wszyscy na lotnisko.

– Śpiewanie! – zaśmiała się moja matka.– Nie, to nie o to chodziło. To zupełnie inna historia. Nigdy nie opowiadałam ci o mojej rodzinie, prawda?

Nigdy. Nie wiedziałam nawet, jak mieli na imię moi dziadkowie. Rodzina z Podlasia należała do podstawowych tematów tabu.

Ewa wychowała się na wsi w towarzystwie swych młodszych braci i sióstr, ale tylko ona jedna garnęła się do nauki. Nie, nie była szczególnie pilna, ale lekcje wchodziły jej do głowy dość łatwo. Wydawałoby się, że ojciec powinien być zadowolony z takiej zdolnej córki, ale on stale na nią narzekał i gonił do pracy w zagrodzie. Matka, dla świętego spokoju, nie przeszkadzała mu w tych działaniach wychowawczych. Jednego tylko ojciec nie mógł. Podczas gdy pozostała czwórka dostawała regularne cięgi od starego, Ewy nie można było ruszyć nawet palcem.

Pewnego dnia, kiedy Ewa miała jakieś czternaście lat, ojciec wrócił z knajpy mocno podchmielony i zaczął się awanturować z matką. Kiedy stanęła w jej obronie, wrzasnął, żeby matka zabrała mu z oczu tego swojego bękarta, bo nie ręczy za siebie. Epitet, którym ją ojciec obdarzył, nie był Ewie obcy, postanowiła jednak wyjaśnić jego treść w rozmowie z matką. Początkowo rodzicielka nie chciała pisnąć ani słowa, dopiero gdy zagroziła, że wobec tego zapyta ojca, wyznała jej prawdę. Ewa nie była córką Józefa Krawczuka. A czyją?, spytała. Matka mocno się tym pytaniem zmieszała.

– I co? – dopytywałam się z wypiekami na twarzy. – Czyją? Nie była w stanie odpowiedzieć nazwiskiem na to pytanie. On był „czerwonym" partyzantem. Opiekowała się nim, gdy był ranny. Nie znała jego nazwiska, bo w partyzantce nie posługiwano się nimi. Włodek. Ale czy to prawdziwe imię? Był bardzo przystojny. Wysoki, ciemnowłosy, o pięknych niebieskich oczach, *twoich oczach, Ewunia.* Czy to było wszystko, co wiedziała? Nic więcej? Skąd był i tak dalej? Matka pąsowiała. Ewa tupnęła nogą. Miała czternaście lat i musiała wiedzieć! *On był chyba Żydem.* Powiedział jej o tym? Może był zbiegiem z obozu? Skąd wiedziała? *Był obrzezany.*

Ewa krztusiła się wprost ze śmiechu.

– Teraz wydaje mi się to śmieszne. Ale pomyśl sobie, jakim to było dla mnie szokiem. I co, nie był to wystarczający powód, żeby uważać się za odmieńca? I to wszystko za sprawą jakiegoś żydowskiego komunisty. Przez lata podczas oglądania telewizji wpatrywałam się uważnie w twarze pokazywanych polityków, myśląc, że być może któryś z nich jest moim tatusiem. Jeśli oczywiście przeżył wojnę.

Ale historia. Ciekawe, co Kaj by na to powiedział! Los niejednemu potrafi spłatać takiego psikusa. I on, i Ewa byli dziećmi wychowywanymi przez innych ojców. Ale czy było to aż takie nadzwyczajne? Kiedyś było to na porządku dziennym. Ile dzieci Izabeli Czartoryskiej spłodził jej własny mąż?

– Chyba tą historią o dziadku zakończymy dzisiejszy wieczór – powiedziała Ewa, ziewając. Była już trzecia.

Nie powinnam była tyle pić. Przez resztę nocy wydawało mi się, że śpiewam partyzanckie pieśni.

Rano obudziłam się z kacem i historią życia, która nabrała dodatkowych, zaskakujących wątków. Aniela Lisiecka z domu Stelman, wnuczka żydowskiego partyzanta o imieniu Włodek, córka Ewy, obecnie wdowy po czwartym mężu, była żona seropozytywnego Pawła, niedoszła żona... Już nigdy nie powiem, że moje życie jest nudne!

Po kilku aspirynach kac przycupnął gdzieś w zakamarkach czaszki. Wraz z Ewą udało nam się spakować jej manatki i przygotować dzieci do wyprawy na lotnisko.

– Następnym razem przywiozę ci więcej ciuchów – oznajmiła Ewa.

Do tej pory prowadziła w Anglii butik z ubraniami, ale ostatnio przestawało jej się to już opłacać i postanowiła sprzedać sklep jak najszybciej, aby móc jeszcze na tym cokolwiek zarobić. Wprawdzie Martin zostawił jej dość pieniędzy na komfortowe życie, ale nie zamierzała próżnować. Dopiero teraz opowiedziała mi, że ukończyła studia psychologiczne, o działalności w teatrze amatorskim, o pielęgnowaniu ogródka. Nowa Ewa była fascynującą postacią i postanowiłam jej nie zawieść.

Dzieci bardzo się cieszyły z tej wycieczki, bo jeszcze nie

odprowadzały nikogo na lotnisko. Jazdą taksówką również była zajmująca, podobnie jak widok różnych pojazdów i samolotów stojących na płycie lotniska. Loty zagraniczne odprawiano w małym baraku, ale obok widać było zaawansowane prace prowadzone na nowo budowanym terminalu.

– Babciu, kiedy przyjedziesz znowu?

Co do tego miałyśmy z Ewą gotowe pewne plany, ale nie chciałyśmy ich zdradzać dzieciom na wypadek, gdyby miały się w ostatniej chwili zmienić.

– Babciu, a długo będziesz czekać w tej Kopenhadze? – dopytywał się Mateusz, gdy nagle Mirka pociągnęła mnie za rękaw płaszcza i przyciągnęła do siebie.

– Mamo. Kaj tam stoi.

Spojrzałam w stronę wejścia i serce wykonało mi salto mortale. Rzeczywiście, kilka metrów od nas, za szybą, stała miłość mego życia. Rozmawiał spokojnie z innym mężczyzną. Chyba szykował się do drogi, bo stały przed nim walizki. Nie zdążyłam zareagować, gdy Kaj wraz ze swoim towarzyszem weszli do baraku. Teraz dostrzegli go również Mateusz i Ewa, ale nikt z nas nie ruszył się z miejsca. Kaj schylony popychał swoją walizkę w stronę wag bagażowych i omal nie potrącił Ewy.

– O, dzień dobry! Pani też leci? – Uśmiechnął się i wtedy dostrzegł nas wszystkich.

Najpierw przywitał się z Ewą, którą pocałował w rękę.

Potem poczochrał włosy Mateusza, który się od niego ostentacyjnie odwrócił.

– Hej. Nie jesteśmy już kumplami? – spytał.

– Nie! Umówiłeś się ze mną na pokaz i nie dotrzymałeś słowa. Mogłeś chociaż zadzwonić – odpowiedział odwrócony tyłem Mateusz.

– Myślałem, że mama ci to jakoś wytłumaczy – stwierdził Kaj i próbował złapać rękę Mirki, ale ona schowała się za Ewą.

– Mama wytłumaczyła, że już nie będziesz do nas przychodził – odrzekł Mateusz, a ja dostrzegłam, że ma oczy pełne łez.

Widziałam, że Kaj nie wie, co ma powiedzieć. Nagle przypomniał sobie, że nie przywitał się ze mną, i energicznie potrząsnął moją ręką.

– Możemy porozmawiać na boku? – poprosił, wskazując na Mateusza.

Wyszliśmy razem z baraku i stanęliśmy przy bramie prowadzącej na płytę lotniska. Milczeliśmy. W końcu pierwszy odezwał się Kaj.

– Ostatnio trochę za dużo powiedziałem. Przepraszam cię. To było nie w porządku.

A reszta? A Ewelina? Ale wspaniałomyślnie skinęłam głową.

– Wyjeżdżasz?

– Tak. Do Amsterdamu przez Kopenhagę.

– Na długo?

Starałam się nie patrzeć na niego. To było zbyt bolesne.

– Tak, na długo. Sam nie wiem, kiedy wrócę.

Spokój, łzy. Proszę siedzieć tam, gdzie wasze miejsce!

Muszę się skupić na czymś innym. Na przykład na zbyt cienkim jak na tę pogodę płaszczu Kaja, zaczerwienionym od mrozu nosie, sińcach pod oczami, nieogolonych policzkach.

– Okropnie wyszło z twoimi dziećmi – zauważył.

– To moja wina. Powinnam je ostrzec, żeby się nie angażowały. Nawet nie przypuszczałam, że tak im dotkliwie brak męskiej opieki.

– Powinnaś wyjść ponownie za mąż, Nela – powiedział.

Ofelio, idź do klasztoru. Popatrzyłam na niego z niesmakiem.

– Nie masz pojęcia, jak mi przykro, że to się tak skończyło.

Teraz powiedział to jasno. Skończyło! Wszystkie słowa, jakie miałam na podorędziu, uciekły.

Kaj uniósł mój podbródek i spojrzał mi prosto w oczy.

– Zrozum, Nelu, że w takiej sytuacji nic by z tego nie było. Nie można budować na kłamstwie. – Nagle po jego policzku poleciała łza.

– Kaj!

Natychmiast się ode mnie odsunął.

– Nie, Nela, nie mógłbym. – Nagle się ode mnie odwrócił. – Przepraszam, ale muszę już lecieć. – Jeszcze jedno spojrzenie w moją stronę. – Żegnaj, Nela.

Prawie od razu mieliśmy autobus do miasta. Skasowałam bilety i usiadłam naprzeciwko dzieci, które pospuszczały smętnie głowy. Atmosfera była iście pogrzebowa. Wyjechała jedyna atrakcja w postaci babci, a matka znowu będzie się zamyślać i płakać nocami po facecie, którego niefortunnie wprowadziła w życie swoich dzieci.

– I co, głuptasy? – spytałam, ściągając im czapki. – Co teraz robimy?

– Jak to co? Jedziemy autobusem – mruknął Mateusz.

– Ale mamy całą niedzielę. Może pojedziemy na lodowisko? A potem do McDonalda.

– A łyżwy?

– Można przecież wypożyczyć. Ja też bym pojeździła. Mam nadzieję, że się nie zabiję – przewróciłam oczami – ale będziecie musieli mnie holować. Mogę z wami pojeździć?

– Pewnie, mama. – Mirka przysiadła się do mnie, przytulając się do mojego ramienia.

Pocałowałam ją w zimny policzek.

– Słuchaj, Mateusz. Zastanawiałam się nad twoimi urodzinami. Ilu kolegów chciałbyś zaprosić do nas?

– Zaprosić?

Przez tyle lat nie mogłam zorganizować urodzin moim dzieciom. Oboje byli zapraszani przez swoich kolegów, ale ponieważ nie mogli się im zrewanżować, zaniechali tych wizyt.

– No tak. Zrobimy stylowe urodziny. Na przykład możemy cały wasz pokój przerobić na jaskinię piratów albo kosmiczną przystań. Napiekę mnóstwo ciasteczek, zrobię wspaniałą piracką pizzę, a Mirka pomoże mi uszyć na maszynie stroje. Co wy na to?

Teraz z drugiej strony przycisnął się do mnie Mateusz.

Siedziałam pośrodku, obejmując ich oboje. Miałam cudowne dzieci, które, kiedy trzeba, potrafią się wykazać lojalnością i stanąć w mojej obronie. Dziwne, że trzeba było mieć złamane serce, żeby to odkryć. Dzięki ci, Kaj, że mi to wreszcie uświadomiłeś!

Rozdział XIV

Śnieg jeszcze się lepił, ale rosnący mróz sprawiał, że kulki zaczynały się rozsypywać w rękach. Prognoza pogody głosiła, że dzisiejszej nocy będzie minus dziesięć, a słońce już zachodziło za najbliższą górką.

– Poddajcie się! – krzyczałam z Mirką do ukrytych za pagórkiem wrogów.

– Jeszcze czego! – Mateusz, zniecierpliwiony zbyt długim czekaniem, wybiegł z ukrycia i trafił prosto na linię ognia.

Po chwili wszystko się dokoła kotłowało, a ja leżałam na ziemi nacierana śniegiem przez Lusię.

– Już nie! Błagam! – Byłam trochę zdziwiona jej dość obcesowymi ruchami. Czy w tej zabawie chciała mi ściągnąć skórę z twarzy?

– Ale świetnie było! – Rozgrzany zabawą Mateusz ocierał pot z czoła. – Przyjdziemy jutro?

– Jasne. Żeby tylko nie było za zimno – odpowiedziałam, poprawiając szalik na szyi Mirki.

– A może spotkamy się jutro u mnie? – spytała Lusia.

Można było sobie planować do woli. Tego roku święta wraz z następującym po nich weekendem zajmowały prawie tydzień. Moja szefowa, Alicja, zmuszona dać nam dodatkowy dzień wolny, ze złości gryzła niemal swoje biurko. Nadrobimy to. *Ten kraj jest skazany na zagładę, jeśli wszyscy robią so-*

bie wolne tak długo. Pokornie spuściliśmy głowy, oczywiście nielojalnie przedkładając nad dobro firmy lenistwo i zagładę. Poza tym Alicja jak zwykle przesadzała.

Byłam na nią wściekła. Po raz trzeci z rzędu zbyła moje pytanie o obiecaną premię. I to w sytuacji, kiedy na tę premię solidnie zasłużyłam. Ciekawe, kto załatwił w tym miesiącu aż trzy zlecenia, i to takie porządne, że będą w stanie utrzymać nas wszystkich przez dłuższy czas. A czy ja miałam się w firmie zajmować sprzedażą? Nie, ale robiłam to, jak i wszystko inne, łącznie z zamiataniem ciągle brudnej podłogi. Przez całe święta ćwiczyłam w myślach kolejną przemowę, którą wygłoszę mojej chlebodawczyni.

– Jak się wygrzebiemy z łóżek o przyzwoitej porze – odpowiedziałam Lusi i ściągnęłam jej czapkę na bok, żeby ją trochę rozśmieszyć. Przez cały dzień była dziwnie milcząca.

Pewnie też się zastanawiała, co ma zrobić. Tylko że w jej wypadku ta decyzja miałaby dotyczyć Mariusza. Pojawił się u niej w wigilię rano, jak prawdziwie skruszony chrześcijanin, i poprosił, żeby znowu byli przyjaciółmi. *Przyjaciółmi, rozumiesz.*

– Może pragnie drugiej szansy – zauważyłam.

– Sądzę, że bardziej mu chodzi o przespanie się ze mną na przyjacielskich warunkach, bez zobowiązań – mruknęła Lusia.

– Nie skreślaj go tak z góry. – Lusia miała zagniewaną minę.

– Ja nie jestem tak dobra jak ty. Ty pewnie, gdyby tylko Kaj zastukał do drzwi, przyjęłabyś go nawet z jego brudną bielizną.

Oj, Lusiu, moja przyjaciółko. Ja już nie byłam wcale taka dobra jak kiedyś. Wprawdzie ciągle rozmyślałam o Kaju, ale stopniowo zaczęłam wychodzić z tego uzależnienia. Pomogły mi dzieci i Ewa, pomogła praca, a również zajęcia z aerobiku, na który biegałyśmy z Lusią dwa razy w tygodniu. Zmęczenie fizyczne jest zupełnie niezłym antidotum na ból rozstania.

Ciągnąc sanki z dziećmi, dochodziłyśmy już do mojego bloku, gdy nagle Lusia zapytała:

– A Sebastian jeszcze długo wczoraj został?

Nagle rozjaśniło mi się w głowie. To dlatego przez całe popołudnie była taka naburmuszona. Fakt, że czekała z tym pytaniem przez tyle godzin, mógł oznaczać tylko...

– Lusia, tobie podoba się Sebastian – stwierdziłam po prostu ten fakt.

– No wiesz! – Zdenerwowała się bardzo, potwierdzając w ten sposób moje podejrzenia.

Roześmiałam się głośno.

– Uspokój się. Do niczego między nami nie doszło i nie dojdzie – powiedziałam, stuprocentowo o tym przekonana.

– Ale sobie wymyśliłaś – obraziła się Lusia, jednak widziałam po niej, że jest zadowolona z mojej odpowiedzi.

Ale historia, myślałam, rozbierając w przedpokoju dzieci z przemoczonych ubrań.

– A teraz gorąca kąpiel! Ciągnijcie losy, kto pierwszy.

Lusia zadurzyła się w Sebastianie. Teraz rozumiałam już te wszystkie dziwne znaki i półsłówka. Gdyby jeszcze Sebastian chciał odwzajemnić to uczucie... Miałam co do tego pewne wątpliwości.

Po przeczytaniu Mirce bajki na dobranoc rozsiadłam się w moim pokoju na nowej kanapie z kieliszkiem wina i zaczęłam sobie przypominać ubiegły wieczór.

Drugi dzień świąt Bożego Narodzenia. Zaprosiłam Lusię, Sebastiana i, po pewnym zastanowieniu, Daniela, mając cichą nadzieję, że Pirat go nie zdeprawuje. Nie, Sebastian chyba dawno już zapomniał o grzeszkach swojej młodości, bo bez przerwy obmacywał albo mnie, albo Lusię. Kiedy się upewnił, że Kaj się ze mną nie kontaktował, zachowywał się jak nakręcony. Opowiadał nam dowcipy, różne historie z galerii, a widok naszych wpatrzonych w niego jak w bóstwo oczu dawał mu dodatkową pożywkę konwersacyjną. Co chwila przepłukiwał sobie gardło kieliszkiem wina lub wódką i wcale się nie zdziwiliśmy, że po godzinie jedenastej Sebastian zwinął się nagle w kłębek i korzystając z chwili ciszy, natychmiast zasnął. Po godzinie Lusia i Daniel stwierdzili, że już pojadą do domu.

– Obudzić go? – spytała Lusia. – Moglibyśmy podrzucić go taksówką do domu.

– Nie, niech sobie śpi. Ja pójdę do dzieci – powiedziałam i zauważyłam, że Lusia jest tą odpowiedzią nieco zaskoczona.

Chyba powinna wiedzieć, że znałam Sebastiana od lat i sypiałam z nim nawet w jednym pokoju. Nie będę mu teraz przeszkadzać w błogim śnie. Przykryłam go kocem i poszłam do kuchni zmywać naczynia. Zamknęłam za sobą szczelnie drzwi, żeby nie przeszkadzać śpiącym. Może nie powinnam tyle pić, ale nalałam sobie resztę wina z butelki. Gdzie jesteś, Kaj? Czy kiedykolwiek mnie wspominasz? Zasnęłam jak prawdziwa pijaczka – z głową opartą na zgiętych w łokciach rękach.

Obudziłam się nagle, słysząc szum wody. Nie, chyba mi się przesłyszało. Popatrzyłam na zamknięty kran i wytarte naczynia, których nie zdążyłam pochować do szafek. Mogę to zrobić jutro. Ziewając i przeciągając się, wstałam z krzesła. Mogłam spać z Mirką, gdyż to ona odziedziczyła moje mosiężne łóżko, które od biedy nadawało się dla dwóch osób. Wychodząc z kuchni, zobaczyłam, że drzwi do łazienki są niedomknięte, a ktoś w niej jest. Zajrzałam do środka, myśląc, że to któreś z dzieci.

Na środku dywanu zupełnie nagi Sebastian energicznie wycierał się ręcznikiem. Czym prędzej się cofnęłam, ale mnie zauważył.

– Czy impreza już się skończyła?

Spojrzałam na zegarek. Dochodziła pierwsza.

– Pościelę ci porządnie łóżko, skoro wstałeś – zaproponowałam.

Kiedy obróciłam się, chcąc wejść do pokoju, na plecach poczułam ręce Sebastiana, a na szyi jego pocałunek.

– Anita!

Odwróciłam się w jego stronę i po raz kolejny stwierdziłam, że Sebastian ma nieprawdopodobnie piękne ciało. Nie zdążyłam go dokładnie obejrzeć, bo mnie pocałował. Oddałam ten pocałunek, gdyż zawsze o nim marzyłam, będąc świadoma, jak to ciało, tak mocno mnie obejmujące, nagle zaczyna ożywać. Po chwili byliśmy już na kanapie, a ja miałam rozpiętą bluzkę i biustonosz.

– Anita, mój skarbie, czy wiesz, jak na to czekałem?

Ze zdumieniem odkryłam, że Sebastian jest bardziej trzeźwy, niż można by się spodziewać, i zrozumiałam, że aby pozostać u mnie w domu, odegrał przed nami scenę z urwanym filmem.

Język Sebastiana z zagłębienia w szyi zaczął przesuwać się w stronę moich piersi. O tak, pragnęłam go i to nawet bardzo. Chciałam, aby kochał się ze mną, ale jednocześnie wiedziałam, że jeśli to nastąpi, jestem stracona. Sebastian całkowicie mnie zdominuje. Znałam dobrze jego władczą osobowość. „Dzielenie się" nie występowało w jego słowniku. Najpierw zawładnie moim ciałem, wyssie duszę, a potem, gdy się znudzi, rzuci bez słowa wyjaśnienia. Sebastian był pod tym względem dziecinnie okrutny i o wiele niebezpieczniejszy niż Kaj. Teraz zniecierpliwiony moimi coraz powolniejszymi ruchami przesunął moją rękę na swoje podbrzusze.

– Chyba widzisz, co się ze mną dzieje – powiedział, zsuwając mi spodnie.

– Dzieci? – jęknęłam, pragnąc zyskać na czasie.

Pobiegł podstawić krzesło pod klamkę.

– Anita?

Zdumiony dostrzegł, że błyskawicznie wciągam na siebie spodnie. Wstałam z kanapy i zarzuciłam mu ręce na szyję.

– Bardzo cię kocham, ale nie mogę – powiedziałam. – Wybacz.

Widziałam, że jest wściekły, ale kiedy dostrzegł łzy w moich oczach, zmiękł i przytulił mnie do siebie.

– To przez niego, prawda?

– Tak, Pirat. To dla mnie jeszcze za wcześnie.

Pociągnął mnie na kanapę, nie wypuszczając z objęć i gładząc.

– Och, Anita, myślałem, że w końcu... Ile ja się przy tobie muszę naczekać? Odpowiesz mi?

Nie mogłam mu odpowiedzieć, że nigdy. Pokręciłam trochę, żeby zbić go z tropu, a potem zgodziłam się zasnąć przytulona do niego. Jednego byłam pewna: Sebastian nigdy nie weźmie mnie siłą.

Teraz, siedząc sobie bezpiecznie na kanapie, rozmyślałam nad tym, że wielkie uczucia nigdy nie mają szansy trwać dłużej. Sigrida Storrada utraciła swego wikinga Trygvassona, Bothwell został odseparowany od Marii Stuart, a o tym, w jak tragiczny sposób przeszkodzono w miłości Abelardowi i Heloizie, już nie wspomnę. Nie byłam jednak żadną postacią historyczną i dochodziłam właśnie do wniosku, że z powodu Kaja nie chcę spędzić reszty mych dni w celibacie. Tak, to wszystko przez niego. Gdyby nie on, nigdy nie dowiedziałabym się, że mam takie potrzeby, i żyłabym jak do tej pory. To Kaj wszystko wyzwolił!

Bardzo pragnęłam znów być z kimś, lecz wiedziałam zarazem, że tym kimś nie może być Sebastian. To powinien być ktoś, przy kim czułabym się bezpieczna, również od zakochania. Ktoś miły i wyrozumiały. Z poczuciem humoru.

W tym momencie zadzwonił telefon. Kiedy usłyszałam głos w słuchawce, pomyślałam, że to czary. Bogdan Warski.

– Czy nie dzwonię zbyt późno?

Nie, dzwonisz w idealnym czasie. Po chwili jednak nieco się rozczarowałam, słysząc, że jest w Paryżu i świetnie się bawi.

– Ale myślałem o tobie, Nela. Pomyślałem, że byłoby jeszcze zabawniej, gdybyś tu była ze mną. Kaj się nie odzywał?

Jak to imię nadal sprawiało i ból, i rozkosz moim uszom.

– Wracam wkrótce po Nowym Roku. Czy będziesz się chciała wówczas ze mną spotkać? Poczekaj, nie odpowiadaj jeszcze. Wiem, mówiłaś, że to nie jest dobry pomysł, ale... ale okoliczności się nieco zmieniły.

– Tak?

A skąd on o tym wiedział?

– Rozwodzę się z Iloną. Jesteśmy już po pierwszej rozprawie rozwodowej.

Nie powinno się chyba w takiej chwili gratulować i sama nie wiem, co mam powiedzieć.

– Chcesz powiedzieć, że czas najwyższy? – śmieje się Bogdan.

W niesamowity sposób potrafi odgadnąć moje myśli.

Śmiejemy się jeszcze przez jakiś czas z różnych bzdur i odkładam słuchawkę, złożywszy Bogdanowi obietnicę, że oczywiście umówię się z nim po powrocie.

I tak los złapał mnie za słowo. Chciałam kogoś, przy kim czułabym się bezpieczna. Właśnie się taki trafił.

– Całkiem udane, no, no! – Kiwał głową z podziwem Daniel, przypatrując się mojemu rysunkowi. Przedstawiał on kata o twarzy Alicji i skazańca, czyli mnie, z głową złożoną na pniu.

– Już za chwilę, już za momencik... – Podskakiwałam nerwowo na krześle, czekając, aż Alicja zakończy rozmowę telefoniczną.

– Nie dostałaś kupy forsy – zauważył Daniel.

– Premii nie było od chwili, kiedy się tu zatrudniłam. Nie mogę już dłużej czekać. Z miesiąca na miesiąc tracę coraz więcej pieniędzy. A inflacja cały czas taka wysoka – tłumaczyłam Danielowi.

Wprawdzie dostawałam teraz całkiem niezłą pensję, ale z jakiej racji miałam resztę oddawać Alicji, tym bardziej że lista moich zakupów, zamiast maleć, stawała się coraz większa. Niemal wszystko, co mieliśmy, trzeba było wymieniać na nowe, gdyż zostało doszczętnie zużyte. Dzisiaj na przykład wysiadła mi suszarka do włosów.

– Tak, Nela. Chciałaś ze mną porozmawiać? – W drzwiach pojawiła się głowa Alicji.

– Masz! To na wieczną pamiątkę po mnie. – Wcisnęłam Danielowi kartkę z rysunkiem.

Po półgodzinie, kiedy już wróciłam, zobaczyłam, że Daniel nadal siedzi przy moim biurku i wpatruje się w rysunek. Drugi rzut oka, na lustro wiszące na przeciwnej ścianie, pokazał mi obraz kobiety o zaczerwienionej twarzy, potarganych włosach i lśniących od łez oczach. Wewnątrz cała kipiałam.

– I co? – spytał Daniel.

Kciukiem wskazałam podłogę.

– Pracuję tylko do lutego. – Wyszłam na korytarz, kierując się do łazienki, a Daniel pobiegł za mną.

– Powiedziała mi, że zapis o premii w umowie o pracę nie ma charakteru obligatoryjnego.

Patrzyłam na Alicję i widziałam w niej kolejną osobę, która mnie w życiu oszukała. Czy miałam to nadal znosić? Pozwalać sobie na takie upokorzenia? Po tym, jak Kaj mnie rzucił, obiecałam sobie przecież, że już nigdy więcej!

– Idziesz do domu? – spytał Daniel.

Spojrzałam na zegarek. Już dawno powinnam być w domu.

– Poczekaj na mnie. To potrwa chwilę.

Chodziłam nerwowo po korytarzu, starając się nie myśleć o tym, w jaki sposób znajdę nową pracę, gdy za sprawą własnej zranionej dumy wyląduję na bruku.

– No, to już załatwione. – Daniel z satysfakcją zamknął drzwi. – Złożyłem wymówienie.

– Co? – Przestraszyłam się.

– Ja też już miałem jej dość. Znikniemy stąd razem. Co byś powiedziała na to, abyśmy założyli własną firmę i popracowali w parze. I tak odwalaliśmy tu większość roboty.

– Chyba nie mówisz tego poważnie?

– Jak najbardziej. Zastanawiałem się nad tym od jakiegoś czasu. Ojciec nawet zasugerował, że mógłbym prowadzić działalność w naszej suterenie. To zupełnie dobra, centralna lokalizacja. Jak na początek oczywiście. I co ty na to?

Och, trzeba to było porządnie przedyskutować. Myśl o pracy na swoim była dziwnie pociągająca. W miarę rozmowy z Danielem robiłam się coraz bardziej zdecydowana i odważna. Kiedy o dziewiątej wieczór zadzwonił telefon, odebrała go przyszła kobieta sukcesu. Tak, oczywiście, mogła się umówić z Bogdanem Warskim na kolację.

Od kolacji do opery, od opery po wernisaż, od wernisażu po... No właśnie, teraz był weekend na wsi, w znanej mi już rezydencji. Warunki również były znane i zaakceptowane.

– Obiecuję ci, że nie stanie się nic, na co byś sama nie miała ochoty.

Moja ochota, mimo bliższego zaprzyjaźnienia się z Bogdanem, trochę zmalała, gdyż tchórzostwo okazało się niezwykle silne.

– Czy wiedziałaś, że Kaj był kochankiem Ilony? – spytał Bogdan, gdy spacerowaliśmy po okolicy.

Był silny mróz i mocno chrzęściło pod naszymi stopami. Przed nami rozpościerał się biały krajobraz. Śniegu nie było dużo – na polach czerniły się bruzdy – ale wystarczająco, żeby spełniać rolę scenograficznego rekwizytu. Bogdan stawiał swoimi długimi nogami duże kroki, więc żeby za nim nadążyć, musiałam podkręcić tempo. Ciekawe, jak radziła sobie z tym Ilona, niższa ode mnie dobrych piętnaście centymetrów.

– Podobna myśl przeleciała mi kiedyś przez głowę, ale nie. Nie wiedziałam. – Postanowiłam być lojalna do końca. – Masz mu to za złe – zauważyłam, zastanawiając się, czy moja reakcja na informację Bogdana nie była jednak zbyt letnia.

– Skądże, mam przecież tu ciebie.

Niezbyt spodobała mi się ta odpowiedź, świadcząca o tym, że stałam się jakimś mimowolnym pionkiem toczonej między obu panami gry. Bogdan jednak, widząc, że się zasępiłam, szybko sprostował:

– Mówiłem ci już latem, że moje małżeństwo nie należy do modelowych.

– Ale to przez Kaja się rozwodzisz – mruknęłam niechętnie.

– Nie, nie przez niego. – Roześmiał się do mnie i zmarszczył nos. – Chcesz pojeździć na koniu? Większość zabrała Ilona, mnie zostawiła jakieś stare kobyły, ale te przynajmniej są sympatyczne.

I tak zostałam jeźdźcem, jednakże po godzinnej jeździe

moje siedzenie domagało się bardziej komfortowych warunków. Tym razem zostałam zakwaterowana w „zamku", na pierwszym piętrze. Powitało mnie ogromne ciemnozielone łóżko i wiele różnych komódek i bibelocików. Sypialnia Bogdana mieściła się w przeciwległym skrzydle. Stopniowo zaczynało mi się to wszystko bardzo podobać, ale nie wiedziałam, czy ten wzmagający się entuzjazm powodowany był urokiem Bogdana, czy też uderzającym do głowy grzanym winem, którego wypiłam prawie cały kufel.

Kiedy jednak wzięłam szybki prysznic i stanęłam przed łazienkowym lustrem, wróciłam znowu do starego tematu. Kaj. Kaj. Kaj. Bardzo cię proszę, wybij mi się z głowy. Mam teraz okazję do niezobowiązującego romansu z sympatycznym gościem. Nie psuj mi tego, proszę.

– Nela! – ktoś mnie wołał z sypialni.

Wystawiłam głowę, zostawiając to, co gołe, w łazience.

– Nie odpowiadałaś na moje pukanie. Myślałem, że coś ci się stało. Kolacja jest już gotowa.

– Zaraz schodzę – odpowiedziałam, przechylając się w jego stronę, i chyba coś za dużo wyeksponowałam, bo Bogdanowi nagle rozszerzyły się oczy.

– Czekam na dole – powiedział i szybko wyszedł.

Przepraszam bardzo, ale to nie była prowokacja. Jak to z nim zrobię, to przegonię wreszcie wspomnienie Kaja. Lusia wprawdzie miała pewne wątpliwości, czy wybrałam sobie właściwy sposób kuracji, ale ona ostatnio zrobiła się taka poważna i święta, że nie zdziwię się, jak mi oświadczy, że wstępuje do klasztoru. Druga Maria Magdalena. Wiedziałam jednak, że gdyby Sebastian tylko skinął ręką w jej stronę, biegłaby do niego bez żadnych skrupułów. Czy nie ma konsekwentnych kobiet? Do niedawna byłam przekonana, że taka jest Ewa, ale w świetle ostatnich rozmów i to okazało się złudne.

Zeszłam do salonu, w którym wisiał obraz Sebastiana i gdzie miała być przygotowana kolacja.

– Nela. Wyglądasz pięknie.

Obróciłam się dokoła w lekkim piruecie. Miałam na sobie krótką ciemnobrązową plisowaną spódnicę i przylegający do ciała pomarańczowy sweterek. Takie dość zwykłe sportowe ubranie, ale wiedziałam, że jest mi w nim do twarzy, bo ofiarowała mi je Ewa, a ona miała teraz wyśmienity gust.

Bogdan również się przebrał. Szary wyciągnięty sweter zmienił na lekko sfilcowany czarny. Widać, że zupełnie się nie przejmował. Z pewnością pierwsze, co zrobił po wyprowadzeniu się Ilony, to pobiegł na strych i wyciągnął stare kawalerskie kufry.

Z Bogdana mój wzrok przesunął się na oświetlony stół i oniemiałam, gdyż wyglądał jak z bajki *Stoliczku, nakryj się* – zastawiony mnóstwem wyglądających przepysznie potraw. Na zimno i ciepło, na słodko i na kwaśno. A do tego na mniejszym stoliku zestaw win.

– Czyżby czekało nas nocne czuwanie? – spytałam zachwycona i już głodna.

– Z tobą, Nela, mógłbym czekać tu aż do roztopów.

– Kto wie? Jak mróz stężeje i odetnie drogę.

– No wiesz, narobisz mi obietnic i co? – droczył się ze mną Bogdan.

Najciekawsze było to, że tak łatwo udało nam się zaprzyjaźnić, i miałam w związku z tym poważne wątpliwości, czy udałoby się jeszcze uromantycznić naszą relację. Do tej pory się nie pocałowaliśmy.

Na pocałunki nie zanosiło się również później, kiedy najedzeni do nieprzytomności rzuciliśmy się na kanapę przed palącym się kominkiem.

– To jest po prostu raj – stwierdziłam, zarzucając nogi na

fotel i nie dbając o to, że spódnica gwałtownie podsunęła się w górę.

– Tak myślisz? – spytał Bogdan, dodając polano do kominka.

– Pewnie, że tak. Tak cudownie i wygodnie spędzać sobie życie. Jedzonko, picie, wgapianie się w ogień. I co więcej potrzeba?

– Trzeba bardzo dużo, żeby człowiek mógł to robić – zauważył Bogdan, a ja poczułam się nagle jak ekskluzywny pasożyt.

– Ja wiem, Bogdan, że trzeba na to zapracować.

Sama od lutego miałam stanąć na własnych nogach i trzymałam kciuki za to, żeby zarobić choć na bułki z masłem.

– Nie, nie to miałem na myśli. Po prostu, nie smakuje tak samo, kiedy to się robi z niewłaściwą osobą.

Oj, zabrzmiało to, zabrzmiało! Tchórzliwie szybko zmieniłam temat i zaczęłam pleść o swoich planach zawodowych. Nie wiedziałam, czy Bogdan tego słucha, bo podszedł do barku i coś nalewał do kieliszków. Aha, nie coś, tylko koniak.

– Tak się tego wszystkiego boję. Bo co będzie, jak splajtujemy po miesiącu?

– To ci z pewnością nie grozi.

– Skąd wiesz?

– Bo masz już przed sobą pierwszego zleceniodawcę. – Podał mi lampkę koniaku, który nieomal wylałam, słysząc następne zdanie. – Będę miał dla was spore zlecenie, ale nie chcę o tym teraz rozmawiać. Zostawimy to na później, dobrze? – Usiadł naprzeciw mnie w fotelu i przyglądał się uważnie bursztynowemu płynowi. – Pamiętaj, Nela, że w interesach należy być cierpliwym. Nigdy nie wpadać w panikę ani też w przesadny entuzjazm, a każdego dnia podsumowywać zyski i straty. Cierpliwość, spokój. To przeciwnik może być nerwowy i popełniać błędy, ale nigdy ty.

– Przeciwnik? – zdziwiłam się.

– To tak metaforycznie. Innymi słowy... Urząd Skarbowy – roześmiał się Bogdan.

– Ja jestem cierpliwa – powiedziałam. – Pamiętasz, ile godzin czekałam na swoją rybę? – Podeszłam do kominka i usiadłam przed nim.

– No widzisz, a ja zapomniałem ją tu przywieźć. Następnym razem, dobrze? – Bogdan dolał mi koniaku.

Podobało mi się takie luksusowe życie, co tu ukrywać!

– Czyli zawsze należy być stoikiem? – spytałam, wracając do głównego tematu.

– Powinno się być. To bardzo ułatwia życie, choć nie zawsze dodaje mu takiego blasku, o jakim można by marzyć.

– Co masz na myśli?

– Bycie stoikiem wyklucza namiętność – stwierdził Bogdan, siadając za mną na dywaniku.

– To jednak smutne – zauważyłam, czując przebiegający po karku dreszcz.

– Dlatego ja nie jestem zbyt ortodoksyjny w tych sprawach – wyszeptał i nagle poczułam na szyi jego dłonie. Zaczęły się lekko poruszać to w górę, to w dół. I było to szalenie przyjemne uczucie. A potem poczułam na szyi jego gorącc usta. Siedziałam, patrząc w skaczące płomienie, jak zahipnotyzowana. Po chwili zobaczyłam jego dłonie, jak wysunęły się z ciemności i rozpinały guziki mojego sweterka. Kiedy ścisnęły i uniosły moje piersi do góry, odwróciłam się.

– Bogdan!

Kochaliśmy się na podłodze. Mimo iż sporo wypiłam, nadal się bałam, ale Bogdan był doświadczonym kochankiem. Doskonale wiedział, gdzie i jak mnie dotykać, żeby mi się to podobało. Tak jak mówił o sobie, był spokojny i cierpliwy, a ja coraz bardziej się rozluźniałam i gładziłam jego długie i chude ciało.

– Moja! – krzyknął, dochodząc.

Ja patrzyłam w stronę płomieni kominka i było to jedyne światło, które zobaczyłam tej nocy.

Obudziłam się na kanapie w salonie przykryta narzutą. Bogdana przy mnie nie było. Spojrzałam na zegarek. Dochodziła dopiero siódma rano. Zapewne wybrał sen we własnym, wygodnym łóżku. Trochę się zirytowałam na niego, że mnie tak zostawił samą w tym salonie. Zrzuciłam z siebie narzutę i zbierając z podłogi ubrania, pobiegłam na górę, do sypialni. Może ja też dośpię sobie w lepszych warunkach. Najpierw jednak poszłam do łazienki i oczywiście zobaczyłam w lustrze twarz Kaja. Precz. Nie chcę już ciebie. Było bardzo miło, wprost perfekcyjnie, a będzie jeszcze bardziej... Ale to nie to, co z Kajem, załkałam głośno. Jak ja mogłam się spodziewać, że ktoś go zastąpi. Bogdan był miły i przyjacielski, ale w żaden sposób nie można go było porównać z Kajem. Z jego czułością i szaloną namiętnością, z jego dłońmi, które umiały czynić ze mną cuda, z jego ustami, które zawsze głodne szukały moich...

Płakałam prawie kwadrans, a potem głośno wytarłam nos w papierową chusteczkę i wzięłam prysznic. I tak ze spania nici! Ubrana w ciepły sweter i spodnie postanowiłam przejść się na spacer, a także zorientować się, gdzie mogę dostać coś ciepłego do picia.

Na dole drzwi do pomieszczenia, o którym sądziłam, że jest kuchnią, były zamknięte, wyszłam więc na dwór. Słońce leniwie pięło się w górę i ciągle był chyba ostry mróz, bo drzewa i krzewy pokrywała delikatna szadź. Nadal jednak miałam w sobie ciepło snu i postanowiłam rozejrzeć się po okolicy. Najlepiej było dojść do skrętu drogi prowadzącej do rezydencji. Niedaleko stamtąd zobaczyłam dość duże gospodarstwo.

Postanowiłam jednak pójść nad jezioro i zobaczyć, czy ktoś łowi ryby z przerębla.

Szłam główną aleją i rozglądałam się dokoła. Jak to wszystko inaczej wyglądało zimą. Po lewej stronie były stajnie i zabudowania gospodarcze, po prawej ściana lasu. Nagle ogarnęła mnie niezdrowa ciekawość zajrzenia do tych budynków. U koni już byłam, ale zastanawiałam się, do czego służyła cała reszta.

Do niczego specjalnego, stwierdziłam po chwili. W pierwszym stały worki z nawozem, w drugim był warsztat, a trzeci pełen siana. Jak dziecko rzuciłam się na mięciutką podłogę. Nagle za plecami zobaczyłam, że zza beli z sianem wystaje coś białego. Pociągnęłam i to coś spadło mi na głowę. Karton. Ojojoj! Powinnam go natychmiast wsadzić z powrotem w siano. Nagle przypomniała mi się scena z *Czterech pancernych*, jak to Niemcy schowali czołgi w sianie i potem one wszystkie wyjechały, żeby atakować Janka Kosa i jego drużynę. Pociągnęłam za jedną z bel, która natychmiast obaliła się na mnie, i ujrzałam dość dziwny widok. Kilka rzędów równo posztaplowanych kartonów. Co to za zapasy? Nie byłam jednak na tyle niekulturalna, żeby zaglądać do środka i przyglądać się ich zawartości, i czym prędzej zasunęłam belę. Ledwie zdążyłam wyjść z szopy i oczyścić się z siana, gdy usłyszałam głos Bogdana.

– Co za ranny ptaszek z ciebie.

– A dziedzic już robi obchód poranny? – Roześmiałam się.

– Chciałem cię w odpowiedni sposób obudzić i przynieść do łóżka śniadanie, a ty to wszystko zepsułaś, bo za wcześnie wyfrunęłaś – poskarżył się.

– Ale ja bardzo chętnie zjem śniadanie w łóżku – powiedziałam i przytuliłam się do piersi Bogdana.

Jego ręce przejechały po moich włosach.

– Gdzieś ty się włóczyła? Masz pełno paprochów w głowie.

– Jestem leśnym straszydłem. – Roześmiałam się.

– Bardziej czarodziejką leśną – powiedział Bogdan i pocałował mnie w usta. Jego zimna ręka wsunęła się pod mój sweter. – To idziemy do tego łóżka!

– Dobrze – odpowiedziałam, jednak bez szczególnego entuzjazmu.

Następnego dnia do moich drzwi zastukał posłaniec, dźwigając ogromniastą przesyłkę, która po rozpakowaniu okazała się moim szczupakiem. Zdumiona jego rozmiarami oglądałam go ze wszystkich stron. W pewnym momencie zauważyłam, że ryba trzyma coś w rozwartym pysku. Z wahaniem sięgnęłam ręką w stronę dość ostrych zębów drapieżnika. Wydobyłam stamtąd spory kawałek bursztynu.

Rozdział XV

Nadszedł ostatni tydzień w pracy. Widziałam, że Alicja coraz bardziej żałuje swojej decyzji związanej ze mną i Danielem. Szczególnie z nim. Ja byłam nowa, ale on pracował u Alicji już dwa lata i wiele zdążył się nauczyć. Trudno jej będzie znaleźć kogoś równie uzdolnionego na jego miejsce. Od kilku dni prowadziła więc akcję uwodzenia Daniela w nadziei, że zmieni zdanie. Jednak my nie mieliśmy już odwrotu. Zarejestrowaliśmy działalność, załatwiliśmy już konto w banku i pieczątki, a ojciec Daniela miał w tym tygodniu wymalować nasze nowe biuro.

Miałam spore wyrzuty sumienia, że w pierwszym tygodniu naszej działalności pozostawię Daniela samopas, ale wyjazd w góry z dziećmi był przygotowany od ponad miesiąca. Ewa miała do nas dojechać. W ciągu ośmiu dni zamierzałyśmy nauczyć dzieci podstaw jazdy na nartach, jak również zwiedzić Kraków.

– Jedź, to wypoczniesz, żeby potem wypruwać sobie żyły – zażartował Daniel, widząc moje wahania i wyrzuty sumienia.

No dobrze, w sumie to już coś udało mi się załatwić. Zlecenie od Bogdana. Należało to z nim jeszcze dokładnie przedyskutować, i to koniecznie przed moim wyjazdem w góry. Niestety, wyjechał teraz do Niemiec i miał wrócić w dniu mojego wyjazdu. Nie przejmuj się, Nela. Doskonale dasz sobie radę.

279

Czułam jakiś dziwny niepokój. To pewnie na myśl o najbliższych wydarzeniach. Odejście z firmy, wyjazd w góry, nowa praca. Koniecznie powinnam już spakować dzieci, żeby się zorientować, czego jeszcze nie mam. Kiedy Alicja wysłała mnie do drukarni w Gdańsku, chciałam jej serdecznie za to podziękować. Pewnie by się zdziwiła, bo żadne z nas do tej pory nie lubiło robić za gońca. Tym razem się cieszyłam, licząc na to, że przebiegnięcie się po świeżym powietrzu powinno mnie uspokoić.

Drukarnia była niedaleko Starego Miasta i gdy zaniosłam tam papiery, postanowiłam zajrzeć do galerii Sebastiana. Po świątecznym „występie" ani razu go jeszcze nie widziałam. Albo dawał mi czas, albo się obraził. Trzeba było to sprawdzić. Przechodząc przez Stare Miasto, nie dostrzegłam jakichkolwiek oznak tego, że właśnie w tym roku Gdańsk obchodzi swoje milenium. Wprost przeciwnie. Większość zabytków pokryta była jeszcze rusztowaniami. Skręciłam w uliczkę, przy której znajdowała się galeria. Sebastian był w środku, ale rozmawiał właśnie z kilkoma osobami. Przeprosił je na chwilę i podszedł do mnie.

– Mój skarbie. – Pocałował mnie w policzek. – Czy możesz poczekać tu z pół godzinki? Pani Jola zrobi ci kawę. Muszę porozmawiać z tymi ludźmi.

– To w takim razie ja zrobię zakupy i wrócę – odpowiedziałam.

– Przyjrzyj się wystawie – rzucił Sebastian, kiedy wychodziłam z galerii.

Stanęłam przed ogromnym oknem wystawowym i zaczęłam się przyglądać wyeksponowanym obrazom. Czy Sebastian miał tu coś swojego? Pomachałam do niego zza szyby. Nagle zobaczyłam w niej odbicie postaci, która oświetlona mizernym słońcem stycznia stała po przeciwnej stronie wąskiej ulicy i przypatrywała się mnie. Powoli odwróciłam głowę.

– Dzień dobry, Nelu. – Kaj przeszedł przez ulicę i zbliżył się do mnie.

– Cześć. Wróciłeś jednak... – Wyciągnęłam rękę, a on ją pocałował.

– Kupujesz obrazy? – spytał.

– Nie. – Pokręciłam głową. – Mój kolega tu pracuje. Pamiętasz, zaprosił nas na otwarcie.

Kaj mruknął coś, co wskazywało na to, że pamięta. Było dość zimno, a on bez czapki, bez szalika i w cieniutkiej kurtce. Ugryzłam się w język, żeby nie zwrócić mu uwagi, bo przecież jego ewentualne przeziębienia nie powinny mnie już w ogóle obchodzić.

– Nie pracujesz dzisiaj – stwierdził.

– Jestem na wagarach i chciałam porozmawiać z Sebastianem, ale on ma klientów. Wracam za pół godziny.

– Masz trochę czasu... – zaczął Kaj, wpatrując się w swoje buty – to może poszłabyś ze mną na kawę?

– Do firmy? – spytałam.

– Nie, do kawiarni.

Kiedy szliśmy w stronę Długiej, serce waliło mi jak oszalałe, jakby dopiero z opóźnionym zapłonem zareagowało na pojawienie się Kaja. Jeśli dalej tak pójdzie, to za chwilę zacznę ciężko dyszeć i osunę się na chodnik. On z pewnością mnie nie podtrzyma, bo idzie przy mnie z zachowaniem półtorametrowego dystansu.

– Może tu? – Zatrzymał się przy jakimś pseudobarze.

Prawdziwych kawiarni już nie było w Gdańsku. A zresztą było mi wszystko jedno, dokąd mnie Kaj zaprowadzi.

Powiesił mój płaszcz na wieszaku i usiedliśmy przy stoliku z widokiem na ulicę.

– Zeszczuplałaś – zauważył.

– To dlatego, że chodzę na aerobik – wyjaśniłam szybko.

Nie chcę, aby myślał, że to przez niego. – Zrobiłam się bardzo silna.

– To dobrze, Nelu – powiedział i zamówił u kelnerki dwie kawy. – A poza tym, co słychać?

Boże, to wygląda jak rozmowa dwojga niezbyt dobrze znających się ludzi! Czy nie można rozmawiać inaczej? Zaczynam więc swoją opowieść, którą próbuję przedstawić jak najbardziej humorystycznie, ale widzę, że Kaja to w ogóle nie bierze. Opowiadam o nowej pracy, która już za kilka dni okaże się starą, o raczkowaniu nowej firmy, o wyjeździe w góry...

– To mama z wami jedzie? – zdziwił się Kaj.

Co się nią nagle tak zainteresował? Ewa mówiła mi, że w samolocie i na lotnisku w Kopenhadze Kaj stawał na głowie, aby nie wejść jej w drogę. Czy on się obawiał, że mu nawymyślam i obiję parasolką?

– Tak, jedzie, a latem wybieramy się do Anglii. Dzieci zostaną u niej przez całe wakacje. Mnie, jeśli do tej pory nie splajtuję, może uda się wyrwać na dziesięć dni.

– Jak zwykle jesteś taka dzielna – zauważył Kaj.

– Ja, dzielna? – zdziwiłam się. Byłam notorycznym życiowym tchórzem.

– Jesteś najdzielniejszą kobietą, jaką w życiu spotkałem. To było właśnie takie w tobie fascynujące, bo na pierwszy rzut oka wcale nie wyglądasz na odważną.

– O! – wyrażam zdumienie i mieszam w filiżance, próbując odłączyć mleko od kawy.

– Wiesz o tym, że Warscy się rozwodzą? – powiedział nagle Kaj, a ja równie nagle zaczerwieniłam się po czubek głowy.

– Wiem, bo mam kontakt z Bogdanem. Nasza nowa firma dostanie od niego zlecenie – dodałam szybko tonem kobiety biznesu. – Czy można wam pogratulować? Mam na myśli ciebie i Ilonę? – spytałam i dalej studiowałam zawartość filiżanki.

Ponieważ Kaj nie skomentował tego i zamilkł, podniosłam na niego wzrok. Dopiero teraz dostrzegłam, jak bardzo jest wymizerowany, jakie ma sińce pod oczami, kilkudniowy zarost i poplamioną na ramionach bluzę. Ale co z tego? I tak już wiem, że to „coś" w ogóle nie umarło, że nadal beznadziejnie go kocham, że chciałabym natychmiast znaleźć się w jego ramionach. Kaj, czy ty naprawdę już niczego nie czujesz?

– No powiedz, co u ciebie. Jakieś ciekawe plany?

Natrafiłam na jego bardzo czujny wzrok. Jakby próbował mnie przewiercić na wylot.

– Ciekawe? – żachnął się. – Jakie ja mogę mieć ciekawe plany po tym, jak włamano mi się do domu i do firmy?

– Jak to?!

Stało się to w ubiegły weekend, wtedy, kiedy byłam na wsi u Bogdana. Firma została doszczętnie ogołocona; pozabierano nawet niektóre maszyny. Z mieszkania zniknęła zawartość sejfu, czyli głównie diamenty, i sprzęt komputerowy.

– Więc to musiała być jedna grupa. – Miałam taką ochotę dotknąć ręki Kaja, ale bałam się, że mi ją zabierze.

– Niewątpliwie byli to ci sami ludzie. Policja uważa, że to robota kogoś z wewnątrz.

– Dlaczego?

– Bo zręcznie ominęli całe zabezpieczenia alarmowe i mieli dorobione klucze.

Czułam, jakby ktoś wrzucił moją twarz do wrzątku.

– To niemożliwe, Kaj – powiedziałam.

On już podnosił się do wyjścia.

– Muszę już iść. Miło cię było spotkać, Nelu.

– Kaj, czy ja jakoś ci mogę… – zaczęłam, kiedy wyszliśmy z baru, ale on tylko machnął ręką.

– Nic nie możesz. A ja mogę tylko wracać do Sztokholmu lub Amsterdamu. Polska niezbyt dobrze mi służy. Trzymaj się, Nela, i bądź dzielna. Może jeszcze się kiedyś w życiu spotkamy.

Ja przestałam być dzielna, kiedy tylko Kaj skręcił w stronę Mariackiej. Przerażenie ścinało mnie z nóg. Policja uważa, że była to robota kogoś z wewnątrz. Zręcznie ominęli całe zabezpieczenia alarmowe i mieli dorobione klucze. A co się stało z moimi odciskami kluczy i instrukcją alarmową? Dałam wszystko Sebastianowi.

Sebastian. Szłam przed siebie, nie wiedząc dokąd, a strzępy myśli kręciły się jak szalone w mojej głowie. To Sebastian powiedział mi, czego mam szukać u Kaja i na co zwracać uwagę. Bardzo uważnie słuchał wszystkiego, co mówiłam o Kaju, ale sama nakryłam go przecież na tym, że wiedział, jaki on ma samochód. Czyli sam się nim interesował? Możliwe. Kaj jest okradziony.

Sebastian. A może się tak cofnąć jeszcze w czasie. Pracę u Wiktora znalazłam z jego rekomendacji. Potem wszystko o nim wiedział na bieżąco ode mnie. Kiedy Wiktor miał pieniądze, kiedy tych pieniędzy nie miał. Tego ostatniego dnia również zadzwoniłam do Sebastiana. Wiktor nie żyje.

Sebastian. Wciska mi do ręki jakieś zawiniątko. Pieniądze – dolary, marki, złotówki. Czy są to oszczędności Sebastiana? Facet musi za wszystko zapłacić. A kilka dni później czytam jego nekrolog. Pan Damian zginął w wypadku.

Staję pośrodku Długiej i intensywnie myślę, jak to można sprawdzić. Po chwili cofam się w stronę Złotej Bramy i wchodzę na pocztę.

Przez kilka minut bezskutecznie przerzucałam kartki książki telefonicznej. Nie pamiętałam imienia, a podobnych nazwisk było ze dwadzieścia. Nagle wpadł mi do głowy pewien pomysł i pobiegłam w stronę biblioteki.

Po godzinnym przerzucaniu gazet znalazłam to, czego usilnie poszukiwałam. Nekrolog pana Damiana z Osowej był podpisany przez jego zamężną siostrę, Janinę. Porzucając jakąkolwiek nadzieję powrotu tego dnia do pracy, wróciłam na pocztę.

– Jestem przyjaciółką szkolną Damiana. Od wielu lat mieszkam w Stanach. Przyjechałam właśnie i dowiedziałam się... Tak, to była straszna tragedia, prawda? Ale jak to się mogło stać?

I wówczas to usłyszałam.

Brat wprawdzie pił przed jazdą, ale policja odkryła, że ktoś majstrował przy układzie hamulcowym jego samochodu. Wszczęto nawet śledztwo. Były pewne poszlaki, bo tydzień wcześniej ktoś go dotkliwie pobił. Podejrzewano, że może był to ktoś z jego niesolidnych dostawców. Niestety, brat nikomu nie powiedział, o co poszło, a kilka dni później już nie żył.

Połączenie nagle zostało przerwane, bo nawet nie zauważyłam, jak skończyła mi się karta magnetyczna. Skończył mi się również tlen w płucach. Patrzyłam przed siebie, widząc kręcących się po poczcie ludzi – telefonujących, płacących rachunki, pogrążonych w swojej normalności. Wiedziałam, że dla mnie nie ma już powrotu do tej krainy szczęśliwości. Przed chwilą stało się coś, co tę normalność na dobre zburzyło.

Sebastian, którego nigdy nie obowiązywały zwykłe zasady moralne. Zawsze miał wytłumaczenie. Pasję twórczą, która pozwalała mu pasożytować na Pawle w Niemczech, a także wymierzać sprawiedliwość, jak to się stało w wypadku pana Damiana. A jaki był powód zabicia Wiktora? Zazdrość? Obleśny staruch, tak zawsze o nim mówił. Ojciec Kaja.

Byłam zbyt wzburzona, żeby rozsądnie myśleć. Pobiegłam wprost do galerii Sebastiana.

Sebastian, mój najwierniejszy przyjaciel!

Rozdział XVI

W drzwiach galerii minęłam się z pomocnicą Sebastiana, panią Jolą.

– Anita! Co się stało? Jesteś upiornie blada! – wykrzyknął Pirat na mój widok. – Tylko nie mów mi, że zaszłaś w ciążę z tym kolesiem od diamentów!

Byłam tak zdenerwowana, że nie mogłam wydusić ani słowa.

– Sorry, to tylko żarty. – Sebastian spostrzegł w końcu, że to nie przelewki. – Poczekaj, dam ci szklankę wody.

Wypiłam ją duszkiem i odzyskałam głos.

– Natychmiast zamknij galerię. Mam ci coś do powiedzenia.

– Nie przesadzaj. To jest moje miejsce pracy. Muszę przecież jakoś zarabiać.

– Jeśli nie zamkniesz, usłyszą to wszyscy, którzy tu wejdą, i wtedy wątpię, żebyś kiedykolwiek zarobił uczciwie na chleb.

Rzuciłam mu intensywne spojrzenie i Sebastian się poddał. Powoli podszedł do drzwi i przekręcił wywieszkę.

– I co? Zadowolona? Widzisz, jaki ci jestem posłuszny.

– Przede wszystkim jesteś zabójcą, Sebastian.

Poczerwieniał na twarzy z gniewu.

– Wiesz, ile dla mnie znaczysz, ale teraz zbyt daleko się posuwasz – wycedził.

– To ty zabiłeś Wiktora.

Sebastian wyraźnie odetchnął z ulgą.

– Biedactwo ty moje! Jesteś zbyt przepracowana. Teraz, kiedy Hanson zabrał się z twojego życia, przestawiłaś się na mnie ze swoimi podejrzeniami?

– Najpierw zabiłeś pana Damiana z Osowej. – Zauważyłam, że tym razem twarz Sebastiana drgnęła od nagłego skurczu mięśni. – Pobiłeś go i wyciągnąłeś od niego pieniądze, prawda?

Patrzył tylko na mnie rozszerzonymi źrenicami.

– Ale to było dla ciebie zbyt mało. Hokus-pokus przy samochodzie i pan Damian zameldował się u świętego Piotra.

Zapadła cisza. Długa cisza, a potem:

– Zapomniałaś już, że prawie cię zgwałcił?

– Sebastian, za to się karze, ale nie zabija ludzi.

– Karze? A kto nie chciał iść na policję? To prawda, że dałem mu po gębie, ale go nie zabiłem. Chociaż gdy zobaczyłem cię wtedy w tym stanie, miałem na to szczerą ochotę.

– A hamulce w jego samochodzie?

– Skąd o tym wiesz?

Nie odpowiedziałam.

– Jednak nie wiesz wszystkiego. Przy takiej usterce w najgorszym wypadku facet mógł mieć stłuczkę, tylko że on, prowadząc wóz, był kompletnie pijany. Miał we krwi prawie dwa promile.

– Co nie zmienia faktu...?

– Że świat pozbył się jednego zboczeńca i oszusta.

– Czy to samo myślałeś o Wiktorze?

– Jezu, ona znowu o tym samym facecie! Twoja wdzięczność za wszystko, co dla ciebie w życiu zrobiłem, jest porażająca.

Sebastian odszedł ode mnie i usiadł w fotelu na zapleczu, nonszalancko zakładając nogi na biurko.

– Sebastian, nie zaprzeczaj. Dostałam pracę u Wiktora tylko dlatego, że go do tego zmusiłeś. Był wściekły i podejrzliwy, kiedy się u niego pojawiłam. Ale wiedział, że nie ma wyboru. Dzięki mnie otrzymał odroczenie egzekucji długu, prawda?

– Ciekawe, co jeszcze wymyślisz?

– Nic więcej, czego byś już sam nie wiedział. Ty jeden wiedziałeś o tym, że Wiktor ma pieniądze. Sama ci o tym powiedziałam. Zadzwoniłam do ciebie, wracając do domu. Zrozumiałeś, że to dobry moment, aby się upomnieć o zwrot długu. Tylko że kiedy się pojawiłeś w pracowni, pieniędzy już nie było, prawda? Wiktor zaprzeczał, że je ma, ale ty wiedziałeś ode mnie...

Sebastian się żachnął i chciał coś wtrącić, ale mu przerwałam.

– Nie, posłuchaj mnie do końca. Nie pozwolę się dłużej traktować jak naiwna idiotka. Stanowczo zbyt długo nią byłam. W swojej głupocie dostarczyłam ci wszystkich wiadomości na temat Kaja i jego firmy, odciski kluczy, instrukcję systemu alarmowego. Nie wiedziałam, że podstępnie wyciągasz ode mnie te wszystkie informacje, cały czas planując włamanie do jego mieszkania...

Nagle Sebastian zerwał się z miejsca.

– O czym ty mówisz?

– O tym, że w zeszły weekend okradłeś Kaja ze wszystkiego!

Twarz Sebastiana była upiornie blada. Mamrotał coś pod nosem.

– Przecież szef...

– O czym ty mówisz?

– Anita! Przysięgam ci, że to nie ja. To jest jakiś straszny zbieg okoliczności.

Próbował mnie objąć, ale zamachnęłam się ręką.

– Brzydzę się tobą i twoimi oszustwami. Życia Wiktorowi nie można wrócić, ale musisz zwrócić wszystkie rzeczy Kaja, rozumiesz! Jeśli tego nie zrobisz, zawiadomię policję.

Sebastian ponownie chciał się do mnie zbliżyć, ale uciekłam pod drzwi wejściowe.

– Masz czas do jutra! Policja sama stwierdzi, czy oszalałam czy nie!

Wybiegłam z galerii, zanim zdążyłam usłyszeć, co miał mi do powiedzenia.

Dotarłam do domu jak w transie, zupełnie nie pamiętając, w jaki sposób przemieściłam się pomiędzy Gdańskiem a Brzeźnem. Myślałam jedynie o tym, jak strasznie zawiniłam w stosunku do Kaja. O innych ofiarach mojej znajomości z Sebastianem starałam się nie myśleć. Liczył się tylko Kaj. To przecież przeze mnie dokonano włamania.

Rzuciłam się wyczerpana na łóżko, błogosławiąc dzieci, które przyszły w odwiedziny do Mateusza i Mirki. Dzięki temu nie musiałam im niczego tłumaczyć. Nie mogłam powiedzieć im prawdy, ale przecież obiecałam sobie raz na zawsze, że nigdy nie będę już ich ignorować. Stale powinny być pewne, że są niezmiennym i niezbędnym elementem mego życia. To myśl o nich zmusiła mnie do powstania i zaproponowania, z uśmiechem na ustach, kolacji dla wszystkich zebranych.

– Ale tylko troszeczkę, mamusiu. My się tak fajnie bawimy – powiedziała Mirka, pokazując mi lalki, którym wraz z Zuzią Nagórską zmieniała sukienki na balowe.

– Bardzo się cieszę – powiedziałam, przypatrując się Mateuszowi, który z zapałem grał z kolegą w gry elektroniczne.

– A wiesz, mamo? Tata Zuzi został szefem firmy w Warszawie, ale ona nie będzie musiała się jednak przeprowadzić.

– Będzie dojeżdżał na weekendy i mamusia powiedziała,

że zobaczymy, jak to będzie funkcjonowało – odezwała się dorośle Zuzia.

Uśmiechnęłam się do nich, myśląc, że to wspaniała sprawa, iż ojciec Zuzi zrobił taką błyskawiczną karierę. Szef warszawskiej firmy, no, no!

Szef. Nagle to słowo spowodowało całą burzę myśli. *Przecież szef...* zaczął mówić Sebastian, a ja nie spytałam, o co mu chodzi. Przecież... przecież Sebastian miał jakichś szefów. Czy ja myślałam, że on działa w pojedynkę? Jego obecnym przełożonym był przecież facet, który rozmawiał z Kajem o interesach. Piotr. Spotkałam go u Warskich. To do jego samochodu Bogdan wnosił jakieś kartony. Nagle się usztywniłam, jakby mnie przeszedł prąd.

– Słuchajcie! Muszę wyjść. Czy mogę na was liczyć, że położycie się o zwykłej porze? – spytałam Mateusza.

– W porządku. – Mateusz uśmiechnął się do mnie znad gry. – Dopilnuję nawet, żeby Mirka umyła zęby.

– Muszę się spotkać z Sebastianem, ale to nie powinno zbyt długo potrwać. Wezmę taksówkę – mówiłam, wkładając płaszcz i nie rozumiejąc przy tym rozbawionych min dzieciaków. – Może na wszelki wypadek zostawię wam numer telefonu Sebastiana, dobrze?

Jeszcze jedna sprawa wymagała wyjaśnienia. Starałam się o niej nie myśleć, kiedy taksówka przemierzała przedwcześnie opustoszałe ulice. Padał śnieg z deszczem i tylko szaleńcy mieliby ochotę na spacery.

Do tej pory jeszcze nigdy nie odwiedziłam mieszkania Sebastiana nad galerią. W zasadzie to on sam mnie nie zaprosił, tłumacząc się, że najpierw musi wszystko urządzić na błysk, a potem zorganizuje parapetówę. W innych okolicznościach z pewnością zainteresowałoby mnie jego nowe mieszkanie, ale teraz nie miałam czasu na takie głupstwa. Z pełną determinacją wbiegałam po schodach na trzecie piętro kamienicy. Miałam nadzieję, że jest w domu. Jeśli nie... Zamierzałam czekać na niego aż do skutku.

Przed drzwiami Sebastiana stanęłam zupełnie zdyszana.

Nie było na nich wywieszki z nazwiskiem, ale numer się zgadzał. Nacisnęłam dzwonek. Cisza, z drugiej strony nie było słychać żadnych zbliżających się kroków. Spróbowałam jeszcze raz wraz z pukaniem. Znowu bez skutku. A zatem pozostało mi czekanie. Oparłam się plecami o drzwi i w tej samej chwili poczułam, że się pode mną poruszyły. Nie były nawet porządnie zamknięte na klamkę. Zawahałam się. Przypomniało mi się, kiedy to sama, bez zaproszenia, pojawiłam się w mieszkaniu Sebastiana. Przełknęłam ślinę i podjęłam decyzję. Weszłam do środka.

W długim korytarzu paliło się światło.

– Sebastian! To ja, Nela!

Nikt mi nie odpowiedział, więc poszłam dalej, myśląc, że Pirat zapewne musiał wyskoczyć na chwilę po papierosy. Nie muszę się tak denerwować, powiedziałam sobie, obserwując drżące ręce. Bardzo dziwnie się czułam w tym pustym, obcym mieszkaniu. I taki dziwny zapach. Pociągnęłam nosem, aby go lepiej zidentyfikować, ale nie bardzo wiedziałam, z czym go mam skojarzyć.

Zajrzałam przez pierwsze uchylone drzwi. Tutaj również paliło się światło. Obszerny pokój z dość dużymi oknami prawie do samej ziemi. To musiał być salon Sebastiana, z którego był taki dumny. *Urządzę w nim własną galerię*. Na razie niewiele z niej tam było. Jedynie kilka porzuconych, jakby w pośpiechu, opartych o stary kredens płócien. Pod oknem ustawione dwa fotele i skórzana kanapa. Na stoliku dostrzegłam otwartą butelkę wódki i stojącą obok pustą szklankę. Ciekawe, czy to, co oznajmiłam Sebastianowi, skłoniło go do wypicia czegoś mocniejszego? Obok butelki leżał szkicownik. Otworzyłam pierwszą stronę i ze zdumieniem rozpoznałam na niej własną twarz. Hm! Usiadłam na fotelu i odwróciłam następną kartkę.

Boże! Tym razem to nie była tylko twarz. Na kolejnym rysunku miałam obnażone piersi. Przy trzeciej stronie z moich ust wyrwał się okrzyk. Miałam przed sobą naszkicowany stosunek, którego głównymi bohaterami byłam ja i... Sebastian. On zupełnie oszalał! Po chwili dokładnej inspekcji szkicu musiałam przyznać, że wyobraźnia Sebastiana zdecydowanie przewyższa rzeczywistość. Moje kształty, których do końca nigdy nie poznał, były na papierze znacznie bardziej interesujące. Czy to mogło być dowodem, że on naprawdę mnie kocha? Zawsze przypuszczałam, że sobie ze mnie żartuje. Jest jakaś kobieta, mówił Paweł. Czy naprawdę to mogłam być ja? Ze zdenerwowania przysunęłam do siebie butelkę z wódką i wypiłam z niej z gwinta kilka łyków. Paląca ciecz rozlała mi się po gardle, zalewając jednocześnie tchawicę. Zaczęłam przeraźliwie kaszleć. Muszę natychmiast napić się wody, inaczej się uduszę. Ruszyłam w poszukiwaniu kuchni.

Za kolejnymi drzwiami znajdowała się sypialnia. Kuchnia była po przeciwnej stronie, ale w tym momencie, dzięki kilku głębokim oddechom i uniesionym do góry rękom, udało mi się opanować kaszel. Pomalowana na granatowo sypialnia Sebastiana robiła przygnębiające wrażenie. Ciemnozielona pościel rozrzucona beztrosko na leżącym na ziemi materacu odbijała się w lustrze wbudowanej w ścianę szafy. A więc to tutaj Sebastian zajmował się studiami splecionych z sobą ciał! Ciekawe, co znajdowało się jeszcze w tej szafie oprócz ubrań. Spojrzałam w stronę drzwi wejściowych. Nadal nikt nie nadchodził. Ogarnięta niezdrową ciekawością zbliżyłam się do szafy i delikatnie przesunęłam rączką drzwi. Tylko rzut oka i zaraz sobie pójdę. Nie zdążyłam nawet na nic spojrzeć. Nagle z szafy wypadła noga. Ludzka, męska noga, ubrana w dżinsy.

Najdziwniejsze, że się nie przestraszyłam. Instynktownie pchnęłam drzwi szafy do końca.

Leżał tam przywiązany do drążka na ubranie, z kneblem w ustach. Pobiegłam do kuchni po nóż, aby przeciąć więzy. Kiedy wyciągnęłam go z szafy, widziałam, że jest nieprzytomny i nie oddycha. Nie wiedziałam nawet, czy jeszcze żyje. Boże, muszę sobie przypomnieć sztuczne oddychanie. Raz, dwa, trzy, masaż serca.

– Sebastian! – wrzeszczałam do niego między poszczególnymi oddechami. Nie mogłam teraz na niego patrzeć, nie mogłam! Zauważyłam już, że jego twarz jest zmasakrowana. A lewa powieka! Czy było za nią jeszcze oko?

– Sebastian, to ja, Anita. Błagam cię! Żyj!

W panice robiłam mu chyba sztuczne oddychanie dwa razy szybciej, niż powinnam.

Nagle Sebastian westchnął, a jego zdrowe oko spojrzało prosto na mnie.

– Bogu dzięki! – wyszeptałam zupełnie wyschłymi wargami. – Idę zadzwonić po karetkę.

– Telefon... telefon nie działa – jęknął.

– To pobiegnę do sąsiadów.

– Oni też nie... Anita, słuchaj – Sebastian przekręcił się na bok i usiłował powstać – uciekaj stąd. Natychmiast!

– Nie ruszaj się, bo może masz coś złamanego. Kto cię napadł?

– Jezu, słuchaj, co do ciebie mówię. Uciekaj stąd! Oni tu zaraz wrócą po mnie.

Nagle przeszedł mnie zimny dreszcz zrozumienia.

– Ty ich znasz, prawda?

Sebastian był już na czworakach.

– Wiem, co to są za ludzie. Dlatego otworzyłem im drzwi. Nawet nie próbowali rozmawiać, tylko prysnęli gazem.

Objęłam go za ramiona, bo prostując się, nagle zasłabł.

– Musimy stąd natychmiast uciekać.

– Nigdzie nie pójdę, jeśli nie powiesz mi prawdy – oświadczyłam nagle zdeterminowana.

– Dużo ci po niej przyjdzie, kiedy nie będziesz już żyła – syknął Sebastian, ale widząc, że nic nie wskóra, dotarł do salonu i opadł na fotel.

– No dobrze. Kiedyś dla nich pracowałem. – Zdrowe oko rzuciło mi szybkie spojrzenie. – Wiem, co o tym myślisz, ale ja nie chciałem artystycznie głodować w oczekiwaniu na przyszłą sławę. Jednak się z tej współpracy szybko wycofałem. Nie wiedziałem, że potrafią się tak daleko posunąć.

– Tak jak z Wiktorem.

Sebastian zrezygnowany kiwnął głową.

– Anita. Ja naprawdę nie wiedziałem, jak to się skończy. Szef wyjaśniał, że to nie byli jego ludzie, że to Wiktor sam się tak załamał, kiedy okazało się, że nie ma z czego spłacić długu. Uwierzyłem mu. Ty z kolei byłaś przekonana, że to Hanson, a i mnie samemu wydawało się to podejrzane. Potem wyjechałem do Niemiec, myśląc, że to już za mną, ale mnie tam znaleźli. Tym razem mieli dla mnie inną propozycję. Coś o wiele lepszego i zgodnego z moimi ambicjami. Obiecali, że będę mógł o wszystkim sam decydować – żachnął się. – I ja w to uwierzyłem. Facet, który się ze mną kontaktował, był przecież taki na poziomie. Były właściciel znanej gazety, znana postać z koneksjami. A to było to samo gówno. Wlazłem w nie po uszy. – Nagle się zirytował. – Nie bądź głupia i uciekaj. Myśl o dzieciach.

Nagle, widząc krew ściekającą z oka Sebastiana, ruszyłam do akcji. Chyba oszalałam, żeby przesłuchiwać go w tym stanie. Podejrzenie, że galeria Sebastiana może być pralnią pieniędzy, chodziło za mną już od pewnego czasu.

– Oprzyj się o mnie. Zostawię cię u sąsiadów, a sama pobiegnę zadzwonić na pogotowie. Czy zawiadomić również policję? – spytałam.

– Nie, Anita, proszę. – Sebastian zaciskał z bólu usta. – Nie wiem, kto mnie napadł, rozumiesz. Powiedz, że spadłem ze schodów.

Boże, w co ja się wkopałam. Sebastian musiał mieć również połamane żebra, bo przy moich energicznych ruchach cały czas jęczał. Wyszliśmy na klatkę schodową. Nagle usłyszeliśmy na dole otwierane drzwi. Spojrzeliśmy na siebie. Sebastian zbliżył się do schodów i zerknął w dół.

– To oni – szepnął mi do ucha i pchnął w stronę mieszkania.

– Zabarykadujemy drzwi – zaproponowałam, ale on machnął tylko ręką.

– Będą tylko wiedzieć, że tu jesteśmy. Chodź. – Opierając się na mnie, podszedł do okien salonu. – Wychodzimy!

Sądząc, że po drugiej stronie jest balkon, otworzyłam prędko okno i z przerażeniem odkryłam jedynie metalowe zabezpieczenie.

– Dokąd?

– Po drugiej stronie jest szerszy gzyms. Musimy dotrzeć do skosu i tam się schować.

Starałam się nie patrzeć w dół i cały czas przytrzymywałam się zabezpieczenia.

– Pirat, niech ci się nie wydaje, że możesz mnie w to wrobić samą – powiedziałam, widząc, że Sebastian zamierza powrócić do pokoju. – Nie pozwolę ci tam zostać.

W końcu zrezygnowany przełożył nogę za barierkę. Potem ostrożnie dopchnął drzwi, żeby się zamknęły.

– Nie wiem, czy to wytrzyma ciężar nas obojga – szepnął.

Gzyms był szerokości stopy i wyglądał bardzo niepewnie. Doskonale wiedziałam, jak słabe są takie ozdoby na budynkach. Pamiętałam wietrzny dzień, kiedy na ulicę przy muzeum spadł fragment kamiennej rzeźby zaledwie kilka metrów przede mną. Teraz również wiało, jakby się ktoś powiesił, a poza tym wciąż padał śnieg. Po chwili byłam już zupełnie przemoczona.

– Zostawiłam u ciebie płaszcz! – jęknęłam przerażona, kiedy zatrzymaliśmy się przy końcu metalowej barierki.

– Trudno. – Sebastian nagle się zachwiał. – Nie dam rady, Anita. Spadnę. Idź sama. Widzisz ten występ? To kilka metrów.

– Trzymaj się mnie i muru.

Muru! Ciekawe, czego w nim? Zaprawy? Jezu, przecież nie byłam Spidermanem. Milimetr po milimetrze posuwaliśmy się do przodu. Trwało to wieczność, ale nie mieliśmy wyboru. W mieszkaniu zapewne czekali na nas oprawcy. Za występem był już dach. Osunęliśmy się na niego, żeby usiąść, a Sebastian zemdlał. Dopiero wówczas spojrzałam na dół i zobaczyłam wybiegających z domu dwóch mężczyzn. Z wysokości wyglądali na takich malutkich!

– Pirat, obudź się. Już sobie poszli. – Pocałowałam go w zimne jak lód policzki.

I co ja miałam teraz zrobić? Jak go ściągnąć z dachu?

– Obok za kominem jest wyjście na dach. Można zejść na schody. – W końcu Sebastian się ocknął.

Na szczęście klapa nie była zamknięta na kłódkę. Nie wiem, jakim cudem dowlokłam tam wyższego ode mnie o dwadzieścia centymetrów mężczyznę.

– Anita! Kocham cię. – W półmroku dostrzegłam lecące po jego policzkach łzy. – Musisz mi uwierzyć. To nie ja zabiłem Wiktora. A o Hansonie nawet nie wiedziałem. Nie miałem pojęcia. Chciałem się od nich dowiedzieć. Zadzwoniłem i spytałem, ale...

– Nic już nie mów, Sebastian. Teraz musimy załatwić ci lekarza – odpowiedziałam, ciągnąc go po składanej drabince.

Sąsiedzi z przeciwka otworzyli dopiero po moim gwałtownym łomotaniu w drzwi.

– Boże! Co się stało?! – krzyknęła przeraźliwie starsza pani na widok Sebastiana.

– Napadli go bandyci – odpowiedziałam, zapominając natychmiast wersji o schodach. – Pobiegnę zadzwonić po pogotowie – oznajmiłam jej, wpychając Sebastiana do jej mieszkania. – Zaraz do ciebie wrócę!

Postanowiłam jednak zabrać mój płaszcz. Zostawiłam go przecież przy samych drzwiach. Kiedy je pchnęłam, zobaczyłam, że w ciągu zaledwie kilkunastu minut wiele się w mieszkaniu Sebastiana zmieniło. Było zdemolowane, a na podłodze walały się ubrania i sprzęty powyciągane z szaf. Jednak mój płaszcz wisiał na wieszaku nietknięty. Capnęłam go i zbiegłam po schodach na złamanie karku.

Przed kamienicą zatrzymałam się, usiłując sobie przypomnieć, gdzie mogę znaleźć najbliższą budkę telefoniczną. Dotknęłam policzka i zorientowałam się, że jest cały lepki od krwi Sebastiana. Sięgnęłam do kieszeni, w której oprócz portmonetki miałam chusteczki, i zaczęłam się szybko wycierać. W tym momencie zobaczyłam nadjeżdżający ambulans. Wjechał w jednokierunkową ulicę na sygnale świetlnym i pod prąd. Odetchnęłam z ulgą. Nie musiałam już szukać telefonu. Nagle z samochodu wyskoczył mężczyzna w białym kitlu.

– Pani Lisiecka? – wykrzyknął na mój widok.

– Tak – odparłam zaskoczona.

– Był wypadek. Pani syn...

Stałam bez ruchu, a przerażający strach rozszedł się natychmiast po wszystkich częściach ciała. Mateusz! Co on zrobił?!

– Jedziemy do szpitala!

Pozwoliłam się wepchnąć do karetki, która z miejsca ruszyła. Sanitariusz usiadł koło mnie. Chciałam zapytać o Mateusza, lecz nie byłam w stanie wydać z siebie żadnego dźwięku. W końcu obróciłam zapłakaną twarz w stronę mężczyzny i wyjąkałam:

– Jak to się... – Nie zdążyłam dokończyć tego pytania. Nagle ręka mężczyzny zakończona czymś miękkim zamknęła się na moich ustach i nosie.

Kiedy otworzyłam oczy, wydawało mi się, że leżę w grobie. Dokoła panowała zupełna ciemność. Jednak żyłam i choć z pewnym trudem, oddychałam. Zbliżyłam rękę do twarzy i polizałam ją. Poruszałam nogami i powoli się podniosłam. Obok mnie znajdowała się ściana. Pod opuszkami palców wyczułam ceglany mur. Gdzie ja byłam? I skąd się tu wzięłam? Stopniowo, jak przez mgłę, zaczęłam sobie przypominać ostatnie wydarzenia. Boże, Mateusz miał wypadek. Tak, pamiętałam wyraźnie słowa tego mężczyzny, zanim wsiadłam do karetki i straciłam przytomność. Ale przecież to nie mogła być karetka. A jeśli to nie była ona, to Mateusz... Powoli zaczęło mi się rozjaśniać w głowie. Mateuszowi nic się nie stało, to tylko ja... To tylko ja zostałam porwana. Nie, to niemożliwe. Po co ktoś chciałby mnie porywać. Przecież nie dla okupu!

Zanim zacznę się bać, muszę się nad wszystkim spokojnie zastanowić. Jak to się zaczęło... Moja rozmowa z Sebastianem. Jego telefon do byłych kumpli. Tak, coś ich musiało zaniepokoić, skoro prawie natychmiast zjawili się u niego. Pobicie Sebastiana. *Oni po mnie wrócą, Anita.* Z pewnością nie po to zamierzali wrócić, aby udzielić mu pierwszej pomocy. I skąd wiedzieli o mnie? Pani Lisiecka?

Wolno podążałam wzdłuż muru. Kiedy minęłam trzeci róg, natrafiłam na przeszkodę. Schody. Pięć schodków wiodących do metalowej szczelnej przegrody, drzwi. Nie przepuszczały żadnego światła z zewnątrz. Ostrożnie stąpając, zeszłam w dół i podjęłam dalszą wędrówkę. Po minięciu czwartego rogu zrozumiałam, że zatoczyłam koło. Pomieszczenie, w którym się znajdowałam, nie było nawet zbyt duże, najwyżej dziesięciometrowe, jednak w ciemnościach wydawało się o wiele większe. Jedyne drzwi, które mnie odgradzały od świata, nie miały nawet klamki. No cóż, z pewnością nie była to „bursztynowa komnata".

Osunęłam się na ziemię przy ścianie. Nie było stąd innego wyjścia. Byłam skazana na łaskę ludzi, którzy mnie tutaj zamknęli. Czy będą chcieli ze mną rozmawiać? A może zostawili mnie tu już na zawsze? Nikt już się nigdy nie dowie, co się ze mną stało. Moje dzieci będą najpierw wystraszone, potem wpadną w panikę... Kto się nimi zajmie? Ciemność zdawała się uciskać mi klatkę piersiową. Babciu, pomóż mi! – wykrzyknęłam z całych sił, a mój głos zdawał się krążyć po pomieszczeniu jeszcze przez dłuższy czas. Przez chwilę próbowałam się wczuć w sytuację Anny Boleyn oczekującej na ścięcie, ale bezskutecznie. Przecież to teraz moje własne życie stało pod znakiem zapytania.

Nagle usłyszałam znajomą elektroniczną melodię. Dochodziła z mojego płaszcza. Sięgnęłam do kieszeni i namacałam w niej mały okrągły przedmiot. To był elektroniczny pies moich dzieci. Widać wrzuciły mi go dla kawału do kieszeni. Pogłaskałam go z czułością, a po dotknięciu przycisku pies znowu zaczął wygrywać melodię. Pewnie chciał zjeść swoją elektroniczną potrawę.

Dlaczego nikt do mnie nie przychodził? Obiecam im wszystko! Nikomu nic nie powiem. Zapomnę o wszystkim natychmiast. Niech tylko wypuszczą mnie do dzieci. Mamusiu, moja kochana. Błękitne oczy Mirki patrzyły na mnie z miłością.

– Moje dzieci! – wybuchnęłam płaczem. – Proszę was, nie zabierajcie mnie moim dzieciom. One są takie małe. Nie dadzą sobie beze mnie rady.

A potem poczułam zapach swego potu. Pociłam się, mimo iż było zimno. To był taki inny, ostry zapach, który dochodził ze wszystkich porów mojego ciała. Zrozumiałam wówczas, że to jest strach. Z całych sił przycisnęłam rękami mokre od łez powieki.

Nie wiem, po jakim czasie usłyszałam dźwięk. Metalowy zgrzyt. Drzwi! Ktoś otwierał drzwi. Na chwilę zobaczyłam światło, wkrótce zasłonięte przez czyjąś postać, która została wepchnięta do środka i natychmiast potoczyła się po schodach. Nie zdążyłam nawet powstać z ziemi, kiedy drzwi ponownie zamknęły się z hukiem. Dotarło do mnie, że mam towarzysza niedoli. Po swojej prawej stronie usłyszałam jęk bólu. Mężczyzna z pewnością dotkliwie się potłukł przy upadku. Wstrzymałam instynktownie oddech. Włosy zjeżyły mi się na głowie na myśl o tym, co to może być za towarzystwo.

Nagle usłyszałam głos, który mówił coś do siebie w obcym języku. Kiedy dobiegło mnie słowo „fan", dobrze już wiedziałam, że są to przekleństwa.

– Kaj! – wykrzyknęłam, zbliżając się do głosu.

– Nela? Jesteś tutaj?

Po chwili byłam przy nim i go obejmowałam. On nie mógł mnie dotknąć. Miał związane z tyłu ręce. Przytuliłam się do niego z całej siły.

– Kaj!

– Jezu! Nela! Tak bardzo się o ciebie martwiłem. Nic ci nie zrobili?

– Chyba nie. Ja nie wiem, jak się tu znalazłam. Wsiadłam do karetki i... A ty?

– Widziałem, jak wsiadasz, i pojechałem za wami.

Kaj zaczął opowiadać o tym, jak obserwując moją twarz, gdy dowiedziałam się o włamaniu, zaczął mieć jakieś podejrzenia. Tak dziwnie nerwowo się zachowywałam. Potem, kiedy przypuszczałam, że wrócił do firmy, poszedł za mną i z ulicy przyglądał się mojej rozmowie z Sebastianem. Kiedy wybiegłam z galerii, postanowił trochę poobserwować Sebastiana. Widział, jak natychmiast po moim wyjściu zamknął galerię i pobiegł na górę do mieszkania. Kiedy Kaj ponownie pojawił się przed kamienicą, zauważył parkujący obok samochód z podejrzanymi typami. Potem oni odjechali, a pojawiłam się ja. Trochę zaskoczyła go karetka, ale postanowił za nią jechać.

– Kiedy samochód wyjechał z miasta, wiedziałem już, że jesteś w poważnym niebezpieczeństwie. Można było tego wszystkiego uniknąć, gdyby nie to, że podczas rozmowy z policją rozładował mi się telefon. To wszystko przez moje zapominalstwo!

Jechał w pewnej odległości za karetką aż na wieś. Potem zaparkował i brnął lasem pieszo. Nie zdążył zakraść się do budynku. Widocznie któryś z bandytów stał na czatach.

– Nelu, zobacz, czy nie byłabyś w stanie tego rozwiązać. Hm. To będzie trudne. Więzy zostały mocno ściśnięte.

Dotknęłam rąk Kaja. Od kiedy pojawił się w tym moim więzieniu, strach nagle się ulotnił. Znowu byłam sobą, wiedząc, że nam obojgu nic nie może się stać. To był prawdziwy cud, że tak nagle znalazł się blisko mnie. I to wtedy, kiedy najbardziej go potrzebowałam.

Zaczęłam się szamotać ze sznurkami i opowiadać Kajowi o Sebastianie.

– Mam nadzieję, że nie udało im się go dopaść. Żebyś ty zobaczył, jak go strasznie pobili.

– Nelu, kochana. To moja wina. To wszystko przeze mnie.

– Jak to przez ciebie? – spytałam zdziwiona. – Kto nas porwał?

– Nie domyślasz się jeszcze? Myślałem, że już wiesz. To ludzie Bogdana Warskiego.

A jednak to był on. Przejął mnie nagły chłód i wzdrygnęłam się. Kaj nigdy nie może dowiedzieć się o tym, że się przespałam z Bogdanem. Ciągle bardzo żywo pamiętałam, co powiedział mi o zdradzie swojej żony.

– Oj, Nelu. Tak żałuję, że ci wcześniej wszystkiego nie powiedziałem.

Powiedział teraz. O tym, że decyzję o założeniu w Gdańsku firmy podjął dopiero po śmierci ojca. Nie miał wówczas najczystszego sumienia; uważał, że zachował się względem niego zbyt pochopnie, i postanowił wyjaśnić wszystkie okoliczności tej tragedii. Bardzo szybko trafił na ślad powiązań Wiktora z Bogdanem Warskim. Bogdan kontrolował wówczas szmugiel większych dostaw bursztynu z Rosji. To oczywiście był jedynie margines jego bardzo rozbudowanej przemytniczej działalności. Wiktor z powodu długów karcianych został zmuszony przez Bogdana do przepuszczania przez jego firmę zawyżonych faktur. Kiedy jednak chciał z tym skończyć i wrócić do uczciwego życia, Warski odmówił i zażądał natychmiastowego zwrotu pieniędzy, a ponieważ Wiktor ich nie miał...

Kaj wiedział, że jedyną drogą dotarcia do Warskiego jest jego żona i odgrywanie naiwnego playboya. Była to bardzo skuteczna metoda i wkrótce zaczął być zapraszany do ich domu. Przy okazji uczył się prowadzenia interesów w Polsce. Poznał ludzi, z którymi współpracował Bogdan, w tym jednego z najbardziej podejrzanych typów, niejakiego Piotra z Niemiec, który oprócz tego, że uważano go za narkotykowego bossa, był głównym właścicielem galerii Sebastiana. Jednakże drugim wspólnikiem był sam Warski.

– Dowiedziałem się, że Warski zajął się narkotykami stosunkowo niedawno. Podobno przejął po kimś interes. – Kaj pociągnął nosem i kichnął. Przykryłam go połą swego płaszcza. – Nie wiem, kiedy on się zorientował co do mnie. Nie mam pojęcia. Zdaje się, że planował to wszystko od dłuższego czasu. – Bogdan powoli nabijający na hak robaka i godzinami czekający na swoją rybę. – Podejrzewam również, że dowiedział się o tym, iż pracowałaś dla Wiktora.

– Poza tym nie pasowałam do lekkoducha playboya – zauważyłam. Myślałam teraz o kartonach ukrytych w szopie Bogdana. Musiał się wtedy zorientować, że je znalazłam. Podejrzewał pewnie, że poznałam również ich zawartość. Nie mogłam jednak opowiedzieć o tym Kajowi, żeby się nie dowiedział, iż byłam kochanką Warskiego.

– Ale do mnie pasowałaś – zauważył cicho Kaj.

Nagle wpadłam w złość i mocniej pociągnęłam za jego więzy, które zaczynały słabnąć.

– Jesteś doprawdy słodki. Jakim prawem bredziłeś mi o prawdzie i kłamstwie, kiedy to ty sam prowadziłeś wobec mnie podwójną grę i przedstawiałeś tym wszystkim gangsterom? Jak przypuszczałam, od początku byłam dla ciebie jedynie narzędziem, podobnie jak Ilona czy Ewelina.

Kaj próbował dotknąć moich rąk, ale mu je wyszarpnęłam i zapięłam szczelnie płaszcz.

– Dlaczego nie powiedziałeś mi prawdy?

Nagle sznury opadły.

– Nela, masz rację. Teraz to rozumiem, ale wtedy... Nie masz pojęcia, jaki byłem na ciebie wściekły.

– To ta twoja duma.

– Obecnie jeszcze boleśniej zraniona.

– O co ci chodzi? – spytałam z nagłym niepokojem.

– O to, że Warski, odgadując, co zamierzam zrobić, uderzył w mój najsłabszy punkt.

– W firmę?

Poczułam teraz ręce Kaja, które oparły się na moich ramionach.

– Nie. W ciebie.

Kolana same się pode mną ugięły.

– Ty... ty wiesz? – wyjąkałam.

Dobrze, że w ciemnościach nie mógł zobaczyć mojej twarzy, po której przesuwał teraz palcem.

– Chciał przecież, żebym wiedział. Zadzwonił do mnie w poniedziałek, udając, że nic nie wie o włamaniu, i z miejsca mi oznajmił. Wiesz, Kaj, lepiej, żebyś o tym dowiedział się ode mnie. Nela jest teraz ze mną.

Z trudnością chwytałam oddech.

– Zostawiłeś mnie, Kaj, nie przyjmując żadnego wyjaśnienia z mojej strony. Nic cię nie obchodziłam. Myślałam... myślałam, że może zapomnę o tobie w ten sposób.

– Nie mów nic, Nelu. Rozumiem. Teraz wiem, że to moja własna wina. Niepotrzebnie sobie wmawiałem, że jesteś mi obojętna. Nie przypuszczałem nawet, że to tak mocno może mnie zranić.

Nagle jego usta odnalazły w tych całkowitych ciemnościach moje, a ramiona objęły mnie z całych sił. Ale czy Kaj przebaczy mi tę historię z Bogdanem? Jaka byłam naiwna, że nie odgadłam cynicznych planów Warskiego.

– Najgorsze było to, że ty mu się autentycznie spodobałaś – powiedział nagle Kaj, jakby odczytując moje myśli. – Gdybyś nie zaczęła rozrabiać w sprawie Sebastiana, zostałabyś pewnie drugą panią Warską.

– Kaj! – Zamknęłam mu usta ręką, żeby nie słyszeć tych głupstw. – Boże, żeby tak móc cofnąć czas – szepnęłam.

– Nie wiem, Nelu, czy to jeszcze możliwe – odpowiedział Kaj, a potem rozpiął mi płaszcz i wsunął zmarznięte dłonie pod sweter.

Już wcale nie było mi zimno.

– Nela! – jęknął mi do ucha. – Jeszcze jeden pocałunek, a potem zawiążesz mi ponownie ręce.

Po jakimś czasie otworzyły się drzwi. Siedziałam, opierając się o mur. Kaj leżał przy mnie, śpiąc spokojnie jak dziecko. Ja nie byłam w stanie zmrużyć oka. Cały czas przypominałam sobie słowa Kaja o tym, co nas czeka. Nie ma już odwrotu. Za dużo wiemy. Zwłaszcza ja. Czy wiesz, że znajdujemy się w sąsiedztwie letniej rezydencji Warskiego? Nie mamy szans. Nie mogę sobie darować, że to wszystko stało się przeze mnie. Po tej wypowiedzi przytulił się do mnie i zasnął.

– Ale sielanka! – mruknęła postać u szczytu schodów. – Aż żal wam przeszkadzać.

Zauważyłam, że nie ma przysłoniętej twarzy. Widać stwierdził, że ukazując ją nam, nic już nie ryzykuje. Kiedy oczy przyzwyczaiły mi się do światła, zobaczyłam, że wygląda zupełnie normalnie. Dość szczupły, niezbyt wysoki szatyn. Mógł być urzędnikiem bankowym, taksówkarzem, sprzedawcą, ale wybrał sobie inną profesję. Tak jak Bogdan. On również wzbudzał zaufanie. To dobry człowiek. Ma wielkie serce i wszystkim się przejmuje, mówił stajenny. I ja mu uwierzyłam. Przecież czułam się przy nim tak bezpiecznie.

– Jazda stąd – warknął, stwierdzając, że jest chyba zbyt miły.

Joanno d'Arc. Nie, to bez sensu! Miałam z sobą Kaja.

Obudził się natychmiast i wstał bez mojej pomocy.

– Ty! – bandzior zwrócił się do mnie. – Ręce do góry i marsz po schodach.

Wyszliśmy na wąski korytarz, gdzie panował lekki półmrok. Jeszcze nie zaczęło świtać. Kiedy się obróciłam, dostrzegłam, że szatynowi towarzyszy dwóch kompanów. Ci z kolei wyglądali już bardziej charakterystycznie. Podgolone głowy, napakowane ramiona i broń wymierzona w naszą stronę. Pluton egzekucyjny. Kolana niemal ugięły się pode mną, gdy natrafiłam na czujne spojrzenie Kaja. Czy on nadal mnie kochał? Dlaczego nie zadałam mu tego pytania? Czy wybaczył mi Warskiego? Byłam głupia, że na koniec nie zapytałam go o tak istotne sprawy. Teraz już pewnie nigdy się nie dowiem. W myślach próbowałam się modlić, ale z przerażenia wszystkie modlitwy mi się pomieszały.

W milczeniu przeszliśmy przez korytarz i wyszliśmy z budynku. Rzeczywiście, na dworze było jeszcze ciemno, choć od strony lasu zaczynało trochę jaśnieć. Tam był wschód.

– Czy mogę opuścić ręce? Bolą mnie – spytałam szatyna, uważając go za szefa.

Machnął ręką przyzwalająco i ruszył przodem. Szliśmy za nim, a za nami egzekutorzy. To było takie nierzeczywiste. To niemożliwe, żeby oni chcieli nas skrzywdzić. Przecież nic takiego nie zrobiliśmy! Carowa Aleksandra prowadzona przez bolszewików na egzekucję wraz z mężem i dziećmi. Boże, czy ja sama już nie jestem w stanie wymyślić nic oryginalnego! Zaprowadzili nas pod niewysoki nasyp, który widocznie miał im służyć jako kulochwyt na strzelnicy. Drzewa półkolem zasłaniały nasze przyszłe miejsce kaźni. Teraz dygotałam na całego. Spojrzałam na Kaja. Miał zaciśnięte szczęki. Zachowywał się, jakby mnie w ogóle nie znał.

– Jeśli się stąd ruszycie, będę wam przestrzeliwał poszczególne części ciała. Skonacie wówczas w mękach – ostrzegł szatyn.

W tym momencie powietrze przeszył dziwny dźwięk, a ja osunęłam się na kolana. „Święci maszerują do nieba", wygrywał elektroniczny pies Mateusza.

– Kurwa, a to co? – wrzasnął szatyn i od razu stwierdził, że źródło tego odgłosu jest przy mnie.

Pochylił się nade mną, ale w tym momencie Kaj zerwał swoje więzy i rzucił się na niego. Ja z kolei padłam plackiem na ziemię, gdyż kompani szatyna, nie mogąc wycelować w kotłującego się na ziemi z ich szefem Kaja, skoncentrowali się na mnie. Słysząc przy uchu serię głuchych świstów, kątem oka zauważyłam nadbiegającą od strony lasu kolejną postać. W tym samym momencie dobiegł mnie stłumiony odgłos strzału. Jeden z podgolonych typów upadł na ziemię, a ja w nieznanej postaci rozpoznałam Sebastiana.

– Stać! – krzyknął.

Uniosłam się na kolanach i zobaczyłam, że szatyn leży na Kaju i celuje do niego z pistoletu. Niemal naciska na spust. Obróciłam głowę, szukając pomocy w Sebastianie, ale on nagle zgiął się wpół, otrzymując postrzał od drugiego bandyty. Instynktownie rzuciłam się między leżących na ziemi mężczyzn. I wówczas usłyszałam suchy dźwięk, który przeniknął mój płaszcz. Ostatkiem sił uniosłam głowę, ale nie widziałam już drugiego oprycha. Od strony lasu nadbiegało mnóstwo postaci.

– Nela! Nela! – Kaj nachylał się nade mną i przytulał mnie do siebie.

A gdzie był ten szatyn? Przez mgłę zobaczyłam, że leży

nieruchomo na brzuchu. Dlaczego tak słabo widziałam? Czyżby popsuł mi się wzrok? Czy będę znowu nosić okulary w grubej czarnej oprawce?

– Nela, nie zamykaj oczu! – krzyczał nade mną Kaj.

Dlaczego nie miałam tego robić? Byłam przecież taka zmęczona, nie spałam całą noc...

– Pomocy!

Dlaczego głos Kaja był taki przeraźliwy? Nie rozumiałam tego. Nagle wszystko przed moimi oczami zaczęło się rozjaśniać.

Aniela

Promień światła odbijał się w lustrze. Przesunęłam twarz bardziej na bok i dodałam trochę różu na zbyt blade policzki. Hmm. Zupełnie nieźle. Puściłam do siebie kokieteryjnie oko. Nagle ktoś zapukał do drzwi.

– Tak? – Obróciłam się na taborecie.

Uśmiechnięta twarz Ewy zajrzała do środka.

– Gotowa?

– Tak mi się wydaje.

Wstałam i zakręciłam się dokoła.

– To dziwne – zaczęła Ewa.

– Co takiego?

– To, że coraz lepiej wyglądasz. Jesteś teraz piękna – powiedziała wzruszona, a ja pocałowałam ją w policzek.

– Oj, mamo! Dziękuję.

Ewa dziwnie zamrugała oczami.

– Muszę wziąć ze sobą mnóstwo chusteczek. Czuję, że będę stale pochlipywać. Na wszelki wypadek wymalowałam sobie rzęsy tuszem wodoodpornym. Tobie też to radzę.

– Już to zrobiłam. Oczy na mokrym miejscu odziedziczyłam po tobie.

Ewa jeszcze raz przyjrzała mi się bacznie i westchnęła.

– No to idę. Mateusz przynagla mnie już do wyjścia. Domyślasz się czemu?

– Czy chodzi o starszą od niego o dwa lata długonogą blondynkę? – zapytałam.

– Dziesięć punktów – Ewa przewróciła oczami. – Przynajmniej będzie miał motywację do nauki angielskiego. Już ja go przypilnuję.

Prawie wychodziła, gdy nagle coś jej się przypomniało.

– Jeszcze cię o to nieraz poproszę, ale zadzwoń natychmiast z lotniska w Nicei. Nie chcemy się niepokoić.

– Wiem, na pewno to zrobię. – Ucałowałam jej drugi policzek i przypatrywałam się, jak zagania dzieci do wyjścia.

Mirka zawisła mi u szyi i wcisnęła do ręki miniaturowego słonika.

– To na szczęście.

Wsadziłam go do torebki, całując w płatek ucha. Chyba powinnam jeszcze trochę się odświeżyć. Było przecież tak gorąco. Prawdziwy czerwcowy upał. Dobrze, że dość skąpa sukienka była jak zamówiona na taką pogodę. Zanim zdążyłam zniknąć w łazience, do domu wszedł Kaj. W jasnoszarym fraku, białej muszce i kamizelce. Na mój widok rozbłysły mu oczy.

– Moja piękna Nelu.

Zanim zdążyłam go pocałować, odłożył bukiet z białych frezji na stolik i natychmiast zainteresował się moim dekoltem.

– Chyba jest za mocno wycięta – powiedziałam, kiedy usta Kaja zniknęły za koronką.

– Nie sądzę – mruknął, penetrując całą okolicę językiem. Jego ręce unosiły mi dół sukienki.

– O, nie! – zaprotestowałam. – Od tego jest noc poślubna.

– Jak ja wytrzymam jeszcze tyle godzin? – poskarżył się zawiedziony.

– Byłam u spowiedzi, więc nie mogę – użyłam ostatecznego argumentu.

Wówczas Kaj sięgnął do kieszeni.

– Prawdę mówiąc, to ja nie chcę, aby wszyscy wpatrywali się w twój ponętny biust, i przezornie przyniosłem coś, aby go trochę zasłonić.

Z pudełeczka wyjął kolię. Zaparło mi dech na jej widok. Była stylizowana na biżuterię wiktoriańską i składała się z wielu drobnych elementów zrobionych oczywiście z bursztynu. Jej efekt polegał na niesłychanym przenikaniu się przeróżnych odcieni tej skamieniałej żywicy. Kaj dość niepewnie zapiął mi ją na szyi, a potem podprowadził do lustra.

– Podoba ci się?

– To dlatego ostatnio nie miałeś dla mnie czasu? – spytałam, zarzucając mu ręce na szyję. – Jest przepiękna. Czuję się taka rozpieszczana przez ciebie.

Kaj objął mnie i położył głowę na moim ramieniu.

– Po prostu przekupuję cię, żebyś powiedziała „tak".

Wiem, że żartuje, ale jakie to miłe słowa. Biorę twarz Kaja w dłonie i przyglądam jej się przez chwilę.

– Ja też mam dla ciebie prezent.

– Tak, a co? – Kaj natychmiast ożywia się jak mały chłopiec.

– No, nie wiem, czy ci się spodoba.

– A gdzie go masz?

Biorę rękę Kaja i kładę ją na swoim brzuchu.

– Tu.

Tu jest rezultat sztokholmskiego weekendu. Przez ułamki sekund martwię się o reakcję Kaja, ale nagle widzę, jak jego twarz robi się jasna i łagodna. Oczy są dwoma kawałkami miodowego bursztynu, w których już teraz wiem, co się kryje. Kaj uśmiecha się, a bursztyn coraz bardziej podświetla się od wewnątrz i ukazuje miłość.

– Kocham cię, Kaj. Nigdy nie zrozumiesz jak bardzo. Kocham cię.

Jasność robi się coraz rzadsza i zaczyna się gwałtownie przesuwać. Po chwili już pędzi jak pociąg ekspresowy wyrzucony z szyn, a ja podążam wraz z nią. Wiem, że nie mogę się cofnąć.

– Kocham cię, Kaj. Tak bardzo cię kocham – brzmi mi w uszach.

– Wiem, skarbie, wiem. Ja też cię kocham – słyszę i czuję, jak ktoś gładzi moją rękę.

Z ogromnym trudem udaje mi się rozewrzeć powieki i znów widzę znajome bursztynowe spojrzenie.

– Nelu, najdroższa. Bogu niech będą dzięki! Obudziłaś się wreszcie.

– To ja spałam? – pytam z trudem. Język stoi mi w ustach kołkiem i z wdzięcznością przyjmuję od Kaja kubek z jakąś cieczą. Mogę go podtrzymywać zaledwie jedną ręką, gdyż druga podłączona jest do aparatury.

– Postrzelono cię, a potem miałaś zapaść. Byłaś nieprzytomna ponad tydzień.

Nagle zaczyna mi się wszystko przypominać. Ciemność, Kaj, bandyci, strzały, Sebastian.

– A Sebastian? – pytam natychmiast.

– Przeżył. Jest nawet przytomny – odpowiada Kaj. – Ale nie wiadomo, czy nie straci oka. Od uderzenia odkleiła mu się siatkówka.

Będzie zatem prawdziwym piratem, myślę ze smutkiem

i słucham, jak Kaj opowiada o tym, że to Sebastian zawiadomił policję i wysłał ich na wieś. Do końca nie wierzył – zresztą słusznie – czy zdążą na czas, i sam włączył się do akcji. Niewątpliwie gdyby nie on, to oboje już byśmy nie żyli.

– Gdzie on jest? – pytam prawie bezdźwięcznie.

– W sali obok.

Myślę o tym, że jest sam, bo nie ma żadnej rodziny w Gdańsku. Kaj, zgadując moje myśli, wyjaśnia:

– Nie martw się. Ma dobrą opiekę. Siedzi przy nim twoja przyjaciółka Lusia. Kiedy do niego ostatnio zaglądałem, trzymali się za ręce, więc chyba nie powinien mieć powodów do narzekań.

Uśmiecham się do Kaja, ale w głowie wciąż mam mętlik. Kaj opowiada, że przeżył tylko jeden z naszych porywaczy. Nie wiadomo jednak, czy będzie chciał zeznawać przeciwko Bogdanowi Warskiemu, który tymczasem przedłużył sobie zagraniczny urlop.

– Czyli on za nic nie odpowie? – pytam, a ból ściska mi piersi.

Kaj spuszcza głowę.

– Robimy, co możemy, Nelu. Ale muszą być jacyś świadkowie. On sam nie parał się mokrą robotą. Wydawał tylko polecenia. Rewizja dokonana w jego domu w mieście i na wsi niczego nie wykazała. Znaleziono tylko dużo pustych kartonów.

One nie były puste, gdy ich dotykałam, myślę, ale nie mówię nic o tym Kajowi. Nagle przypomina mi się coś strasznego i z trudem łapię oddech.

– Co się stało, Nela?

– Moje dzieci!

Po chwili są już przy mnie. Mateuszowi podejrzanie trzęsie się broda, a Mirka płacze jak bóbr.

– Byliśmy na korytarzu.

– Jak... jak sobie dawaliście radę?

– Kaj się nami zajął, a dzisiaj przyjeżdża babcia – mówi Mateusz. – Jeśli się okaże, że wszystko z tobą w porządku, to zabierze nas na tydzień do Zakopanego.

To prawda, przecież mieli teraz ferie. Ale jak to Mateusz powiedział? Kaj się nimi zajmował? Szukam wzrokiem Kaja, który przepuścił dzieci do mojego łóżka.

– Ty się nimi zajmowałeś? – pytam.

Kaj ponownie zbliża się do mnie i bierze mnie za rękę.

– Z początku nie chciały mojej opieki. Powiedziały, że przecież jestem dla nich obcym mężczyzną.

– Kaj się zdenerwował i powiedział, że nie wolno nam się tak odzywać do naszego przyszłego taty – objaśnia mnie Mirka, a Mateusz za plecami Kaja robi do mnie konspiracyjną minę.

– Przyszłego taty... – powtarzam, a Kaj nachyla się nade mną.

– Myślałem, że jesteś zwolenniczką cofania czasu – mówi. – Dasz mi tę drugą szansę, Nelu?

W głowie zaczyna mi coś stukać. Nie wiem, czy to ból, czy odgłos dzwonów weselnych.

– Już nigdy nie spuszczę cię z oka – mówi Kaj.

– Bo robię głupstwa...

– Nie, dlatego, że jesteś moim życiem – odpowiada Kaj, a przeze mnie przepływa nagła fala ciepła. Od głowy do nóg.

Robi mi się miło i euforycznie unoszę się do góry. To cudowne uczucie tak wzlatywać. Rozgwieżdżone niebo przyciąga mnie do siebie. Jednak w pewnym momencie przypominam sobie o czymś i patrzę w dół. Widzę mężczyznę, który nagle zaniepokojony nachyla się nad moim łóżkiem, widzę dwójkę dzieci, która po raz pierwszy w życiu trzyma się za ręce. Wszyscy patrzą na kobietę, która była, która jest mną. Odwracam się i rzucam szybkie spojrzenie w stronę gwiazd. Już wiem, że nie interesują mnie loty w nieznane. Pragnę wrócić do tej trójki, którą obserwuję z góry. Moje serce zaczyna nagle bić, poruszone tą niezwykłą miłością. Za wszelką cenę muszę do nich wrócić.

I mam nadzieję, że to mi się uda.

KONIEC

Druk i oprawa: WZDZ - Drukarnia „LEGA"